MEDDYG Y GALON GLWYFUS
GOFAL AM IECHYD MEDDWL
A CHYMWYNAS FAWR
DR DAVID ENOCH

Robin Gwyndaf

CYHOEDDIADAU'R
GAIR

2021

Argraffiad cyntaf: 2021
Argraffwyd ar bapur sidan Amadeus, 150 gram.
Gorchudd y clawr caled: Brethyn Wibalin.

Rhif Llyfr Rhyngwladol: 9781859949429
℗ Robin Gwyndaf a Chyhoeddiadau'r Gair

Llun y clawr blaen ar y siaced lwch: un o arwyddluniau 'Heddwch Mala': dwylo ieuenctid ynghyd a breichled yr enfys ar bob arddwrn.
Llun ar y ddalen deitl: arwyddlun y Gymdeithas Seiciatregol Gymreig, yn cynnwys y geiriau: 'Meddyg gorau, meddyg enaid'.
Llun ar y clawr ôl: arwyddlun Gwefan Meddwl.org

Dylunio a chynllun y clawr: yr awdur mewn cydweithrediad â
Neil Wallace, A1 Design, Llanbedr-y-fro, Bro Morgannwg.
Argraffwyd a rhwymwyd gan: Argraffwyr Cambrian, Pontllan-fraith, Gwent.

Cyhoeddwyd gan:
Cyhoeddiadau'r Gair, Cyngor Ysgolion Sul Cymru,
Ael y Bryn, Chwilog, Pwllheli, Gwynedd, LL53 6SH
www.ysgolsul.com

Cyflwynir y gyfrol hon gyda diolch o waelod calon:

I'r **Dr M David Enoch**, 95 mlwydd oed, y seiciatrydd enwog, am oes o wasanaeth meddygol diflino a'i gyhoeddiadau nodedig, sy'n cael eu mawr werthfawrogi mewn llawer rhan o'r byd.

Er cof annwyl iawn am **Malcolm T Rees** (1928-2001), Rhydaman, a'i briod, **Yolande Rees** (1930-2007), chwaer David Enoch, gyda myrdd o ddiolch iddo am ei bortread diffuant o'i frawd yng nghyfraith.

I feddygon a pharafeddygon; seiciatryddion a chwnselwyr; gweinyddesau a gweithwyr mewn ysbytai, cartrefi gofal a meddygfeydd; pob gweinidog, offeiriad a chaplan; pob fferyllydd a deintydd; a phawb sy'n estyn llaw a chalon i gynorthwyo unrhyw un mewn angen.

Cyflwynaf y gyfrol hefyd i **Eleri**, fy mhriod, am ei gofal a'i chariad mawr, ac i'm teulu hoff: **Llyr**, fy mab, ac **Anke**, ei gymar; **Nia**, fy merch, ac er cof hiraethus am **Eifion Gwynne** (1974-2016), ei phriod annwyl; **Mabli Eleri** a **Modlen Haf**, fy wyresau; ac **Idris Pari**, fy ŵyr.

Diolch am destun diolch ...

* * * * *

Ar fin y ffordd y mynnwn fyw,
Yn rhannu helynt dynol-ryw;
Ar fin y ffordd y carwn fod,
Yn ffrind i bawb sy'n mynd a dod.

O 'Gân y Crynwyr'

Colomen tangnefedd, gyda breichled o liwiau'r enfys yn ei phig. (Heddwch Mala)

Cyflwynir unrhyw elw o gronfa'r Cyfeillion a'r Noddwyr yn rhodd i:

1. Gofal Dydd, Capel Waengoleugoed, ger Llanelwy.
2. Stafell Fyw, Caerdydd : yn 'agor y drws i fywyd newydd'.

Cyhoeddwyd 600 copi o'r gyfrol hon wedi'u rhifo.
Rhif y llyfr hwn yw:
48

Cynnwys

Rhagair   9

Gair o ddiolch   18

Rhan 1   24
Diolch am Destun Diolch
Gofal am Iechyd Meddwl a Phaham
Cyhoeddi'r Gyfrol Hon?

Rhan 2   119
Portread o'r Dr David Enoch gan
Malcolm T Rees
(Wedi'i olygu gan Robin Gwyndaf)

1. Y Sylfaen Gadarn   120

2. Ysgol a Chapel a Drws yn Agor   123

3. O 'Ali-bops' i Tommy Farr: Chwaraeon a Difyrion   127
   yr Aelwyd

4. Gwaith Glo'r Emlyn; Band Arian yr Emlyn; a'r   130
   Cartref Cerddorol

5. Yr Aman Valley County School; Pneumoconiosis   132
   ei Dad; a David yn Pregethu yn Un ar Bymtheg
   Mlwydd Oed

6. Dringo Ysgol Byd Addysg, a Drws Arall yn Agor   137

7. O Gartref Cariadus i Wersyll Milwrol   140

8. O Ben-y-groes i'r India Bell: Bywyd a Phrofiadau Milwr   143

9. Newid Byd: Astudio Meddygaeth; Dychwelyd i   150
   Ben-y-groes; a Marwolaeth ei Dad

10. Meddyg mewn Ysbytai yn Llanelli a Chaerfyrddin,   154
    a Dechrau Ymddiddori mewn Seiciatreg

11. O Gaerfyrddin i Lundain, ac Ymchwilio Ymhellach   156
    ym Myd y Corff a'r Meddwl

12. Uwch Gofrestrydd Seiciatryddol yn Ysbyty Prifysgol   158
    Llundain ac Ysbyty Runwell

13. O Lundain i Amwythig: Prif Ymgynghorydd   161
    Seiciatryddol Ysbyty Brenhinol Salop, Shelton, a
    Pharhau i Ledaenu Neges Efengyl Gobaith a Chysur

14. Porsche, y Cerbyd Cyflym; Boxer, y Ci Direidus;   168
    a 'Bois y Ddraig Goch'

15. Gofal a Mawr Gydymdeimlad; Ymchwilio, Addysgu   170
    a Chyhoeddi Cyfraniadau Seiciatryddol Cyfoethog

16. O Amwythig i Lerpwl a'r Ysbyty Brenhinol: 176
    Ymgynghorydd Seiciatryddol Awdurdod Iechyd
    Rhanbarthol Glannau Mersi, a Darlithio yn
    Ysbyty'r Brifysgol

17. Meddyg y Galon Glwyfus: O Lerpwl i Gaerdydd   180
    a Chyhoeddi Dwy Gyfrol Arloesol

18. Colli Priod Hoff   184

19. Diwrnod i'r Brenin: o Rydaman i Aberaeron;   186
    o Aberaeron i Geinewydd

20. Y Toronto Blessing a Llyn Brianne; 'Ffydd, Gobaith,   189
    a Chariad', a Llywydd y Gymdeithas Efengylu

21. Cymwynasau Lu a Chariad ar Waith   192

Rhan 3
Atodiadau

196

Atodiad 1. Prif Swyddi'r Dr David Enoch

Atodiad 2. Cyhoeddiadau

Atodiad 3. Teyrngedau

Mynegai   208

Cyfeillion a Noddwyr   225

Rhagair

Mor hyfryd bob amser yw cael diolch. Diolch o waelod calon. Diolwch. Yr elfen 'di' yn yr achos hwn yn cadarnhau yr hen air 'golwch', sy'n golygu 'moliant'. Felly, di-olwch: 'moliant ar ben moliant'. A dyna'r hyfrydwch amheuthun yr wyf i'n ei brofi y munudau hyn wrth ysgrifennu brawddegau agoriadol y gyfrol hon. Mae hi'n Sul y Blodau, y pumed o Ebrill 2020. Bore braf o wanwyn; adar yn canu a blagur ar goed. Ond y mae hi hefyd yn ddiwrnod pan fo Haint Corona, Covid-19, yn parhau i ymledu ar garlam drwy'r byd, gan beri ofn a dychryn a dioddefaint di-ben-draw. (Cefais innau achos i bryderu, ond caf gyfeirio at hynny eto.) Er hynny, er y gofid, y mae gennym destun diolch.

Diolch yw'r llinyn arian sy'n clymu pob rhan o'r gyfrol hon ynghyd. Yn arbennig yn yr ail a'r drydedd ran, caf gyfle i ddiolch yn ddiffuant i gymwynaswr nodedig iawn: un a dreuliodd oes faith yn rhannu'i wybodaeth, ei ddawn a'i gariad i gynorthwyo eraill. A'r gair sy'n crynhoi'r cyfan yw 'gofal'. Meddyg; seiciatrydd; Cymrawd o Goleg Brenhinol y Seiciatryddion, Llundain; Seiciatrydd Ymgynghorol Emeritws Ysbyty Brenhinol Prifysgol Lerpwl; awdur llyfrau a gyfieithwyd i fwy nag un iaith; Cristion; cyn-Lywydd y Gymdeithas Efengylu; pregethwr ysbrydoledig. A'i enw? Morgan David Enoch.

'Meddyg y corff a'r meddwl, yr ysbryd a'r enaid'

Gwyddwn amdano er pan oeddwn yn lled ifanc. Cofiaf yn dda am neges angerddol ei bregethu yn Eglwys y Bedyddwyr, y Tabernacl, Caerdydd. Clywais ei lais ar y radio, a gwelais ef ar y teledu. Cefais hefyd y fraint yn 1981 o fod yn un o'r gynulleidfa niferus yng Ngholeg y Bedyddwyr, Caerdydd, yn gwrando arno yn traddodi Darlithoedd Coffa Edwin Stephen Griffiths. Roedd ganddo destun ardderchog iawn ac eithriadol o bwysig i'r ddwy ddarlith hynny, sef 'Ffydd, Gras, a Seiciatreg' ('Faith, Grace, and Psychiatry'). Wrth wrando arno, ni allwn lai na dwyn i gof gyfarwyddyd cariadus yr apostol Paul i'r Effesiaid ganrifoedd lawer yn ôl: 'Y nod yw dynoliaeth lawn dwf.' (4:13) 'Dynoliaeth gyflawn.' Y gofal grasol, hollgynhwysol, hwnnw, yn orlawn o gydymdeimlad tuag at eraill, fel ffynnon yn goferu.

Yn dilyn cyflwyno'r darlithoedd hyn, bu i rai ohonom, ac yn arbennig y Parchg Ddr Dafydd G Davies, Prifathro'r Coleg, annog Dr Enoch i'w cyhoeddi. Gwnaeth yntau hynny a'u hymestyn yn gyfrol. Y gyfrol anhepgorol ac amhrisiadwy honno oedd *Healing the Hurt Mind: Christian Faith and Clinical Psychiatry* (1983). Aeth y cyhoeddiad hwn bellach i lawer rhan o'r byd, a'i argraffu un ar ddeg o weithiau eisoes. Mewn cyfnod pan fo cynifer o bobl yn dioddef o iselder ysbryd, dyma un o gyfrolau hollbwysig yr awdur, cyfrol i bawb fyfyrio'n ddwys ar ei chynnwys, beth bynnag fo'u cred: boed grefyddwyr neu ddyneiddwyr; boed weinidogion yr Efengyl neu leygwyr.

Portread Malcolm T Rees o frawd yng nghyfraith hoff

Yn 1997 daeth David a'i briod, Anne, i fyw i rif 120 Heol Pencisely, Llandaf. Mae'r tŷ hwn ar gornel Heol Cae Wal, a'i ardd yn ffinio â gardd Cwm Eithin, cartref Eleri, fy mhriod, a minnau, yn Heol Sant Mihangel (er bod un adeilad rhwng y gerddi yn ein rhwystro rhag cael sgwrs dros ben y wal!). Dyna gyd-ddigwyddiad a hanner! Gŵr yr oedd gennyf gymaint o barch tuag ato bellach yn gymydog agos.

Un diwrnod rhoes David fenthyg teipysgrif imi o waith Malcolm Thomas Rees (1928-2001), 50 Maes yr Haf, Rhydaman. Roedd ef yn briod â Yolande, ei ddiweddar chwaer. Ysgrifennodd Malcolm T Rees y portread rywdro rhwng 1997 a 2001, blwyddyn ei farw, ond nid oes ddyddiad penodol arno. Yn ogystal â'i enw ei hun, ychwanegodd ar y deipysgrif hefyd yr enw 'Emar'. Ond nid oedd Paul Rees, ei fab, na David, ei frawd yng nghyfraith, erioed wedi gweld na chlywed sôn am yr enw hwn. Y pennawd a roes yr awdur i'w waith ydoedd 'Tân yn y Galon: Portread o fywyd ac amserau Dr M David Enoch'. A dyma frawddeg agoriadol y cyflwyniad:

> 'Golwg ar hanes mab glöwr o Ben-y-groes, Sir Gaerfyrddin, a lwyddodd drwy ymdrech, hunanddisgyblaeth, aberth, a hollol ymrwymiant [i] gyrraedd uchelfannau ei yrfa broffesiynol, a chael ei gydnabod fel un o seiciatryddion blaenllaw y byd.'

Ganed David a Malcolm yn yr un pentref, sef Pen-y-groes, ond gwahanol iawn fu gyrfa'r ddau. Dylunydd peirianyddol oedd Malcolm, ac wedi gweithio yn Llanelli; Chippenham, Swydd Wiltshire; Llan-wern; a Llandybïe.

Meddai Malcolm Rees ymhellach ar ddechrau ei gyflwyniad: 'Yr ydwyf wedi bod yn ffrind [i David] am dros 50 mlynedd, yn ogystal â bod yn frawd yng nghyfraith iddo.' Rhwydd y gallai fod wedi ychwanegu'r geiriau: 'Ffrind agos iawn'. O ddarllen ei sylwadau, gwelwn mor fawr oedd ei edmygedd o'r meddyg galluog. Cyflwynodd inni bortread cynnes, diffuant, llawn gwybodaeth. A mwy na hynny. Oherwydd ei fod yn adnabod y person yr oedd yn ysgrifennu amdano mor dda, gallai fynegi sut yr oedd y person hwnnw, sef ei frawd yng nghyfraith ef ei hun, yn *teimlo* ar adegau arbennig yn ei fywyd. Sut yr oedd yn ymateb i brofiadau ac amgylchiadau neilltuol? Beth oedd ei bryderon? Beth oedd ei ddyheadau? A'i fydolwg.

Malcolm T Rees (1928-2001), gyda'i frawd yng nghyfraith, David Enoch: 1954.
Llun drwy garedigrwydd Paul Rees, Rhydaman.

Teyrnged i frawd yng nghyfraith hoff. Hyd y gwn i, ni fwriadodd yr awdur i'w waith gael ei gyhoeddi. Malcolm Rees ei hun, dybiwn i, fyddai'r cyntaf i gyfaddef nad oedd wedi arfer ysgrifennu yn Gymraeg ar gyfer y wasg. Fodd bynnag, gan i mi weld gwerth yn y portread, penderfynais ei ddefnyddio fel rhan o gyfrol brintiedig. Cwtogais, neu grynhoi, rhannau fan hyn a fan draw. Ychwanegais frawddegau a sawl nodyn; ailysgrifennu brawddegau eraill; a rhoddais benawdau i'r penodau. Yr un modd, ychwanegwyd rhai enwau a thermau meddygol Cymraeg. Cywirais fân lithriadau ieithyddol a rhoi cynnig hefyd ar fireinio'r mynegiant hwnt ac yma. Ond, er pob newid, ceisiais beidio ag amharu dim ar gynhesrwydd y portread ac ar naws bersonol, gartrefol, ac anffurfiol y mynegiant.

Yolande Rees (1930-2007), chwaer David Enoch, gyda'i phriod, Malcolm T Rees.
Llun drwy garedigrwydd Paul Rees.

Yn ychwanegol at bortread Malcolm T Rees o'i frawd yng nghyfraith, cynhwyswyd fy nheyrnged bersonol i i'r meddyg o Ben-y-groes yn Rhan 1, gan nodi yr un pryd fy rhesymau dros gyhoeddi'r gyfrol bresennol. Cynhwyswyd hefyd dri atodiad yn nhrydedd ran y gyfrol. Yn Atodiad 1 nodir rhai o brif swyddi Dr Enoch a'r anrhydeddau a dderbyniodd. Yn Atodiad 2 cynhwysir detholiad o'i gyhoeddiadau niferus, ac yn Atodiad 3 cynhwysir detholiad pellach o deyrngedau.

O Ben-y-groes i ben draw'r byd

Yn 1967 cyhoeddodd David Enoch y gyfrol arloesol, *Uncommon Psychiatric Syndromes*. Ystyrir y cyhoeddiad hwn yn un o glasuron y byd meddygol. Cyhoeddwyd y pedwerydd argraffiad gan Hodder Arnold yn 2001. Disgrifiwyd ef bryd hynny fel 'Hodder top ten modern medical classics'. Mae'r pumed argraffiad Saesneg wedi'i gyhoeddi ddechrau 2021. Cyfieithwyd y gyfrol hefyd i Siapanaeg, Twrceg, Almaeneg a Ffrangeg.

Wedi ymddangosiad y gyfrol hon aeth rhagddo i gyhoeddi mwynglawdd yn rhagor o erthyglau a llyfrau arbennig o werthfawr ym myd seiciatreg, seicoleg, a chrefydd. Cyfeirir at rai o'r cyhoeddiadau hyn yn Rhan 1 y gyfrol bresennol a rhan 2. Hefyd yn Atodiad 2.

Afraid dweud, cafodd Dr Enoch yrfa feddygol ddisglair yn Llanelli, Caerfyrddin, Llundain, Amwythig a Lerpwl. Drwy gydol ei oes bu'n rhoi cariad ar waith wrth welyau cleifion ac mewn neuaddau darlithio (oherwydd ei fod yn rhoi pwys arbennig ar addysgu meddygon iau). Ond hefyd bu'n frwd ei ymroddiad yn pregethu yn eglwysi Cymru a thu hwnt. Roedd ganddo destun bendigedig nad oedd angen ei well: y gŵr ifanc o Nasareth gynt a fu yng nghwmni ei bobl, yn iacháu ac yn rhannu ei gariad rhyfeddol.

Yn haeddiannol iawn, y mae cyfraniad nodedig Dr David Enoch yn wybyddus bellach mewn nifer o wledydd. Ar hyn o bryd hefyd y mae ei hunangofiant Saesneg yn y wasg: *Enoch's Walk. 95 Not Out: Journey of a Psychiatrist* (Y Lolfa).

Y mae gennym ddyled arbennig i seiciatryddion o Gymru, ond prin yw'r cyhoeddiadau yn Gymraeg sy'n cofnodi eu llafur. Cyhoeddir *Meddyg y Galon Glwyfus* yn awr yn deyrnged i un o'r rhai mwyaf blaenllaw o blith y cymwynaswyr hyn o Gymru.

Ond yn rhan gyntaf y gyfrol hon cynhwysir hefyd ddisgrifiadau cryno o rai meddygon, seiciatryddion a chymwynaswyr eraill yn y byd iechyd. Personau yw'r rhain, yn bennaf, y cefais i yr hyfrydwch o'u cwmni. Personau yr un modd y gwn y byddai David Enoch, yntau, fel finnau, yn gwerthfawrogi o waelod calon, eu cyfraniad amhrisiadwy.

Fy nyletswydd hyfryd oedd cael dal ar y cyfle i fynegi fy niolch mwyaf diffuant i'r Gwasanaeth Iechyd, gan gynnwys, wrth gwrs, wasanaethau iechyd meddwl, ynghyd â'r holl elusennau a mudiadau dyngarol sy'n cynorthwyo'r digartref a'r anghenus a phawb sydd mewn angen am ein gofal.

Fy mraint fawr hefyd oedd cael diolch yn ddidwyll iawn i fyrdd o gymwynaswyr ledled y wlad, yn cynnwys personau megis y rhai sy'n gofalu o ddydd i ddydd am eu hanwyliaid yn eu cartrefi, gweinidogion, offeiriaid, a chaplaniaid mewn ysbytai.

Cariad a thangnefedd ar waith bob munud awr o'r dydd

Fe wêl y darllenydd fod sawl adran yn rhan gyntaf y gyfrol yn cyfeirio at rai o'm profiadau personol i. Ond yn anorfod y digwyddodd hynny – nid er mwyn cyhoeddi i'r byd a'r betws pa weithgareddau dyngarol y bûm i yn ymhél â hwy. Y mae llawer o'r profiadau hynny hefyd yn gysylltiedig â'm haelodaeth yn Eglwys y Bedyddwyr, y Tabernacl, yr Ais, Caerdydd, eglwys sydd, bendith arni, yn rhoi pwys mawr ar roi'r Gair ar waith – cariad ar waith – o ddydd i ddydd.

Er pan oeddwn yn fachgen ifanc, rwyf wedi dyheu am weld pob gwlad, gan gynnwys Cymru, yn cael y cyfle i roi'r flaenoriaeth yn llwyr i les pobl – lles dynoliaeth. Cymdeithas lle mae cyfiawnder, heddwch a rhyddid yn teyrnasu. Cymdeithas lle mae cariad a gofal a pharch at eraill wrth y llyw. Cymdeithas lle nad yw pobl yn gorfod byw mewn ofn, ddydd a nos. Y digartref yn poeni: 'ble gaf i gysgu heno?' Rhieni yn poeni: 'ble gaf i'r pryd bwyd nesaf i'r plant?'. A chymdeithas lle mae adnoddau digonol yn cael eu darparu gan y Llywodraeth er mwyn hyrwyddo iechyd ac ymchwil meddygol; dileu unigrwydd; dileu tlodi a newyn; a gorseddu cyfiawnder.

Yn fwriadol y dewisais y gair 'gofal' yn rhan o is-bennawd y gyfrol hon: 'Gofal am Iechyd Meddwl'. Y mae dolen gwbl annatod rhwng 'iechyd meddwl' â'r gymdeithas wâr y cyfeiriwyd ati uchod. Y gair allweddol sy'n cyfleu'r ddolen yn ardderchog iawn yw un o'r geiriau mwyaf bendigedig sydd gennym yn y Gymraeg, sef 'tangnefedd'. Braint arbennig iawn i minnau rai blynyddoedd yn ôl yn y Deml Heddwch yng Nghaerdydd oedd cael sgwrs gyda'r Archesgob Desmond Tutu, a chael dal ar y cyfle i gyflwyno'r gair arbennig hwn iddo. Roedd wedi dotio ato, ac yr oedd yntau am ei gyflwyno i'w gyfeillion yn Ne Affrica. O, na bai i bawb sy'n ein llywodraethu wneud yr un modd.

Tangnefedd – o'r hen air 'tanc', yn golygu 'heddwch'. Tangnefedd: heddwch y nefoedd. Heddwch mewnol. *Shalom* yr Iddew; *Salaam* yr Arab. Y tawelwch meddwl hyfryd hwnnw sy'n ganlyniad byw mewn byd o dosturi a pharch at eraill, cariad a gofal. Mor gyfan gwbl groes yw ei ystyr i air arall sy'n dechrau â'r llythyren 't', sef 'trais'. Bob tro y meddyliaf am y gair hwn a'i dair cytsain galed, daw i'm cof gwpled cynganeddol ysgytwol y crydd mwyn a diwylliedig o'r Foel, Dyffryn Banw, ym Maldwyn: John Penry Jones (1914-1989):

> Taenu trais ar drais yn drwch
> Yw lladd i ennill heddwch.

'Yr arch leiaf yw'r drymaf i'w chario.': geiriau dirdynnol Hisham al-Omeisy o'r Yemen

Ond gwae fi! Wedi holl ddioddefaint a gwallgofrwydd trais a rhyfeloedd yr ugeinfed ganrif, pa bryd y gwnawn ni ddysgu?

Prydain (ac felly Cymru hefyd, ar hyn o bryd, fel rhan ohoni) yw'r unig wlad yn Ewrop sy'n caniatáu i blant mor ifanc ag un ar bymtheg oed gael ymuno â'r fyddin. Mae gan Brydain ganolfannau militaraidd dirifedi mewn sawl rhan o'r byd, gan gynnwys Cymru, heb anghofio Epynt, canolfannau ac ymgyrchoedd milwrol

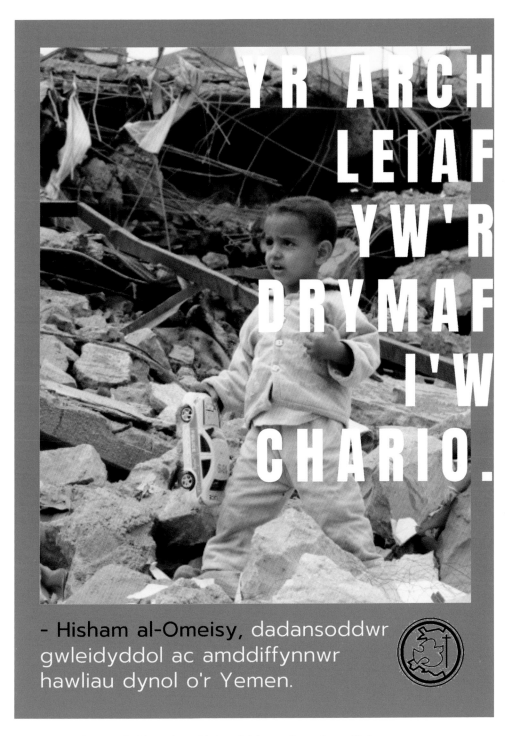

YR ARCH LEIAF YW'R DRYMAF I'W CHARIO.

- Hisham al-Omeisy, dadansoddwr gwleidyddol ac amddiffynnwr hawliau dynol o'r Yemen.

Poster gan Rhun Dafydd, Cadeirydd Cymdeithas y Cymod yng Nghymru, yn cynnwys geiriau trist yr ymgyrchydd dros heddwch, Hisham al-Omeisy, o'r Yemen.

sy'n costio biliynau o bunnoedd. Mae Prydain, gyda sêl bendith Llywodraeth Cymru, yn caniatáu i beilotiaid rhyfel o sawl gwlad dramor gael eu hyfforddi yn y Fali, Ynys Môn. Yn caniatáu hefyd i awyrennau rhyfel di-beilot (dronau) gael eu profi yn Aberporth (mor gymwys yw'r enw 'adar angau' arnynt). Ac y mae oedolion a phlant yn parhau i gael eu lladd heddiw yn Yemen gan fomiau o awyrennau Saudi Arabia a werthwyd iddynt gan Brydain, a rhai o'r peilotiaid wedi eu hyfforddi ar Ynys Môn.

Fe gofiaf brynhawn Gwener, yr ail ar hugain o Fawrth 2019, yn hir. Cafodd Awel Irene (Ysgrifennydd Cymdeithas y Cymod ar y pryd) a minnau dreulio dwyawr mewn gwesty yng Nghaerdydd yng nghwmni Hisham al-Omeisy. Ymgyrchydd heddwch brwd o'r Yemen yw ef. Gŵr a fu yng ngharchar ac a ŵyr beth yw dioddefaint. Gwybod hefyd am ddioddefaint ei bobl. O gofio am y nifer uchel o blant sy'n cael eu lladd yn wythnosol yn y wlad honno, o dan deimlad dwys y llefarodd y geiriau: 'Yr arch leiaf yw'r drymaf i'w chario.' Yr wyf mor falch o gael cynnwys yn y gyfrol bresennol lun poster o eiddo Rhun Dafydd (Cadeirydd presennol Cymdeithas y Cymod), sy'n dyfynnu'r geiriau dirdynnol hyn.

Y nos Wener honno yr oedd heddychwyr, megis Jane Harries, wedi trefnu i nifer o gefnogwyr Hisham al-Omeisy gyfarfod ag ef yn y Deml Heddwch. Dyna drueni na bai'r personau hynny a fu'n gyfrifol am werthu awyrennau rhyfel o Brydain i Saudi Arabia yno hefyd i ymdeimlo â thorcalon y gŵr ifanc o'r Yemen.

Ddarllenwyr hoff y gyfrol hon, daeth yn ben-amser inni ddweud: 'Digon yw digon.' Fe ddaeth y dydd i bawb ohonom ddatgan yn groyw iawn wrth Lywodraeth Prydain a Llywodraeth Cymru, ac wrth bob gwleidydd a phob un sydd mewn grym: 'Dim rhagor o wastraffu arian ar arfau a bomiau, gan gynnwys arfau niwclear a Trident. Dim mwy o angen iddi barhau'r celwydd fod yn rhaid iddi fynd i bedwar ban y byd i "amddiffyn" ac i "gadw'r heddwch".'

Nid ymddiheuraf am ddweud hyn oll mewn cyfrol gyda'i his-bennawd 'Gofal am Iechyd Meddwl'. Rhodder y flaenoriaeth i feddygaeth; i ymchwil yn y maes meddygol; i gyflogau ac adnoddau teilwng i holl weithwyr y Gwasanaeth Iechyd; i ddileu tlodi a digartrefedd. Blaenoriaeth i amodau byw teilwng a lles pawb ymhob cymuned, gan gynnwys cynorthwyo gwledydd lle mae newyn mawr. Blaenoriaeth i addysg ac i hyrwyddo iaith a diwylliant cenedl. A blaenoriaeth hefyd (oes angen dweud) i wynebu un o heriau mwyaf ein hoes: her newid hinsawdd a chynhesu byd-eang.

Coron aur bywyd yw iechyd y corff a'r meddwl. Heddiw, ac yn arbennig yn y cyfnod pryderus hwn o'r Feirws Corona, y mae mwy o bobl nag erioed yn dioddef o or-bryder ac iselder ysbryd. Gall effeithio ar bob un ohonom, yn oedolion a phlant. A gall ddod mor ddirybudd â'r lleidr yn y nos. Mor ingol o wir yw englyn Elwyn Evans (mab y bardd a'r gweinidog William Evans, 'Wil Ifan'):

> Heddiw, yn wir ni wyddom – yr adeg
> Y daw pryder arnom;
> Ceisio, gobeithio tra bôm,
> Yw hanes pawb ohonom.

A phan ddaw gofid, mor gwbl amlwg yw'r angen am arbenigedd ac ymroddiad gweithwyr y Gwasanaeth Iechyd, ac mor amlwg yw'r angen am yr adnoddau digonol i gynnal y gwasanaeth hwnnw.

Ond rwy'n cloi'r rhagair hwn drwy bwysleisio unwaith yn rhagor mor gwbl amlwg hefyd yw ein dyled i'r holl garedigion hyn yn y byd meddygol, fel i bob un yn y gymuned sy'n gofalu'n gariadus am eraill: cariad ar waith bob munud awr o'r dydd. Er mwyn mynegi fy ngwerthfawrogiad mwyaf diffuant, ar ran pawb o'r darllenwyr, dyna un o'r prif resymau dros gyhoeddi'r gyfrol hon.

Mawr fu fy mraint. A mawr iawn fy niolch.

6 Chwefror 2021   **Robin Gwyndaf**

Gair o Ddiolch

'Hyfryd bob amser yw cael diolch – diolch o waelod calon.' Dyna, fe gofiwch, y geiriau agoriadol a ddefnyddiwyd gennyf yn Rhagair y gyfrol hon. Hyfrydwch arbennig, yn wir. A dyna fy mhleser digymysg i yn awr. Er pan ddechreuais ysgrifennu'r gyfrol ar Sul y Blodau, y 5ed o Ebrill 2020, bu cwmni a chefnogaeth llu mawr o bersonau yn arial i'r galon ac yn sbardun i'r meddwl. Rhy brin yw geiriau imi fynegi fy nyled.

Yn gyntaf oll, rhaid imi ddiolch yn ddiffuant iawn i'r **Dr David Enoch**. Wedi imi benderfynu golygu portread Malcolm T Rees, ei frawd yng nghyfraith, a'i gyhoeddi, ynghyd â'm teyrnged bersonol i, atebodd gant a mil o gwestiynau. Ganddo ef hefyd y cefais fenthyg yr holl luniau a gyhoeddir yn rhan 2 y gyfrol sy'n ymwneud â'i deulu a'i waith. Yr un modd, rhoes rwydd hynt imi ychwanegu'n sylweddol at y gyfrol wrth imi yn rhan 1 ymdrin â maes 'gofal am iechyd meddwl heddiw'; diolch o waelod calon i holl gymwynaswyr y Gwasanaeth Iechyd; a phwysleisio'r angen mawr i sicrhau adnoddau meddygol digonol.

Y mae'n rhaid imi hefyd, wrth gwrs, fynegi fy niolch twymgalon i'r diweddar **Malcolm T Rees** am roi inni bortread llawn a chynnes o'i frawd yng nghyfraith. Bu **Paul Rees**, Rhydaman, mab Malcolm T Rees, yntau, yn garedig iawn, yn rhoi manylion imi am ei dad a lluniau ar fenthyg.

Gwybodaeth a lluniau

Ni allwn fod wedi paratoi'r gyfrol hon oni bai i gynifer o'm cyfeillion a chydnabod fod mor barod eu cefnogaeth; i rannu eu gwybodaeth, ac i anfon lluniau ataf. Hyfryd yw cael eu henwi ac i ddiolch iddynt yn ddiffuant iawn.

> Dr Dyfrig ap Dafydd, Talwrn, Ynys Môn, a'r teulu (llun Dr Dafydd Alun Jones, 1930-2020, ei dad);
>
> Cais;

Rhun Dafydd, Cadeirydd Cymdeithas y Cymod (poster a geiriau Hisham al-Omeisy, Yemen);

Dr Rosina Davies, Caerdydd (Dr Tom Davies, 1931-2019);

Roy Davies, Cerrigydrudion, a'r teulu (llun Dr Edward Davies, Cerrigydrudion, 1926-2018);

Mandy Dymott, Caerdydd (llun Fred Dymott,1944-2016, ei thad);

Dr Huw Edwards, Caerdydd, seiciatrydd (Ysbytai Dewi Sant a Glangwili, Caerfyrddin, a theyrnged i'r Dr Ernest John Eurfyl Jones, 1924-1995);

Pamela Evans, Treforys (Heddwch Mala);

Rhian Evans, Caerfyrddin (gwasanaeth i'r deillion);

Jill Gough, Glynarthen, Ceredigion (ei darlun o golomen tangnefedd, a llun camera o Bruce Kent ac RG);

Derek Griffiths, Dinas Powys (ei ddarlun o Gapel y Tabernacl, yr Ais, Caerdydd, ar glawr blaen y gyfrol i 'ddathlu 200 mlynedd' yr Eglwys, 2013);

Mari Gwilym, Caernarfon (llun Gwilym O Roberts, 1909-1987, ei thad);

Carol Hardy, Pentre'r Eglwys, Sir Forgannwg (Stafell Fyw, Caerdydd);

Vaughan Hughes (lluniau seiciatryddion);

Rhian Huws, Caerffili (Dr Dafydd Huws, 1935-2011);

Yr Athro E Wyn James, Caerdydd;

Yr Athro Dafydd Johnston, Llanbedr Pont Steffan, a *Cwlwm*, papur bro cylch Caerfyrddin (llun Dr Ernest John Eurfyl Jones);

Lenna Pritchard Jones, Caerdydd, a Guto Harri (Dr Harri Pritchard Jones, 1933-2015);

Yr Athro Mari Lloyd-Williams, Y Waen, Sir y Fflint, a Phrifysgol Lerpwl (Gofal Dydd, Capel Waengoleugoed, ger Llanelwy, a geirda i'r gyfrol);

Wynford Ellis Owen, Creigiau (Stafell Fyw, Caerdydd, a geirda i'r gyfrol);

Anne Roberts, Rhuthun, a'i mab, Dr Iwan Roberts, Sheffield (merch ac ŵyr Dr Ifor H Davies, 1901-1985, Cerrigydrudion);

Y Tabernacl, Eglwys y Bedyddwyr, Caerdydd (clawr blaen cyfrol 'Dathlu 200 Mlynedd', 2013);

Touch Graphics, Caerdydd;

Dr Llion Wigley, Caerdydd (Gwilym O Roberts a Dr David Enoch);

Alwena Williams, Cefnddwysarn, Sir Feirionnydd (Dr Edward Davies, Cerrigydrudion);

Dr Donald Williams, Abertawe, seiciatrydd (Ysbyty Cefn Coed, Abertawe, a Chymdeithas Meddygon Myddfai);

Ymddiriedolaeth Wellcome (Ben Gilbert, ffotograffydd: llun Dr David Enoch ac arwyddlun Wellcome).

Arwyddluniau

'Y mae un darlun yn werth mil o eiriau', medd y ddihareb, ac fe welir i minnau gynnwys nifer helaeth o luniau yn y gyfrol hon. Arwyddluniau mudiadau, cymdeithasau, elusennau, a gwefannau y cyfeirir atynt yw amryw o'r lluniau hyn, a mawr yw fy niolch am gael eu cynnwys yn y gyfrol:

Adferiad (Stafell Fyw, Caerdydd);

Byddin yr Iachawdwriaeth;

CND Cymru: Ymgyrch Diarfogi Niwclear: Campaign for Nuclear Disarmament;

Cristnogion yn Erbyn Poenydio Cymru: Christians Against Torture Wales;

Cymdeithas y Cymod yng Nghymru: Fellowship of Reconciliation;

Darllen yn Well: Reading Well (Menai Williams ac Arwel Jones, Cyngor Llyfrau Cymru);

Dydd Iechyd Meddwl y Byd: World Mental Health Day;

Enfys Gobaith: Rainbow of Hope;

Gwaharddiad Niwclear Byd-eang;

Y Gymdeithas Feddygol;

Y Gymdeithas Seiciatregol Gymreig: The Welsh Psychiatric Society;

Hafal (Matthew Pearce);

Heddwch Mala: Peace Mala (Pamela Evans);

Huggard;

Llamau;

Meddwl.org ('Meddyliau ar Iechyd Meddwl');

Meddyliau'r Ifanc: Young Minds;

Mind Cymru;

Shelter Cymru;

Stafell Fyw, Caerdydd;

Wallich.

Cerddi

Hyfrydwch arbennig i mi oedd cael cyhoeddi yn y gyfrol hon gerddi ardderchog iawn gan y beirdd a ganlyn, yn cynnwys hefyd un pennill o 'Gân y Crynwyr':

Rhys Dafis; Henry van Dyke (1852-1933), America; Elwyn Edwards; Elwyn Evans; Robert Owen Hughes, 'Elfyn' (1859-1919), Blaenau Ffestiniog; Jim Parc Nest; R H Jones (Robert Henry Jones, 1860-1943), Pentrellyncymer a Lerpwl; Trefor Jones (1917-2001), Gellïoedd, Llangwm; Alan Llwyd; John Penry Jones (1914-1989), Y Foel, Dyffryn Banw, Maldwyn; Pryderi Llwyd Jones; Karen Owen; Idris Reynolds; Ieuan Wyn.

Cyhoeddusrwydd

Y mae gennyf ddyled i nifer o bersonau a mudiadau am eu parodrwydd i roi pob cyhoeddusrwydd i'r gyfrol, yn eu plith:

Eleri Davies, Jane Harries, ac Awel Irene (Cymdeithas y Cymod);

Sarah Jayne Davies, Prifysgol Abertawe (Y Gymdeithas Seiciatregol Gymreig);

Dr Rhidian Griffiths, Aberystwyth (Cymdeithas Emynau Cymru);

Gweinidogion ac ysgrifenyddion eglwysi Cymraeg Caerdydd a'r cylch;

Garmon Iago (Adran Athroniaeth, Cymdeithas Cyn-fyfyrwyr, Prifysgol Cymru);

Steffan Job, Bangor (Y Mudiad Efengylaidd);

Dr Catrin Elis Williams, Bangor (Y Gymdeithas Feddygol).

Diolch am air o werthfawrogiad

Bu'r Athro Mari Lloyd-Williams, y Waen, Llanelwy, a Wynford Ellis Owen, Creigiau, Caerdydd, mor garedig â sgrifennu ychydig eiriau dethol o werthfawrogiad am y gyfrol. Canmil diolch iddynt.

Cymorth cyfrifiadurol a golygyddol

Darparwyd fersiwn deipiedig gyntaf portread Malcolm T Rees o'i frawd yng nghyfraith gan Howard Huws, Bangor, fersiwn oedd yn sail werthfawr i mi ddechrau ar y gwaith golygu.

Unwaith eto, gyda'r gyfrol hon, fel droeon yn y gorffennol, ni allaf ddiolch digon i'm cyfaill, Howard Williams, Clynnog Fawr, am ei gymorth arbennig o werthfawr wrth baratoi'r gwaith i'r wasg.

Bu fy nghymydog caredig, Hywel Williams, yntau, yn barod, fel arfer, gyda'i wybodaeth gyfrifiadurol. (Y mae ef yn enedigol, megis David Enoch, o Ben-y-groes, Sir Gaerfyrddin.)

Hyfryd hefyd, fel bob amser, yw cael diolch i Llyr, fy mab. Yr oedd ei gymorth cyfrifiadurol a'i gyfraniad yn paratoi'r lluniau niferus yn barod i'r wasg yn gymwynas arbennig iawn.

Darllenwyd y gyfrol gyfan â chrib fân gan Marian Beech Hughes, Bow Sreet, a manteisiais yn fawr ar ei harbenigedd golygyddol.

Gwerthfawr iawn hefyd oedd cymorth parod a charedig Delwyn Tibbott, Llandaf, yn darllen proflenni'r gyfrol.

Dylunio ac argraffu

Fel y nodais yn y Rhagair, cyfrol yw hon sy'n offrwm diolch. Fy niolch personol i o waelod calon, ar ran yr holl ddarllenwyr, am bob gofal, corfforol a meddyliol, sy'n cael ei roi i bawb ag angen y gofal hwnnw arnynt. A dyna paham y ceisiais fy ngorau i baratoi cyfrol a fyddai, o ran cynnwys a diwyg, yn gyfrol hardd ac yn deilwng o gyfraniad cwbl nodedig y cymwynaswyr anhepgorol hyn.

O ran y dylunio a'r diwyg, hyfrydwch arbennig oedd cael cydweithio gyda **Neil Wallace**, **A1 Design**, Llanbedr-y-fro, De Morgannwg. Cefais ganddo, er enghraifft, bob rhwyddineb i awgrymu lleoliad y lluniau hwnt ac yma yn y gyfrol ac i ddewis y math o bapur a theip (print) i'w ddefnyddio. Hefyd i gynllunio clawr blaen ac ôl y siaced lwch. Mawr yw fy nyled iddo.

Yr un modd i **Richard Jones**, **Argraffwyr Cambrian**, Pontllan-fraith, ger Coed-duon, Gwent. Cefais ganddo yntau a'i gydweithwyr bob cydweithrediad. Gwyddwn am safon uchel Argraffwyr Cambrian pan oeddent wedi'u lleoli yn Aberystwyth, a diolchaf yn gynnes iddynt hwy, fel i'r dylunydd o Lanbedr-y-fro, am eu gofal yn rhoi diwyg mor gain i'r gyfrol hon yn awr.

Aled Davies a Chyhoeddiadau'r Gair

Dau air sydd ei angen arnaf i fynegi fy ngwerthfawrogiad twymgalon o gymwynas Cyhoeddiadau'r Gair yn cyhoeddi'r gyfrol a rhoi rhyddid imi fod yn gyfrifol am drefnu'r dylunio a'r argraffu. A'r ddau air yw: canmil diolch. Ers tro byd bellach cawsom fwynglawdd o gyfrolau gwir werthfawr o'r wasg hon, a mawr yw ein diolch, ac yn arbennig am gyfraniad ymroddedig y Parchg Aled Davies, Chwilog, Llŷn, y Cyfarwyddwr.

Eleri Gwyndaf

Y mae fy niolch pennaf i Eleri am roi imi bob cefnogaeth wrth baratoi'r gyfrol hon eto, fel yn y gorffennol (gan ganiatáu imi hunan-ynysu yn fy nghell gyda'm cyfrifiadur a'r ffôn am gyfnodau meithion!). Darllenodd hefyd y gyfrol gyfan cyn iddi fynd i'r wasg, ac eto mewn proflenni.

Cyfeillion a Noddwyr

Llawenydd arbennig i mi yw cael cynnwys yn y gyfrol enwau nifer o Gyfeillion a fu'n garedig iawn wrthyf, boed mewn gair o gefnogaeth neu rodd ariannol. Mawr iawn yw fy ngwerthfawrogiad.

Unrhyw elw wedi talu'r costau argraffu, hyfryd fydd cael ei rannu rhwng dau weithgaredd y mae gennyf barch arbennig iawn tuag atynt, un yn y Gogledd ac un yn y De: **Gofal Dydd, Capel Waengoleugoed, ger Llanelwy, a'r Stafell Fyw, yng Nghaerdydd**, yn 'agor y drws i fywyd newydd'.

Rhan 1
Diolch am Destun Diolch

Gofal am Iechyd Meddwl a Phaham Cyhoeddi'r Gyfrol Hon?

Robin Gwyndaf

Paham cyhoeddi'r gyfrol hon? Y mae o leiaf dri rheswm, a'r atebion i'r rhesymau hynny yn gwau i'w gilydd. Hyfrydwch arbennig i minnau yn awr yw cael estyn gwahoddiad caredig i chwi'r darllenwyr i ymuno â mi ar y daith er mwyn ystyried y rhesymau hyn.

Rheswm personol, yn bennaf, yw'r rheswm cyntaf. Mewn byr eiriau, dyma ydyw: fy niddordeb mewn meddygaeth, seicoleg, a seiciatreg. (Gallem, yr un modd, ddefnyddio'r enw 'seiciatryddiaeth'.) Diddordeb hefyd mewn hawliau dynol sylfaenol ac ansawdd bywyd pawb yn y gymuned, o'r ieuengaf i'r hynaf. Ie, diddordeb, nid gwybodaeth. Ymylol iawn yw hwnnw. Ond ynghlwm wrth y diddordeb, fy argyhoeddiad fod y meysydd hyn yn bwysicach heddiw nag erioed.

'Diddordeb', meddwn. Bron na allwn ddweud: cenhadaeth. Cenhadaeth: oherwydd fy nyhead dwfn am weld arweinwyr gwledydd y byd, yn arbennig Prydain, yn rhoi'r flaenoriaeth i gyfiawnder, brawdgarwch, a lles dynoliaeth. A'r lles hwnnw yn cynnwys neilltuo llawer mwy o arian ac adnoddau i'r Gwasanaeth Iechyd ac i ymchwil yn y maes meddygol.

'Ai ceidwad fy mrawd ydwyf i?'

Yn Llyfr Genesis, cofiwn gwestiwn Cain i Dduw, wedi i Cain ladd ei frawd, Abel: 'Ai ceidwad fy mrawd ydwyf i?' (Gen. 4: 9) Bu'r cwestiwn dirdynnol hwn ar fy meddwl ers blynyddoedd lawer, ac mor aml y bu imi deimlo pangau o euogrwydd fy mod yn osgoi ei ateb yn deg, a beunydd beunos yn dianc i'm byd bach cyfforddus fy hun.

Ethnoleg yw fy mhriod faes i: pobl a'u diwylliant. Ceisio diogelu a hyrwyddo diwylliant gwerin Cymru, a rhannu peth o gyfoeth y diwylliant hwnnw â phobl fy ngwlad fy hun a thu hwnt. Mor anrhaethol fawr oedd fy mraint. Ond yr un modd, dro ar ôl tro, ni allwn chwaith anghofio am yr holl boen a dioddefaint yn y byd. Dioddefaint – corfforol a meddyliol – oherwydd afiechydon a heintiau. Dioddefaint oherwydd rhyfeloedd a thrais a chreulondeb dyn at ei gyd-ddyn. Dioddefaint oherwydd bod cynifer o wledydd yn y byd heddiw yn parhau i boenydio carcharorion (yn groes i erthygl 5 Datganiad Cyffredinol y Cenhedloedd Unedig, 1948). Dioddefaint oherwydd newyn, tlodi, a gorgynhesu.

Arwyddlun Cymdeithas
y Cymod yng Nghymru.

Hyn oll oedd y rheswm dros roi pob cefnogaeth bosibl i waith Cymdeithas y Cymod yng Nghymru; mudiad Cristnogion yn Erbyn Poenydio; Amnest Rhyngwladol; y Sefydliad Meddygol yn Llundain, fel y'i gelwid gynt; Ymgyrch (o ganolfan yn St Albans) yn erbyn y Camddefnydd o Seiciatreg i Geisio Gwyrdroi Meddyliau Carcharorion Gwleidyddol; argyfwng mawr digartrefedd; CND Cymru (Ymgyrch Diarfogi Niwclear: Campaign for Nuclear Disarmament); Ymgyrch yn Erbyn y Fasnach Arfau (Campaign Against Arms Trade); Cynghrair Rhoi'r Gorau i Ryfel (Stop the War Coalition); Heddwch Mala (Peace Mala). A bellach, yr ymgyrch i sefydlu Academi Heddwch i Gymru. [Ar Ddiwrnod Heddwch y Byd, 21 Medi 2020, cyhoeddwyd y newyddion da fod yr Academi wedi'i sefydlu yn swyddogol, a bod y Deml Heddwch ac Iechyd yng Nghaerdydd wedi cytuno'n llawen i fod yn gartref iddi.]

Torlun pren o waith y crefftwr a'r ymgyrchydd dros heddwch, Paul Peter Piech. Ganed, 11 Chwefror 1920, yn Brooklyn, Efrog Newyddd, yn fab i rieni oedd yn ffoaduriaid o'r Wcráin. Bu'n byw yn y Deyrnas Gyfunol, a symudodd i Gymru yn 1988. Bu farw ym Mhorth-cawl, 31 Mai 1996.

Print drwy garedigrwydd Jill Gough, Glynarthen.

Mawr werthfawrogwyd hefyd y cyfleoedd a gafwyd i annerch a darlithio ar y pynciau hyn; darlledu; ysgrifennu i'r wasg, a chyhoeddi dwy gyfrol. Yn gyntaf *Ai Ceidwad fy Mrawd Ydwyf I? Carcharorion Cydwybod ac Ymgyrch Cristnogion yn Erbyn Poenydio* (1991). Yna: *Rhyfel a Heddwch a Sancteiddrwydd Bywyd* (2008). (Ymestyniad o ddwy o Ddarlithoedd Coffa Lewis Valentine yw'r cyfrolau hyn. Cyhoeddwyd hwy gennyf ar ran Cymdeithas Heddwch y Bedyddwyr.)

Dolurio'r corff a'r enaid, ac ymgyrch Cristnogion yn Erbyn Poenydio

Sefydlwyd Cristnogion yn Erbyn Poenydio yng Nghymru yn 1981, o dan nawdd Eglwysi Ynghyd yng Nghymru (Cytûn yn ddiweddarach). Yn gyntaf oll, carwn ddweud mor hyfryd i mi yw cael dal ar y cyfle yn y gyfrol hon i ddiolch o waelod calon i'r Parchg Roy Jenkins, Caerdydd, gyda chefnogaeth frwd Elizabeth, ei briod, am ei gyfraniad cwbl nodedig i'r ymgyrch hon o'r dechrau un. Ef yw awdur y cyfrolau *You Did It For Me: Campaigning Against Torture* (Marshall Pickering, 1988), a *Break a Body, Save a Soul. Christians and Torture in the World After 9/11* (Cristnogion yn Erbyn Poenydio, 2006).

Diolchaf o galon hefyd, afraid dweud, i bawb arall o gefnogwyr Cristnogion yn Erbyn Poenydio am eu mawr ymroddiad. Dwys iawn oedd y profiadau a ddaeth i ran y rhai ohonom a fu ar Bwyllgor Cenedlaethol y mudiad hwn. Yr un modd, pan ymunem â ffyddloniaid ledled y wlad i ymgyrchu ar ran carcharorion cydwybod, neu pan fyddem yn cwrdd fel aelodau o'r Gell Gymraeg yng Nghaerdydd. Ymgyrchu y byddem ar ran carcharorion cydwybod oedd yn cael eu poenydio, carcharorion o bob lliw a llun a chred, mewn llawer rhan o'r byd.

Arwyddlun Cristnogion yn Erbyn Poenydio yng Nghymru.

Gofal mam am ei mab a boenydiwyd.
O ddarlun yng nghyfrol yr awdur:
Ai Ceidwad fy Mrawd Ydwyf Fi?
Carcharorion Cydwybod ac Ymgyrch
Cristnogion yn Erbyn Poenydio (1991).

Yn arbennig gyda rhai personau y buom yn anfon cardiau a llythyrau atynt, efallai am flynyddoedd, teimlem fel pe baem yn eu hadnabod. Hwythau yn rhan o'r teulu, er na welem hwy yn y cnawd. Teimlo hefyd fel pe baem ninnau yn gallu cyd-rannu eu poen, cyd-rannu gronyn bach – dim ond gronyn bach – o'u hunigrwydd, eu hofn, a'u gofid. A bryd hynny deuai'r adnod o'r Epistol at yr Hebreaid (13:3) yn rhwydd i'r cof:

Clawr cyfrol y Parchg Roy Jenkins, yn cynnwys darlun o garcharor ym Mae Guantanamo. Cyhoeddwyd gan Gristnogion yn Erbyn Poenydio yng Nghymru, 2006.

'Cofiwch y carcharorion, fel pe byddech yn y carchar gyda hwy; a'r rhai a gamdrinnir fel pobl sydd â chyrff gennych eich hunain.'

Testun llawenydd mawr fyddai deall i garcharor y buom yn ymgyrchu ar ei ran ef neu hi gael ei ryddhau. Mwyfwy'r llawenydd ar achlysuron prin pan ddeuai cyn-garcharor i Gymru ac i Gaerdydd i'n gweld. A dod, yn bennaf oll, i ddweud un gair bychan, hollgynhwysol: diolch.

Trist iawn yw gwybod bod cynifer o wledydd yn y byd heddiw yn parhau â'r arfer dieflig a barbaraidd o boenydio. Rhai llywodraethau hyd yn oed yn cyflogi meddygon a gweinyddesau, nid i weini ar gleifion a gwella doluriau, ond i sicrhau nad yw'r sawl sy'n cael ei boenydio yn marw yn sgîl y driniaeth. A hyn er mwyn gallu parhau â'r poenydio. Poen – a mwy o boen. Yr un mor drist yw gwybod am wledydd sy'n gorfodi carcharorion i lyncu cyffuriau ffarmacolegol a niwroleptig niweidiol am gyfnodau meithion mewn ysbytai seiciatrig, er mwyn eu tawelu a drysu'r meddwl yn lân.

Y Sefydliad Meddygol yn gofalu'n dyner am garcharorion a boenydiwyd, ac ymroddiad oes Helen Bamber

Sefydlwyd The Medical Foundation for the Care of Victims of Torture yn Llundain yn 1985. Yr enw swyddogol arno bellach yw: Freedom from Torture. Ond beth bynnag yw'r enw, y mae wedi cyflawni gwaith amhrisiadwy, a braint arbennig iawn i mi fu cael ymweld â'r ganolfan a chael rhan fechan yn cefnogi'r gweithgarwch ardderchog.

Y prif sefydlydd oedd Helen Bamber (1925-2014), y seicotherapydd nodedig a dreuliodd ei hoes yn ymgyrchu dros hawliau dynol ac yn cynorthwyo dioddefwyr a boenydiwyd. Yn ferch ifanc yn 1947, aeth i estyn cymorth i'r trueiniaid a oroesodd yr erchyllterau yn Belsen. Yn 1961 bu ganddi ran flaenllaw yn sefydlu Amnest Rhyngwladol. Yn 1985, hi oedd prif sefydlydd y Ganolfan Feddygol. Yna, yn 2005, sefydlwyd yr Helen Bamber Foundation (HBF), yng nghanol Llundain, canolfan i gynorthwyo ffoaduriaid, ymgeiswyr lloches, a'r rhai sydd wedi cael eu cam-drin yn ddifrifol. Mawr iawn fu ymroddiad Helen Bamber, ynghyd â'r meddygon, y gweinyddesau, a phawb a fu'n ei chynorthwyo. A mawr iawn ein dyled ninnau.

Helen Bamber (1925-2014), seicotherapydd. Sefydlydd a chyfarwyddwraig y Medical Foundation for the Care of Victims of Torture, Llundain (1985).

'Mae poen y sawl a boenydiwyd yn aros am byth.' Geiriau Hans Mayer, un o oroeswyr Auschwitz. Ond y mae'r Sefydliad Meddygol yn Llundain yn bodoli i geisio lleddfu ychydig ar y boen.

Darlun Helen Bamber a'r un olynol o gylchlythyr y Medical Foundation, c.1990.

Gwilym O Roberts a'i ysgrifau arloesol yn *Y Cymro*

Fy nghyflwyniad cyntaf go iawn i faes seiciatreg a seicoleg oedd cyfres nodedig o ysgrifau gan y Parchg Gwilym O Roberts (1909–1987) yn *Y Cymro*, 1958–1967. Gwilym O Roberts: 'Proffwyd Empathi', fel y galwodd Llion Wigley ef mewn erthygl werthfawr yn *Y Faner Newydd* (cyfrol 64, haf 2013). 'Empathi', neu fel y dywedai 'Gwilym O' yn aml: 'endeimlad'. Yn fachgen ifanc, dotiwn at gynnwys yr ysgrifau hyn, cynnwys oedd yn fyd newydd i mi, ac arferwn dorri pob ysgrif a'u cadw'n ofalus. Edmygwn hefyd ei onestrwydd a'i ddewrder, er iddo yn fynych gael ei feirniadu'n hallt gan rai o arweinwyr crefyddol amlwg y cyfnod, a phersonau y mae gennym barch mawr tuag atynt, megis R Tudur Jones. Gwnaeth Elinor Lloyd Owen a Gwasg y Lolfa gymwynas fawr yn cyhoeddi'r ddwy gyfrol: *Amddifad Gri* (cyfrol deyrnged, 1975), a *Dryllio'r Holl Gadwynau* (casgliad o'i ysgrifau, 1976). Gweler hefyd unig gyfrol Saesneg Gwilym O Roberts: *The Road to Love: How to Avoid the Neurotic Pattern* (Efrog Newydd, Chanticleer Press, 1950).

Yna, yn arbennig yn ystod fy nhrydedd flwyddyn yng Ngholeg Bangor yn astudio Cymraeg a Hanes Cymru, dechreuais ddarllen llyfrau ar feddygaeth, seicoleg, a chymdeithaseg. Ar gyfer Gwobr Robert Richards (agored i fyfyrwyr yn y celfyddydau), paratowyd, wedi graddio yn 1962, draethawd estynedig ar y testun 'Problemau Ieuenctid', gan roi ychydig sylw (yn ddigon arwynebol, bid siŵr) i fodolaeth ac effaith iselder ysbryd ymhlith y to iau. Cofiaf ddarllen adroddiadau meddygol ac addysgol, yn ogystal â deunydd yn ymwneud â charchardai a phrofiannaeth. Yr un modd, tua'r adeg hyn, cofiaf ymweld â chyfeillion yn Ysbyty'r Meddwl yn Ninbych, ac er i mi ysgwyd llaw a chynnig gair caredig o gysur, teimlo mor annigonol. A theimlo hefyd ryw gymaint o'r boen fy hunan.

Gwilym O Roberts (1909-1987), seiciatrydd.
Llun drwy garedigrwydd Mari Gwilym, Caernarfon.

'Calon yn curo' – dau feddyg ardderchog o Uwchaled: Dr Ifor H Davies a Dr Edward Davies

Yn Uwchaled bryd hynny yr oedd dau feddyg yr oedd gennyf i, fel fy nghyd-ardalwyr, y parch mwyaf tuag atynt, a'r ddau yn byw yng Ngherrigydrudion. Un ohonynt ydoedd Dr Ifor H Davies (1901-1985), 'Dr Ifor' i bawb o'r trigolion. Ef oedd ein meddyg teulu ni, teulu'r Hafod, Llangwm. Bu ei dad, Dr Hughie Davies, a'i daid, Dr John Davies, hwythau, yn feddygon yn yr un ardal.

Yr oedd Dr Ifor Davies heb os yn un o gymwynaswyr mawr Uwchaled, a lles trigolion y fro ar ei feddwl yn gyson. Addysg y plant; Dosbarthiadau Cymdeithas Addysg y Gweithwyr (y WEA); drama; y Cwrdd Plwyf; y Cwrdd Dosbarth; a Chyngor Sir Ddinbych (gwnaed yn Henadur, a bu'n Gadeirydd): nid oedd ball ar ei weithgarwch. A gwelai'r cyfan, nid fel ychwanegiad, ond fel rhan annatod o'i waith fel meddyg.

Yr oedd yn feddyg teulu heb ei ail, a'i gyfraniad mawr oedd nid yn unig gwneud ei orau glas i wella afiechydon, ond gwneud cyfraniad amhrisiadwy hefyd i atal afiechydon ac i hyfforddi'r ardalwyr. Yr oedd, er enghraifft, yn arloeswr ym maes brechu plant rhag difftheria. Llafuriodd i sicrhau dŵr glân i'r ardal a chyflenwad trydan, a phwysleisiai yn gyson bwysigrwydd mawr llaeth glân i'w yfed a glanweithdra yn y cartrefi. Bu am flynyddoedd hefyd, fel Dr Edward Davies yntau, yn cynnal dosbarthiadau cymorth cyntaf yn yr ardal i blant ac oedolion. Roeddwn innau'n un o'r breintiedig rai a gafodd y pleser yn hogyn ysgol o fynychu'r dosbarthiadau hynny.

Dr Ifor Davies oedd y meddyg teulu cyntaf i gael ei anrhydeddu gan Brifysgol Cymru â gradd Meistr mewn Gwyddoniaeth. Roedd hefyd yn Farchog o Urdd Sant Ioan, ac yn aelod oes o Goleg Brenhinol y Meddygon Teulu.

Yr Henadur Dr Ifor H Davies (1901-1985), Cerrigydrudion, pan oedd yn Gadeirydd Cyngor Sir Ddinbych.
Llun drwy garedigrwydd Dr Ifor H Davies.

Dr Edward Davies (1926-2018), Cerrigydrudion, yng ngwisg Marchog Urdd Sant Ioan.
Llun drwy garedigrwydd Roy Davies, Cerrigydrudion, a'r teulu.

Yn 1950 y daeth Dr Edward Davies (1926-2018) yn gyd-feddyg iau i gynorthwyo Dr Ifor. Dr Edward Davies, neu fel y byddai'r bron pawb o'i gydnabod yn ei alw: 'Dr Edward', neu 'Dr Eddie'. Brodor o Flaenau Ffestiniog oedd ef. Rhoddodd yntau oes o wasanaeth diflino ac ardderchog iawn fel meddyg teulu i'w Uwchaled hoff. Gweler ei gyfrol *O'r Llechi i'r Cerrig: Atgofion Meddyg Cefn Gwlad* (Gwasg y Bwthyn, 2014). Cyfrol ragorol arall o'i eiddo yw: *Moddion o Fag y Meddyg:*

Agweddau ar Hanes Meddygaeth (Gwasg y Bwthyn, 2005). Yn 1987 cydweithiodd ag Alwena Williams, ynghyd ag Ambiwlans Sant Ioan, y Groes Goch a Chymdeithas Sant Andrew yn yr Alban, i gyhoeddi am y tro cyntaf yn y Gymraeg y gyfrol arbennig o werthfawr: *Llawlyfr Cymorth Cyntaf*. Yn 1989 fe'i gwnaed yntau, fel Dr Ifor cyn hynny, yn Farchog o Urdd Sant Ioan. Derbyniodd hefyd anrhydedd gan Brifysgol Bangor a'i wneud yn Gymrawd.

Clawr blaen un o gyfrolau Dr Edward Davies
(Gwasg y Bwthyn, 2005).

Ifor H Davies ac Edward J J Davies: dau feddyg ymroddedig yn nhraddodiad meddygaeth wâr gwlad Groeg gynt. Dau feddyg yn byw yn Uwchaled – yn byw a bod yng nghanol bywyd bob dydd pobl yr oeddynt yn eu hadnabod mor dda. Dau feddyg â chlust ganddynt i wrando ar ofidiau a phryderon cudd eu cleifion – gwrando, deall, cydymdeimlo, calonogi. Meddai Trefor Jones, Gellïoedd, Llangwm, am Dr Ifor (geiriau oedd yr un mor wir am Dr Edward):

> Ofer y chwiliaf erwau Uwchaled
> Am ffordd na cherddodd wrth rannu'i nodded;
> I wael goddefgar bu'n was diarbed,
> Rhannodd ei helynt a'i chyfri'n ddyled ...

Pan fu Dr Ifor Davies farw, nid rhyfedd i D Tecwyn Lloyd roi'n bennawd i'w ysgrif goffa yn *Y Casglwr* (rhif 25, Pasg 1985) eiriau a oedd mor addas i ddisgrifio'r ddau gymwynaswr o Uwchaled: 'Meddyg Gwlad a Gofiodd am yr Enaid a'r Corff'. Fy mraint fawr innau, rai blynyddoedd cyn hynny (1978), oedd cael traddodi darlith awr ar y radio yn rhoi portread o'r Dr Ifor H Davies. Y pennawd a ddewisais i bryd hynny ydoedd: 'Calon yn Curo'. (Cyhoeddwyd y ddarlith yn *Y Traethodydd*, Hydref 1979, tt. 195–205.) Roedd y ddarlith a'r erthygl yn seiliedig ar 49 o dapiau hanner awr o dystiolaeth lafar Dr Ifor, y cefais y fraint o'u recordio. Hefyd ar dystiolaeth lafar Dr Edward Davies a Stanley Hughes (Cynorthwy-ydd yn y Feddygfa). Cedwir y tapiau yn archif Sain Ffagan, Amgueddfa Werin Cymru.

Parhad traddodiad meddygol teuluol, a sefydlu Ysgol Feddygol i Ogledd Cymru

Hyfryd yw cael datgan bod y traddodiad meddygol wedi parhau yn nheulu'r Dr Ifor H Davies. Bu ei ferch, Anne Roberts, Rhuthun, am chwe blynedd: 1971- 77, yn aelod o Awdurdod Iechyd Clwyd, ac yn Gadeirydd y Bwrdd am y pum mlynedd olaf. Cyn hynny roedd yn aelod o Fwrdd Iechyd Hounslow a Spelthorne, Llundain. Y mae hefyd yn gyn Is-Lywydd Prifysgol Bangor, a derbyniodd radd MA er Anrhydedd gan y Brifysgol, yn bennaf am ei gwasanaeth ym maes iechyd.

Afraid dweud, y mae Anne Roberts yn arbennig o falch o wybod am y datblygiad gwir werthfawr diweddar ym Mhrifysgol Bangor, sef sefydlu'r Ysgol Gwyddorau Meddygol a'r Cwrs pedair blynedd 'C21 Meddygaeth Gogledd Cymru'. Cwrs yw hwn i raddedigion (MBBCh) mewn cydweithrediad ag Ysgol Feddygol Caerdydd. Â dyfynnu o daflen y Coleg, mae'r cwrs:

> 'yn rhoi cyfle i fyfyrwyr graddedig wneud eu holl radd feddygol yng ngogledd Cymru ... Bydd myfyrwyr ... yn dilyn yr un cwricwlwm â'r rhai sydd yng Nghaerdydd, ond gan ganolbwyntio mwy ar feddygaeth gymunedol trwy amrywiaeth o leoliadau clinigol mewn amgylcheddau amrywiol, gan gynnwys blwyddyn lawn mewn meddygfa deulu [ac] amser mewn ysbytai dysgu.'

Yn arbennig o gofio am brinder meddygon teulu yn y gogledd ac mewn rhannau gwledig o Gymru, ni raid dweud bod y datblygiad ym Mhrifysgol Bangor yn sicr yn un i'w groesawu yn fawr.

Mae'r traddodiad meddygol teuluol a ddechreuodd yn Uwchaled gyda'r Dr John Roberts (yn enedigol o Ysbyty Ifan), taid Dr Ifor H Davies, yn parhau bellach ym mherson un o feibion Anne, sef y Dr Iwan Roberts. Radiolegydd Ymgynghorol yn Ysbyty Plant Sheffield yw ef. Mae ei ferch hynaf yntau, Dr Catherine Roberts, yn Gymrawd Clinigol mewn Oncoleg yn Ysbyty Sant Bartholomew, Llundain.

Cyfraniad y Gymdeithas Feddygol, a chymwynas nodedig seiciatrydd a hanesydd meddygaeth: Dr Tom Davies

Arwyddlun y Gymdeithas Feddygol.

O ail ran saithdegau'r ugeinfed ganrif ymlaen, a minnau er mis Hydref 1964 yn byw yng Nghaerdydd (ond yn dychwelyd yn gyson i Uwchaled), deuthum yn fwyfwy ymwybodol o gyfraniad eithriadol werthfawr y Gymdeithas Feddygol. Bu'r Dr Edward Davies yn barod iawn ei gefnogaeth i'r gymdeithas hon. Ac nid oedd hynny'n ddim syndod. Fel y gwyddom, dyma gymdeithas â'r nod ardderchog o hyrwyddo meddygaeth drwy gyfrwng y Gymraeg.

Prif sefydlydd (gyda'r Dr Donald Williams) ac ysgrifennydd cyntaf y gymdeithas hon yn 1975, a golygydd *Cennad*, cylchgrawn y Gymdeithas, yn ddiweddarach, oedd y cyfaill hoff, Dr Tom Davies (Thomas Gruffydd Davies, 1931–2019). Brodor o Flaendulais ydoedd, a bu'n Seiciatrydd Ymgynghorol, mawr ei gyfraniad, yn Ysbyty Seiciatrig Cefn Coed, Abertawe, 1972–90, ac fel darlithydd ym Mhrifysgolion Abertawe a Chaerdydd, a lle bynnag arall y byddai'n traddodi. Yr oedd hefyd yn Gymrawd o Goleg Brenhinol y Seiciatryddion, Llundain. Cofiwn amdano gyda pharch fel cymwynaswr nodedig a phrif hanesydd meddygol Cymru yn y cyfnod diweddar. Ef oedd awdur, yn 1979, y cofiant Cymraeg a Saesneg i Ernest Jones (y gŵr oedd yn bennaf awdurdod ar fywyd a gwaith Sigmund Freud), yn ogystal â'i gampwaith olaf, ysywaeth: *To Stand by the Sick Bed: Towards a History of Medical Practice in Swansea* (2020).

Ceir teyrnged hyfryd a chwbl haeddiannol i'w gyfaill a'i gyn-gydweithiwr, Dr Tom Davies, gan Dr Donald Williams, Abertawe, ar wefan y Gymdeithas Feddygol; gwefan y *BMJ (British Medical Journal)*, 29 Gorffennaf 2019 (366: 14884); cylchgrawn y *BMJ*, 14 Medi 2019, t. 355 (crynodeb); a'r ysgrif goffa yn *Barn*, mis Hydref 2019, t. 40.

Dr Tom Davies (1931-2019) a Dr Rosina Davies.
Llun drwy garedigrwydd Dr Rosina Davies.

Mawr iawn fu fy edmygedd i o'r gŵr diwylliedig, diymhongar, o Flaendulais. A mawr iawn yw dyled Cymru iddo. Felly hefyd i'w briod, **Dr Rosina Davies**. Merch fferm Plas yr Hafod, Tre-lech, Sir Gaerfyrddin, yw hi. Bydd amryw ohonom yn cofio am ei sgyrsiau gwerthfawr yn y boreau ar Radio Cymru, rai blynyddoedd yn ôl bellach, yn cynnwys cynghorion meddygol doeth, wedi'u cyflwyno mewn Cymraeg hyfryd. Gŵyr Cymru gyfan hefyd am y gofal rhyfeddol a roes hi i gleifion a'r galarus, megis yn ystod y blynyddoedd y bu'n feddyg yn Nhŷ Olwen, yr hosbis yn Ysbyty Treforys, Morgannwg, 1981–93. O 1993 ymlaen, hyd nes iddi ymddeol yn 2001, bu'n gyfrifol am sefydlu a datblygu Gwasanaeth i'r Galarus a Gwasanaeth Cwnsela yn Ysbyty Treforys ei hun.

Yn y gorffennol rhoes Tom Davies ei gefnogaeth tu hwnt o garedig i'm gwaith i ym maes diwylliant gwerin. Bu hefyd, afraid dweud, yn gefn parod ei anogaeth a'i gyfeillgarwch ar hyd ei oes i liaws o feddygon, gweinyddesau, a gweithwyr cymdeithasol. O gofio hyn oll, rwy'n dawel hyderus y byddai ef, fel Dr Rosina hithau, yn falch iawn o wybod am y bwriad yn awr i gyhoeddi portread yn Gymraeg o seiciatrydd arall o Gymru a dreuliodd ei oes yn gofalu'n gariadus am bersonau claf o gorff a meddwl.

A dyna ddweud mwy na digon fel un ystyriaeth i geisio ateb y cwestiwn: paham na allwn anghofio am deipysgrif Malcolm T Rees, Rhydaman, yn adrodd hanes ei frawd yng nghyfraith. Roedd y cynnwys yn fy atgoffa'n fyw iawn o'r diddordeb sydd gennyf innau mewn meddygaeth a seicoleg. Ond hefyd – ac yn llawer pwysicach – yn fy atgoffa o'r gofal cyson y mae ei angen ar y rhai sy'n dioddef gofid meddwl heddiw, fel erioed. Yr un modd, yn fy atgoffa yn fyw iawn o gyfeillion hoff – meddygon a seiciatryddion – y mae gennyf barch mawr tuag atynt.

Diolch am Destun Diolch

2.

Mae'r ail reswm dros gyhoeddi'r gyfrol hon bellach yn lled amlwg.

O ddarllen erthyglau a llyfrau a gyhoeddwyd gan Dr David Enoch, a'r portread presennol ohono, y mae un neges ganolog yn cael ei datgan dro ar ôl tro. A dyma'r neges ddwys honno: mor rhyfeddol o bwysig yw'r maes y dewisodd ef arbenigo ynddo, sef iechyd meddwl; mor niferus heddiw yw'r personau sy'n dioddef o afiechyd meddwl; mor fawr yw'r angen am feddygon a seiciatryddion, gweinyddesau a chynghorwyr, neu gwnselwyr, i gynorthwyo pawb sy'n dioddef. A'r neges bwysig olaf un: mor ddiffuant ein diolch i bob person a chorff sy'n estyn y cymorth parod hwnnw.

'Mae'r esgid fach yn gwasgu ...'

Ym mhob gwlad dros y byd, ac o gyfnod cynnar iawn, bu pobl yn dioddef o 'afiechyd meddwl', 'poen meddwl', 'gofid meddwl', 'iselder', 'iselder ysbryd', 'isel ysbryd', 'galar'; 'pruddglwyf', 'digalondid', 'torri calon', 'straen', 'mynd yn ffwndrus', 'ffwndro', 'drysu', 'colli arni', 'mynd yn dwlali', 'y felan' – beth bynnag yw'r termau a ddefnyddiwn yn y Gymraeg.

Gwyddom yn burion hefyd i feirdd a llenorion yng Nghymru ar hyd yr oesoedd, fel mewn gwledydd eraill, gyfeirio droeon at yr aflwydd hwn. Cyfeiriodd rhai yn gofiadwy iawn, megis awdur anhysbys y pennill a ganlyn, pennill sy'n hoff iawn gennyf i, er mor drist ydyw:

> Mae 'nghalon i cyn drymed
> Â'r march sy'n dringo'r rhiw;
> Wrth geisio bod yn llawen,
> Ni fedraf yn fy myw.

Mae'r esgid fach yn gwasgu
Mewn man na wyddoch chwi,
A llawer gofid meddwl
Sy'n torri 'nghalon i.

Yr un modd, mynych y byddaf yn dwyn i gof englyn dwys ac ardderchog iawn Elwyn Edwards, y Bala, a luniwyd ganddo mewn Ymryson y Beirdd yn Eisteddfod Genedlaethol Aberystwyth, 1992. Y llinell olaf yn eiddo i Gerallt Lloyd Owen, y Meuryn:

Er yn onest ymestyn – ein dwylo
I dawelu deigryn;
Yn y rhwyg ni ŵyr yr un
Alar yr unigolyn.

'liw dydd … a'r nos … ni chaf lonyddwch': gweddi daer y Salmydd

Gwyddai'r Salmydd yntau gynt yn dda am y gofid meddwl mawr hwn, gan erfyn mewn gweddi daer ar i Dduw ddod i'w achub. Mor angerddol yw ei ddeisyfiad:

'O fy Nuw, gwaeddaf arnat liw dydd, ond nid wyt yn ateb, a'r nos, ond ni chaf lonyddwch … Y mae fy nghalon fel cŵyr ac yn toddi o'm mewn.' (Salm 22: 2, 14)

'Aeth fy nghamweddau dros fy mhen, y maent yn faich rhy drwm imi ei gynnal … Yr wyf wedi fy mhlygu a'm darostwng yn llwyr ac yn mynd o amgylch ac yn galaru drwy'r dydd.' (Salm 38: 4, 6)

Ond meddai'r Salmydd wrth ei Dduw mewn man arall:

'Yr wyt ti wedi cofnodi fy ocheneidiau, ac wedi costrelu fy nagrau – onid ydynt yn dy lyfr?' (Salm 56: 8)

Yng nghanol nos ddu ei anobaith, mae rhywun, yn rhywle, yn gwrando ar ei gri.

Elias, y proffwyd, mewn gofid meddwl dwys yn ffoi am ei fywyd i'r anialwch, ac angel gwarcheidiol yn ei achub

Yn sicr, un o'r darluniau mwyaf byw yn y Beibl o iselder ysbryd – ac o adferiad – mawr ddiolch am hynny – yw'r hanes am y proffwyd Elias yn dianc i'r anialwch, ger Beerseba. Dianc rhag dialedd y Frenhines Jesebel. Yno mae'n eistedd i orffwys 'o dan ferywen' (*Juniperus communis*). (Dyna enw'r pren ym Meibl 1620; 'pren banadl', yn ôl y Beibl Cymraeg Newydd, 2004.) Yn ei drallod mae'n deisyfu 'o'i galon am gael marw'. 'Dyma ddigon, bellach, O Arglwydd', meddai, 'cymer f'einioes, oherwydd nid wyf fi ddim gwell na'm hynafiaid.' Digon yw digon. Mae wedi cyrraedd gwaelod y pydew; cyrraedd pen ei dennyn. Does dim ond tywyllwch o'i amgylch.

Ond wele, yn y cyflwr truenus hwnnw, ac Elias erbyn hyn yn cysgu, mae angel yn dod ato a'i ddeffro. 'Cod, bwyta', meddai'r angel wrtho. 'A phan edrychodd, wrth ei ben yr oedd teisen radell a ffiolaid o ddŵr.' ('Teisen radell', neu 'deisen gri', y byddwn i'n ei galw.) Mae yntau'n bwyta ac yfed a mynd i gysgu eto. Ond yn y man, daw'r angel yn ôl 'eilwaith a'i gyffwrdd, a dweud unwaith yn rhagor: Cod, bwyta, rhag i'r daith fod yn ormod iti.'

A dyna'r trawsnewidiad mawr a ddigwyddodd i'r proffwyd: cael cwsg, cael bwyd, cael nerth o'r newydd. Cael codi'i ysbryd o'r newydd. 'Cododd yntau a bwyta ac yfed; a cherddodd yn nerth yr ymborth hwnnw am ddeugain diwrnod a deugain nos, hyd at Horeb, Mynydd Duw.' (1 Brenhinoedd 19: 1–8) ('Deugain diwrnod': rhif patrymog, delweddol a chysegredig sy'n cael ei ddefnyddio yn aml yn y Beibl a llên lafar gynnar. Cyfnod penodol, arwyddocaol, lled faith.)

Hen, hen hanes yw'r cofnod hwn am Elias yn ei argyfwng mawr. Ond y mae'n hanes sydd hefyd yn gwbl gyfoes. Byddai seiciatryddion heddiw yn ei ddisgrifio fel 'Salwch Iselder Ysbryd Dwysaf' ('Major Depressive Disorder'). Mae mor ddifrifol fel y gall arwain at hunanladdiad. Yn ei gyfrol arbennig o werthfawr: *Y Deg Gorchymyn Heddiw ac Erthyglau Eraill* (Cyhoeddiadau'r Gair, 2014), y mae'r Dr David Enoch hefyd yn cyfeirio'n benodol at hanes Elias (pennod 'Dan y Ferywen'). Dyma bedwar sylw byr pellach gennyf i, ac o wybod ychydig erbyn hyn am y gofal a roes y meddyg o Ben-y-groes i'w gleifion, rwyf bron yn sicr y byddai yntau'n cytuno â sylwadau o'r fath.

Yn gyntaf, y mae Elias yn ffoi oherwydd ofn. Heddiw, fel erioed, ac fel y cawn sylwi eto, y mae ofn yn un o'r prif resymau paham fod cynifer yn dioddef o iselder.

Yn ail, y mae'r angel ar y dechrau un yn dweud wrth Elias am godi ar ei draed. Mae'n rhoi hyder o'r newydd iddo. A mwy na hynny, mae'n cynnig bwyd iddo. Er pwysiced yw geiriau fel cyfrwng cysur, y mae angen mwy na geiriau ar bob un sydd bron â thorri'i galon. Rhaid gofalu hefyd am anghenion y corff. Maeth corfforol a maeth meddyliol ac ysbrydol.

Y trydydd sylw. Mae'r angel yn dychwelyd yr ail waith. Wedi'r ymweliad cyntaf, nid yw'n anghofio am Elias ac yn gadael i'r proffwyd fentro'i siawns ar ei ben ei hun yn yr anialwch. Mae gwir ofal yn golygu dyfalbarhau. Nid da i unrhyw feddyg yw gorfod brysio yng nghwmni'r claf.

A'r pedwerydd sylw yw hwn. Y mae mor amlwg fel y mae'n rhwydd inni fwrw heibio iddo. Y mae Elias yn gwella – yn codi'i galon – oherwydd i rywun ddod ato a chynnig cymorth o'r iawn ryw mewn pryd. Aeth i'r anialwch er mwyn ceisio ffoi rhag ei ofnau. Ond ni allai ffoi o anialwch ei enaid ei hun. Roedd angen cymorth arno, a daeth yr angel ato. Dyna ffordd 'awdur' anhysbys o'r hen oesoedd o ddweud i Dduw ddod ato.

Ond nid oes gan Dduw na thraed na dwylo, meddwl nac ymennydd. Llais yn y galon ydyw. Ysbryd ydyw. Gwirionedd ydyw. Cariad ydyw. A dyna faint ein dyled i feddygon ymroddedig heddiw, beth bynnag eu harbenigedd, fel i bawb arall sy'n estyn cymorth pan fo'i angen. Hwy yw plant Duw. Hwy yw angylion yr unfed ganrif ar hugain.

Rhyfeddod a dirgelwch y 'tri phwys' o ymennydd

Er pan gyflwynwyd y Ddeddf Iechyd Meddwl newydd yn 1959, cafwyd llawer o welliannau er lles cleifion sy'n dioddef o iselder. Eto i gyd, y mae'n wybyddus fod yr afiechyd arswydus hwn yn un o bryderon mawr y cyfnod yr ydym yn byw ynddo. Y mae mwy a mwy o bobl yn ddibynnol ar gyffuriau y cyfeiriwn atynt fel 'gwrthiselyddion' a 'moddion gwrthiselder'. Un term Cymraeg yr wyf i'n hoffi ei ddefnyddio yw: 'moddion codi calon'. Mae'n llai negyddol, ac yn fwy gobeithiol. Dywedir y gall un o bob chwech ohonom yng ngwledydd Prydain (un o bob pedwar, medd rhai adroddiadau) ddioddef o afiechyd meddwl ar ryw adeg yn ystod ein hoes. Mewn un bennod, 'Catherine Zeta Jones a'r Felan', yn y gyfrol y cyfeiriwyd ati uchod, y mae David Enoch yn nodi bod 'presgripsiynau am gyffuriau gwrthiselder ysbryd [yn y Deyrnas Unedig] wedi cynyddu 43 y cant, er 2006, i 41 miliwn'.

Yn drist iawn, gwyddom hefyd fod dros 5,000 o achosion o hunanladdiad ym Mhrydain bob blwyddyn. Â'r gwanwyn ger y drws, dychwelodd y gaeaf a thywyllwch i'm bywyd i, fel i fywyd y teulu oll, pan gollwyd o'n plith rai blynyddoedd yn ôl y mwyaf caredig a llawen o blant dynion. Bydd yr hiraeth a'r boen yn aros am byth, er mor hyfryd yw'r atgofion:

Anwylyd hoff, ni wyddom ni
Ddyfnderoedd maith dy gariad di;
Ond bydd dy air a'th wên o hyd
I ni byth mwy yn drysor drud.

Ym mlynyddoedd cynnar yr unfed ganrif ar hugain bu gan Goleg Brenhinol y Seiciatryddion, Llundain (coleg a chwaraeodd ran mor allweddol ym mywyd David Enoch) ymgyrch bwysig iawn o'r enw 'Newid Meddwl: Pob Teulu yn y Tir' / 'Changing Minds: Every Family in the Land'. Yr amcan clodwiw oedd addysgu pobl am iselder: dweud pa mor gyffredin ydyw, ac awgrymu camau i'w oresgyn. Mae'n wir, efallai, fod mwy o bobl bellach yn dechrau ymgyfarwyddo â'r maes a chlywed termau, megis 'seiciatreg', 'seicotherapi', 'seicosis', a 'seicdreiddio'. Ond erys o hyd lawer o'r hen deimlad o euogrwydd ac amharodrwydd i siarad yn rhydd am yr afiechyd cyffredin hwn.

Y mae hefyd her fawr arall yn wynebu seiciatryddion galluocaf y byd. Gallwn geisio mynegi'r her honno mewn byr eiriau fel hyn: deall meddwl ac ymennydd dyn (a 'dyn', fel yn yr hen ystyr, afraid dweud, yn cyfeirio at y ddau ryw). Ie, yr ymennydd: y 'blwch bychan du, gwyrthiol', fel y cyfeiriodd un o'm cyfeillion o Hwngaria ato wrth drafod patrymau a motifau ym maes llên gwerin. Y cyfrifiadur cryfaf, mwyaf cymhleth, mwyaf rhyfeddol, a welodd y byd erioed.

Ac mae'n llawer mwy na chyfrifiadur. Y mae'r Dr Enoch wedi mynegi'r her yn ardderchog iawn gyda'r geiriau hyn:

> 'Wedi ymchwilio i'r ymennydd a'r meddwl, gan ddefnyddio pob math o astudiaethau megis pelydr X a sgan MRI am fwy na hanner can mlynedd, rwy'n sylweddoli'n fwy clir nag erioed cyn lleied a wyddom am yr ymennydd a'r meddwl. Dyma'r dyfodol, dyma fydd gwrthrych ymchwiliadau meddygol a gwyddonol y ganrif hon [21g.]. Ond i ba raddau y gallwn lwyddo i ddarganfod mwy am y meddwl a'r ymennydd ac am ymwybyddiaeth ('*consciousness*')? Wrth ysgrifennu'r geiriau hyn clywais yr Arlywydd Obama'n llefaru geiriau cyffrous ar yr un testun ar y radio. Meddai'r Arlywydd: "As humans we can identify galaxies light years away, we can study particles smaller than an atom, but we still haven't unlocked the mystery of the three pounds of matter that sits between our ears." (*Y Deg Gorchymyn ac Erthyglau Eraill*. t. 133.)'

Ambell dro byddaf yn dychmygu'r ymennydd fel olwyn fechan gron, berffaith ac arni nifer dirifedi o gogiau bychain, pob un yn ei le, a phob un â'i briod waith. A'r olwyn yn troi mor llyfn a thawel â thoriad y wawr. Ond pan fo un cogyn bach yn cracio a thorri, o dan bwysau, yna llafurus a phoenus a chlonciog iawn yw troad yr olwyn, a gall fethu troi o gwbl yn y man. A'r pryd hwnnw, mae'r meddwl ar chwâl.

Deisidaimonia a pleroma: 'ofn yr anwybod' a 'hiraeth am wynfyd'

Heddiw y mae mwy a mwy o bwysau ar y cogiau bach. A mwy a mwy o angen meddygon i geisio atal a gwella'r gofid. Niferus iawn, ac anesboniadwy ambell dro, ac annisgwyl hefyd, yw achosion y poen meddwl hwn. Daw'n dawel ac yn ddiwahoddiad. Nid af i fanylu yma. Mi fydd y rhan fwyaf ohonom sy'n darllen y geiriau hyn, o bosibl, yn adnabod rhywrai annwyl a fu'n dioddef oherwydd digalondid mawr. Fodd bynnag, cyfeiriaf yn gryno at un testun sy'n cael llawer o sylw bellach, yn arbennig gan academwyr, boed seiciatryddion, seicolegwyr, ethnolegwyr, athronwyr, neu ddiwinyddion. A'r testun hwnnw yw ofn.

O ddydd ei eni a'i fywyd yn yr ogof hyd yn awr y mae yna hen ofnau yn llechu'n ddirgel yn y galon ddynol. *Deisidaimonia* oedd un o eiriau amlwg y Groegwyr gynt: 'ofn yr anwybod', 'ofn y duwiau'. Ond lle bynnag y mae ofn, y mae hefyd ddyhead dwfn am lawenydd, bodlonrwydd, sicrwydd, diogelwch, gwynfyd. Gair y Groegwyr am hyn oedd *pleroma* – gair hyfryd. Dyma'r tawelwch meddwl sy'n llenwi'r gwacter mawr. Y goleuni yng nghanol nos ddu yr enaid. Cynorthwyo'r claf gofidus i deimlo'r tawelwch hwn ac i weld pelydryn o oleuni yng nghanol y tywyllwch y mae'r meddyg.

Angor yn awr yr angen: cyfraniad elusennau, gwefannau, a mudiadau, a Diwrnod Iechyd Meddwl y Byd.

Mawr iawn yw ein dyled i elusennau a mudiadau, megis y Samariaid, Mind Cymru, Hafal, Cais, Llamau, a Stafell Fyw, Caerdydd, am y gwasanaeth gwir werthfawr a gynigir ganddynt. Gwerthfawrogwn yn ogystal wefan arloesol ddiweddar: *meddwl.org* ('Meddyliau ar Iechyd Meddwl') sydd, fel eraill o'r mudiadau a enwyd, yn rhoi cyfle i bersonau sgwrsio drwy gyfrwng y Gymraeg. Rhoi sylw penodol i drais yn y cartref a wneir gan Gorwel, gyda'i ganolfan yn Llangefni. Y mae'n rhan o'r Grŵp Cynefin sy'n darparu tai yn siroedd gogledd Cymru i'r rhai sydd â'u gwir angen. Cyflawnir gwaith gwerthfawr iawn hefyd gan yr elusen Cymorth i Ferched Cymru: Welsh Women's Aid, a sefydlwyd yn 1978.

Arwyddlun Gwefan Meddwl.org ('Meddyliau ar Iechyd Meddwl').

Gyda dyfodiad Feirws Corona, tystiolaeth yr oll o'r mudiadau dyngarol hyn yw iddynt weld cynnydd sylweddol yn y galwadau am eu gwasanaeth. Yn ystod pedwar mis cyntaf 2020 derbyniodd Llamau, er enghraifft, fwy o alwadau am gymorth na thrwy gydol y flwyddyn 2019. Ar ddiwedd blwyddyn 2020, cyhoeddodd Gorwel hefyd gynnydd o 25% mewn achosion o drais yn y cartref ers mis Mehefin 2020.

Priodol iawn yn y fan hon yw cyfeirio at Ddiwrnod Iechyd Meddwl y Byd ar y degfed o Hydref. Sefydlwyd y dydd arbennig hwn yn 1992 gan Ffederasiwn Iechyd Meddwl y Byd, corff cydwladol gydag aelodau a chysylltiadau mewn dros 150 o wledydd, a chorff sy'n cael ei gydnabod gan Swyddfa Iechyd y Byd (World Health Organization).

Yr un modd dylid ein hatgoffa ein hunain fod wythnos gyntaf mis Chwefror yn Wythnos Iechyd Meddwl Plant, a'r drydedd wythnos o Fis Mai yn 'Wythnos Ymwybyddiaeth Iechyd Meddwl'. (18-24 Mai oedd y dyddiad yn 2020.) Yn ystod yr wythnos hon, fel ar Ddiwrnod Iechyd Meddwl y Byd, anogir oedolion a phlant i wisgo mewn lliwiau melyn.

'Cynllun Llyfrau Iechyd Da i Gefnogi Iechyd a Lles Plant', a Chynllun Darllen yn Well: Llyfrau ar Bresgripsiwn i Blant': diolch i Gyngor Llyfrau Cymru ac Adran Addysg Llywodraeth Cymru

Hyfrydwch arbennig i mi yn y rhan hon o'r gyfrol yw cael diolch o waelod calon i Gyngor Llyfrau Cymru am ei ran ganolog yn hyrwyddo 'Cynllun Llyfrau Iechyd Da i Gefnogi Iechyd a Lles Plant.' A diolch hefyd i Adran Addysg Llywodraeth Cymru am ei gefnogaeth barod i'r cynllun rhagorol hwn. Hwy sy'n ariannu pecyn o 41 o lyfrau gwerthfawr wedi'u cynllunio'n ofalus ac i'w dosbarthu i bob ysgol gynradd yng Nghymru.

Un sylw pellach yn y fan hon: diolch am ddefnyddio'r geiriau 'Iechyd Da': mae'n derm ardderchog. Geiriau sy'n codi calon.

Yn ogystal â'r pecyn o 41 o lyfrau, bydd ysgolion yn derbyn 'pecyn cynhwysfawr o adnoddau wedi'u paratoi gan rwydwaith o athrawon sy'n arbenigo ym maes llythrennedd, iechyd a lles.'

Meddai Helgard Krause, Prif Weithredwr Cyngor Llyfrau Cymru:

> 'Rydyn ni'n gwybod pa mor fuddiol gall darllen fod o ran ein lles a'n hiechyd meddwl, ac mae'r cynllun yma'n helpu i agor y drws i sgyrsiau gyda phlant am bynciau reit anodd. Mae meithrin sgyrsiau o'r fath a dealltwriaeth bob amser yn bwysig, ond yn enwedig felly nawr, ac rydym ni'n falch iawn o gael cydweithio gydag Adran Addysg Llywodraeth Cymru i wireddu'r prosiect pwysig hwn.'

DARLLEN YN WELL
READING WELL

Arwyddlun cynllun Cyngor Llyfrau Cymru: 'Darllen yn Well: Llyfrau ar Bresgripsiwn i Blant'. Llun drwy garedigrwydd Cyngor Llyfrau Cymru.

Bu gan Gyngor Llyfrau Cymru ran allweddol hefyd yn y cynllun: 'Darllen yn Well: Llyfrau ar Bresgripsiwn i Blant'. Bwriadwyd y cynllun yn arbennig ar gyfer plant Cyfnod Allweddol 2 mewn Ysgolion Cynradd, ac y mae'n cynnwys:

> '21 o gyfrolau yn Gymraeg a 33 yn Saesneg sy'n trafod pynciau fel gorbryder a galar, bwlio a diogelwch ar y we, a sut i ddelio â digwyddiadau yn y newyddion. ... Datblygwyd y rhaglen gan weithwyr iechyd proffesiynol, yn ogystal â phlant a'u teuluoedd, ac fe'i cyflwynir yng Nghymru gan elusen *The Reading Agency*, mewn partneriaeth â Llywodraeth Cymru, llyfrgelloedd cyhoeddus a Chyngor Llyfrau Cymru. ... Y nod yw cefnogi ysgolion wrth iddyn nhw ymdrin â

phynciau'n ymwneud ag iechyd a lles fel rhan o'r cwricwlwm newydd, ac i gynorthwyo athrawon i drafod y pynciau yma yn ystod cyfnod heriol dros ben.'

Wrth lansio'r cynllun 'Iechyd Da' yn swyddogol yn ystod Wythnos Iechyd Meddwl Plant (1-6 Chwefror 2021), dywedodd y Gweinidog Addysg, Kirsty Williams:

'Rwy'n falch iawn o fod yn rhan o lansiad prosiect Iechyd Da Cyngor Llyfrau Cymru. … Mae sicrhau bod pob plentyn a pherson ifanc yn gallu rhannu cariad at ddarllen yn rhan bwysig o'r gwaith rwy'n ei wneud fel Gweinidog Addysg, a hoffwn ddiolch i Gyngor Llyfrau Cymru am ei waith caled yn datblygu cyfres ddiddorol o adnoddau i gefnogi athrawon a dysgwyr mewn ymateb i'r pandemig.'

Tri gair sydd gennyf innau i ategu'r sylw hwn: Ardderchog; canmil diolch. (Daw'r dyfyniadau uchod o ddatganiad Cyngor Llyfrau Cymru, 3 Chwefror 2021)

Llyfrau ar iechyd meddwl a galar: diolch i awduron a chyhoeddwyr

Clawr blaen un o lyfrau Gwasg y Lolfa, 2017.

Gwnaeth Cyngor Llyfrau Cymru gymwynas werthfawr iawn hefyd drwy gyhoeddi 'Rhestr Ddarllen Iechyd Meddwl'. A dyma gyfle i mi ddatgan fy niolch diffuant i nifer o awduron a chyhoeddwyr. Yr ydym yn croesawu'n gynnes iawn amryw gyfrolau Cymraeg a gyhoeddwyd yn lled ddiweddar, megis: *Galar a Fi: Profiadau Ingol o Fyw gyda Galar*, golygydd Esyllt Maelor (Y Lolfa, 2017); cyfrol Malan Wilkinson, *Rhyddhau'r Cranc*, sy'n adrodd yn onest am ei hymdrechion dewr yng

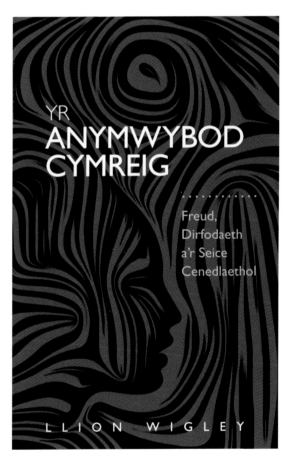

Clawr blaen un o lyfrau Gwasg Prifysgol Cymru, 2019.

nghanol llu o ofidiau (Y Lolfa, 2018); a *Byw yn fy Nghroen: Profiadau Pobl Ifanc sy'n Dioddef yn Dawel*, deuddeg stori wedi'u golygu gan Sioned Erin Hughes (Y Lolfa, 2019). Enillodd y gyfrol olaf hon Wobr Tir na n-Og, 2020 (categori uwchradd). Hyfryd hefyd yw gweld cyhoeddi cyfrol safonol Dr Llion Wigley, *Yr Anymwybod Cymreig: Freud, Dirfodaeth a'r Seice Cenedlaethol* (Gwasg Prifysgol Cymru, 2019).

Clawr blaen cyfrol a gyhoeddwyd gan Wasg y Bwthyn,
ar ran yr awdur, Dr Prydwen Elfed-Owens (2020).

Un o'r llyfrau diweddaraf i'w cyhoeddi yw cyfrol werthfawr Dr Prydwen Elfed-Owens, *Na Ad Fi'n Angof: Byw â Dementia* (argraffwyd gan Wasg y Bwthyn, ar ran yr awdur, 2020). Mae'r gyfrol hon yn cynnwys llawer o wybodaeth ymarferol, myrdd o gynghorion buddiol, a thystiolaeth ddwys ac onest nifer o bersonau a fu'n gofalu'n dyner am anwyliaid.

Cyhoeddwyd ynddi hefyd dri englyn rhagorol o eiddo Jim Parc Nest ac Ieuan Wyn. Dyma englyn Jim ar ddechrau'r gyfrol. Y testun yw 'Gofal Anhunanol':

Agor ffin y gorffennol â gofal
Am gof heb bresennol.
O am rithio dyfodol
O fwynhau cael cof yn ôl.

A dyma englyn Ieuan Wyn ar ddechrau'r bennod, 'Myfyrdodau'r Gofalwyr':

Yn ei chongl, 'Pwy ydach chi?' – yn wastad
Yw'r cwestiwn sydd ganddi.
Â heddiw'n ddieithr iddi,
Geiriau Mam sy'n gur i mi.

'Megis pelydryn o haul cynnes yng nghanol coedwig dywyll': Gofal Dydd, Capel Waengoleugoed

Fel Cristion gloyw sy'n credu nid yn unig ym mhwysigrwydd pregethu'r Gair, ond hefyd ym mhwysigrwydd rhoi'r Gair ar waith, gwn fod Dr David Enoch yn parchu'n ddiffuant iawn yr eglwysi Cristnogol hynny yng Nghymru sy'n dal ar bob cyfle i fod yn glust i wrando ac yn draed ac yn ddwylo i rannu cariad i bawb yn y gymuned sydd mewn angen cymorth. Pennawd trydedd ran ei gyfrol, *Y Deg Gorchymyn Heddiw ac Erthyglau Eraill*, yw 'Y Meddwl a Bugeilio Cristnogol'. Meddai ar dudalen 131: 'Rhywbeth i'r Eglwys gyfan yw bugeilio. Cyfrifoldeb pob Cristion yw caru ei gilydd. Dyma'r prawf i'r byd bod Iesu Grist wedi atgyfodi. Cariad ar waith yw cydymdeimlo a gofalu am eraill.'

Capel Waengoleugoed, y Waen, ger Llanelwy, wedi'r ymestyniad, 2011: Canolfan Gofal Dydd. Llun o'r gyfrol: *Stori Capel Waengoleugoed: Sul, Gŵyl a Gwaith*; gol. Mari Lloyd-Williams (Cyhoeddiadau Modern Cymreig, 2015).

Yn y fan hon carwn gyfeirio at un enghraifft odidog iawn o'r hyn sy'n bosibl pan fo gweledigaeth yn cael ei chyfuno gydag ymroddiad nodedig, cyd-ddyheu a chydweithio. Dewch gyda mi i ogledd Cymru ac i ardal wledig y Waen (neu'r Waun), ger Llanelwy. Yno y mae capel bychan Waengoleugoed. 'Capel bychan', ond eglwys fawr. Neu, yng ngeiriau Angharad Tomos: 'Trysor mawr mewn lle bach.' Eisoes yn 70au'r ugeinfed ganrif roedd aelodau a chyfeillion y capel wedi sefydlu 'Clwb yr Heulwen', oedd yn cyfarfod yn fisol yn Neuadd y Plwyf. Yna, yn 2011, wedi llawer o addasu ar y capel, fe sefydlwyd Gofal Dydd.

Am ddau ddiwrnod bob wythnos, caiff pobl o bob oed, y claf, yr unig – unrhyw un (gan gynnwys plant) – wahoddiad i gyfarfod mewn awyrgylch groesawgar, gynnes, gartrefol, ac yng nghwmni'r gwirfoddolwyr caredig. A'r cyfan o'r gweithgareddau drwy gyfrwng y Gymraeg. Yr un modd, mae'r Grŵp C3 yn cynnig cefnogaeth arbennig i'r rhai sy'n dioddef o'r cancr. Cynhelir 'Dyddiau Agored', megis 'Diwrnod Dementia', a chynhelir gweithgareddau i gefnogi Hosbis Sant Cyndeyrn, Llanelwy. Yn gyson hefyd ceir oedfaon a gwasanaethau arbennig, megis 'Oedfaon y Gannwyll' i gofio anwyliaid. Ar ddiwedd blwyddyn dosberthir 'Parseli'r Nadolig' i deuluoedd yr anghenus yn y gymuned.

Yr Athro Mari Lloyd-Williams, a'r 'Ynys Afallon Gristnogol'

Yr Athro Mari Lloyd-Williams, Y Waen, Llanelwy, a Phrifysgol Lerpwl.
Llun drwy garedigrwydd Mari Lloyd-Williams.

Prif symbylydd Gofal Dydd a Grŵp C3, ac ysgrifenyddes ddiwyd y capel, yw'r Athro Mari Lloyd-Williams, Athro Meddygaeth ym Mhrifysgol Lerpwl. Fel Athro, y mae hi wedi ennill anrhydeddau lawer. Y mae'n Athro Ymgynghorol Anrhydeddus yn ei phrifysgol, ac yn Gymrawd o Gymdeithas Ddysgedig Cymru (CCDdC/FLSW). Eto, yng nghanol ei phrysurdeb yn gofalu am gleifion, myfyrwyr, ac ymchwil, y mae ei llafur cariad, ei hymroddiad a'i brwdfrydedd byrlymus, yn ysbrydoli ac yn calonogi pawb arall yng Nghapel y Waen i gydweithio fel un teulu, a dal ati. Hi a olygodd y gyfrol *Stori Capel Waengoleugoed, Sul, Gŵyl a Gwaith: Dathlu Dauganmlwyddiant (1815–2015) yr Achos* (Cyhoeddiadau Modern Cymreig, 2015). Meddai'r Parchg Ddr D Ben Rees yn ei gyflwyniad i'r gyfrol: 'Nid dirywiad [achos crefyddol] a welwn yn Waengoleugoed, ond "Ynys Afallon Gristnogol" yr unfed ganrif ar hugain.' Cwbl haeddiannol oedd i Gapel y Waen yn 2012 ennill prif wobr 'Eglwysi sy'n Ymestyn Allan', gwobr o dan nawdd Pwyllgor Twristiaeth a Chymunedol Eglwysi Cymru.

Eglwys Waengoleugoed: y mae megis pelydryn o haul cynnes yng nghanol y goedwig dywyll, ac nid anodd yw amgyffred paham y bu i Karen Owen ysgrifennu'r gerdd ragorol a ganlyn i 'Gapel y Waen' (Dyfynnaf o benillion 1, 3 a 5, sef yr olaf):

> Pan fydd dy lôn yn droellog ac yn hir,
> pan fydd hi'n law, a'r map heb fod yn glir …
>
> pan fydd y dydd fel nos o friwiau hallt,
> pan fydd pob taith yn dynfa i fyny'r allt …
>
> y mae 'na lwybr golau trwy bob straen
> at gariad mwya'r byd, yng nghôl y Waen.

Gofal meddygon a seiciatryddion, cwnselwyr, gweinyddesau a gweithwyr cymdeithasol

Yn ogystal â chymwynas fawr canolfannau megis Gofal Dydd, Waengoleugoed, y mae David Enoch, fel finnau, afraid dweud, yn mawr werthfawrogi hefyd ymroddiad a chyfraniad amhrisiadwy llu o feddygon, seiciatryddion, cwnselwyr, gweinyddesau, parafeddygon, a gofalwyr o Gymru, ddoe a heddiw. Boed i'r ychydig bersonau y cyfeiriaf atynt yn awr gynrychioli pawb arall a fu'n rhannu eu gofal a'u cariad â'r claf a'r trallodus.

Dr Dafydd Alun Jones

Dr Dafydd Alun Jones (1930-2020).
Llun drwy garedigrwydd Dr Dyfrig ap Dafydd a'r teulu.

Ac aros yn y gogledd, ni allwn, ac ni ddylem, anghofio cyfraniad maith a gwerthfawr fy nghyfaill Dr Dafydd Alun Jones, Talwrn, Ynys Môn. Brodor o Benmachno ydoedd, a 'Dafydd Penmachno' oedd ei enw yn yr Orsedd. Bu'n Seiciatrydd Ymgynghorol yn Ysbyty Meddwl, Dinbych, o 1964 hyd 1995, pan gaewyd yr ysbyty. Ef hefyd oedd prif sefydlydd a Chadeirydd Cais (1976), gyda changhennau bellach ledled Cymru. 'Tŷ Dafydd Alun' yw'r enw, yn haeddiannol iawn, ar y brif ganolfan ym Mae Colwyn.

Wedi fy ngeni yn Uwchaled, mi wyddwn o'r gorau fel yr oedd ymadrodd megis: 'Mae o, neu hi, wedi gorfod mynd i Ddimbech', yn golygu un peth yn unig i drigolion gogledd Cymru, sef: 'gorfod mynd i'r seilam'. Onid enw swyddogol Saesneg anffodus yr ysbyty mawr a sefydlwyd yno yn 1848 (y cyntaf o'i fath yng Nghymru) oedd: Denbighshire County Lunatic Asylum? Bryd hynny teimlai pobl gywilydd mawr fod aelod o'u teulu 'wedi gorfod mynd i'r seilam', ac un o gymwynasau Dr Dafydd Alun oedd cyfrannu tuag at gynorthwyo pobl i ddechrau newid eu meddwl ynglŷn â'r agwedd negyddol hon. Ynghlwm wrth hynny, yr oedd y weithred ddewr a chwyldroadol a ganlyn (nad oedd pawb, teg ychwanegu, yn cytuno'n llwyr â hi). Meddai yn ei erthygl, 'Ysbyty Dinbych, 1848-1995' (*Barn*, Gorffennaf-Awst, 2013, t. 6):

> 'Fe ês ati'n syth i wagio'r ysbyty. O fewn tair blynedd, hanerwyd nifer y cleifion i ychydig dan 800. ... Yr hyn a wnaed oedd gofalu eu bod nhw yn cael eu cartrefu mewn tai preifat lle roedd gwragedd caredig ac eangfrydig yn fodlon eu gwarchod a rhoi, ar yr un pryd, fesur helaeth o ryddid i rai a fu'n gaeth. ... Yn achos arloesol Dinbych nid slogan wag oedd [y term "gofal yn y gymuned"]. Roeddem ni'n ymorol bod gwir ofal i'w gael y tu allan i furiau'r ysbyty.'

Ganed Dr Dafydd Alun ar 3 Gorffennaf 1930; bu farw ar 6 Mai 2020, o fewn dim i fod yn 90 mlwydd oed. Parhaodd i weithio hyd ddiwedd ei oes, gan roi sylw arbennig yn y blynyddoedd olaf i gynorthwyo'r rhai a fu'n gaeth i alcohol. Yr un modd, i geisio sicrhau iawndal i gyn-filwyr oedd wedi dioddef trawma. (I ddarllen ysgrif goffa werthfawrogol Vaughan Hughes i'r seiciatrydd o Fôn, gweler *Barn*, Mehefin 2020, t. 40.)

Dr Ernest John Eurfyl Jones

Dr Ernest John Eurfyl Jones (1924-1995). Llun drwy garedigrwydd yr Athro Dafydd Johnston, a *Cwlwm*, papur bro Caerfyrddin a'r cylch.

O Ddinbych ac Ynys Môn awn i Ddyfed, ac i gofio cymwynaswr nodedig iawn a Chymro pybyr. Ym Merthyr Tudful y ganed Dr Ernest John Eurfyl Jones (1924-1995), ond yn Llanidloes, Powys, y cafodd ei fagu. Wedi astudio yn Rhydychen a Chaerdydd, fe'i penodwyd yn Seiciatrydd Ymgynghorol yn Ysbyty Dewi Sant, Caerfyrddin, yn 1955. Ymhen rhai blynyddoedd fe'i dyrchafwyd yn Ddirprwy Arolygydd Meddygol. Ymddeolodd yn gynnar yn 1980, o ganlyniad i afiechyd blin. Bu'n Gadeirydd y Gymdeithas Seiciatregol Gymreig, ac yr oedd yn Gymrawd o Goleg Brenhinol y Seiciatryddion, Llundain. Roedd dawn naturiol ganddo i gyflwyno pynciau seiciatryddol ar y teledu yn Gymraeg, ac yn 1985 llwyddodd i gyhoeddi cyfrol werthfawr ar Carl Gustav Jung yn y gyfres 'Y Meddwl Modern'.

Rhoes y Dr Huw Edwards deyrnged hael a haeddiannol iawn, yn Gymraeg ac yn Saesneg, i'w gyn-gydweithiwr, Dr Eurfyl Jones. (Gweler *Cwlwm*, Mehefin 1995, t. 9; a *BJPsych Bulletin*, cyf. 19, rhif 9, Medi 1995, t. 584.) A da hynny. Mor rhwydd yw inni anghofio ein dyled fawr i holl weithwyr y Gwasanaeth Iechyd, ddoe a heddiw. Yn wir, dyna un o'r prif resymau dros gyhoeddi'r gyfrol bresennol. Dyma, felly, ychydig frawddegau o ysgrif goffa'r Dr Huw Edwards i'w gyfaill.

'Ganddo ef roedd un o'r meddyliau disgleiriaf yr wyf wedi'u hadnabod. ... Trwy gydol ei yrfa broffesiynol bu'n gyfrifol am ddarparu gwasanaeth seiciatregol ar gyfer ardaloedd Llanelli a Rhydaman, ond roedd hefyd yn arloeswr wrth ddarparu gofal yn y gymuned yn Nyfed. Diolch i'w ymdrechion ef, paratowyd nifer o bobl a dreuliodd flynyddoedd yn Ysbyty Dewi Sant ar gyfer eu hadsefydlu yn y gymuned. O dan ei ddylanwad a'i symbyliad ef [hefyd] sefydlwyd MIND Caerfyrddin. ... Bydd llawer yn cytuno â mi iddi fod yn fraint i adnabod a chydweithio gyda'r gŵr rhyfeddol hwn.'

Dr Huw Edwards

Dr Huw Edwards, Caerdydd.
Llun drwy garedigrwydd Dr Huw Edwards.

Er ei fod yn byw bellach yng Nghaerdydd, brodor o Langynnwr, ger Caerfyrddin, yw'r Dr Huw Edwards, y dyfynnwyd eisoes ei deyrnged uchod i'w gyn-gydweithiwr, Dr Eurfyl Jones. Wedi astudio meddygaeth a seiciatreg yn Sant Bartholomew (Barts, yr ysbyty enwog yn Llundain a sefydlwyd mor bell yn ôl ag 1123), bu rhwng 1963 ac 1969 yn seiciatrydd ifanc yn Ysbyty'r Eglwys Newydd, Caerdydd. Yna bu'n Seiciatrydd Ymgynghorol, mawr ei ofal dros gleifion, mewn dau ysbyty yng Nghaerfyrddin: Ysbyty Dewi Sant ac Ysbyty Glangwili, o 1969 hyd nes ymddeol yn 1998. Y mae hefyd yn gefnogol iawn i'r Gymdeithas Feddygol ac yn Gymrawd o Goleg Brenhinol y Seiciatryddion, Llundain. Fel seiciatrydd, un maes y rhoes sylw arbennig iddo ydoedd gwaith fforensig, gan gydweithio'n agos â chyfreithwyr a llysoedd barn mewn achosion yn ymwneud, er enghraifft, ag iawndal. Parhaodd i wneud peth gwaith fforensig hefyd wedi ymddeol.

Ac yntau'n byw nawr yng Nghaerdydd, deuthum i wybod mwy am ddiddordeb dwfn Dr Huw Edwards yn hanes a diwylliant Cymru, ei llên a'i hiaith. Deuthum i wybod hefyd am ei werthfawrogiad o lafur cyd-feddygon a seiciatryddion, a'i barodrwydd i rannu'i wybodaeth a'i brofiad yntau er budd eraill, fel y gwnaeth yn hael iawn gyda mi. Hyfrydwch arbennig, felly, yw cael dal ar y cyfle hwn i gydnabod yn y fan hon ein dyled iddo am gyhoeddi tair cyfrol yn Gymraeg, cyfrolau addysgiadol, diddorol, mewn iaith ddealladwy, yn ymwneud â phynciau meddygol a seiciatryddol o bwys. Gwasg Gee, Dinbych, yw'r cyhoeddwyr.

Wynebu Bywyd: Ysgrifau ar Rai Problemau Seicolegol a Chymdeithasol yw pennawd y gyfrol gyntaf (1979). *Y Pryfyn yn yr Afal* yw pennawd ardderchog yr ail gyfrol (1981). Mae'r pennawd hwn yn cyfeirio'n arbennig at un ysgrif yn y gyfrol sy'n trafod afiechydon gwenerol. Y mae i'r drydedd gyfrol hithau bennawd arwyddocaol, sef *Cylch Cyflawn* (1994), yn cyfeirio'n benodol at gynnwys un o'r ysgrifau, ysgrif yn trafod y defnydd meddyginiaethol a wnaed ers canrifoedd lawer o gelod i amsugno gwaed.

Dr Donald Williams

Dr Donald Williams, Abertawe.
Llun drwy garedigrwydd Dr Donald Williams.

Ym Methlehem, ger Llangadog, Sir Gaerfyrddin y ganed Dr Donald Williams. Wedi derbyn hyfforddiant seiciatryddol yn Rhydychen a Chaerdydd, bu'n Seiciatrydd Ymgynghorol mawr ei wasanaeth yn Ysbyty Cefn Coed, Abertawe, o 1974 hyd 2003. Ei gyfrifoldeb arbennig oedd gofalu am yr henoed. Hefyd bu'n cynnal sesiynau yn y carchar ac yn gwneud gwaith meddygol-gyfreithiol. Y mae'n Gymrawd o Goleg Brenhinol y Seiciatryddion, Llundain, yn Gyn-gadeirydd y Gymdeithas Seiciatregol Gymreig, ac yn Gymrawd Ymchwil Anrhydeddus Meddygol Prifysgol Abertawe.

Yn 1975/76 bu'n cydweithio â'i gyfaill agos Dr Tom Davies i sefydlu'r Gymdeithas Feddygol y cyfeiriwyd ati eisoes. Hefyd, er 2008, bu ganddo ran flaenllaw mewn codi ymwybyddiaeth o draddodiad cyfoethog Meddygon Myddfai. Sefydlwyd Cymdeithas

Meddygon Myddfai yn 2014, ac yntau'n ysgrifennydd. Bu'n trefnu'r gynhadledd flynyddol ym Myddfai, y gwasanaeth blynyddol yn Eglwys Sant Luc, a'r daith flynyddol i Ffynnon y Meddygon.

Wedi ymddeol, cafodd Dr Donald Williams fwy o gyfle i barhau â'i ymchwil i effaith penio pêl ar bêl-droedwyr, a'r cysylltiad posibl â dementia. Dyma faes ymchwil eithriadol o bwysig. Cydweithiodd â meddygon o Ysbyty Cenedlaethol Niwroleg a Llawdriniaethau Niwrolegol, Queen Square, Llundain, i ddarganfod effaith enceffalopathi trawmatig cronig (CTE) ar nifer o gyn bêl-droedwyr. Cyhoeddwyd ffrwyth eu hymchwil mewn papur arloesol, y cyntaf o'i fath erioed, yn y cylchgrawn *Acta Neuropathologica*, cyf. 133, 2017, tt. 337-52. Gweler hefyd ei erthygl: 'Penio Peryglus Pêl Droed a Dementia', *Barn*, Chwefror 2020, tt. 17-18.

Dr Dafydd Huws

Dr Dafydd Huws (1935-2011).
Llun drwy garedigrwydd Rhian Huws, Caerffili.

O Ddinas Abertawe i Brifddinas Cymru, Caerdydd, ac i gwmni dau yr oedd yn hyfryd iawn eu gweld bob amser. Dau Gymro gwlatgar, cymwynasgar, y gwyddai Cymry Cymraeg yn dda amdanynt. Ond dau sydd, ysywaeth, wedi ein gadael.

Dr Dafydd Huws (1935-2011) oedd un ohonynt – cyfaill agos imi. Ganed yn Aberystwyth. Wedi graddio yng Ngholeg Meddygol Caerdydd yn 1961, bu'n gweithio am rai blynyddoedd i'r Cyngor Ymchwil Meddygol yn Ysbyty Llandochau Fach, Bro Morgannwg. Ei faes arbennig oedd epidemioleg. (Beth, tybed, fyddai ei farn am yr epidemig presennol, Covid 19?)

O Ysbyty Llandochau Fach aeth yn seiciatrydd i Ysbyty'r Meddwl yn yr Eglwys Newydd, Caerdydd. Yn 1971 dyrchafwyd ef yn Seiciatrydd Ymgynghorol. Roedd ganddo ofal arbennig am Uned Tegfan, a bu ganddo glinig hefyd yn Ysbyty'r

Brifysgol, Y Mynydd Bychan. Un o'r meysydd hollbwysig a fu o ddiddordeb mawr iddo oedd anorecsia nerfol (*anorexia nervosa*) a chlefydau eraill yn ymwneud â bwyd. Ymddiddorodd yn fawr hefyd mewn seicosomateg a'r cysylltiad annatod rhwng y meddwl a rhai afiechydon corfforol. Cyn ymddeol yn 1996, bu'n Gyfarwyddwr Clinigol ac yna'n Gyfarwyddwr Meddygol Ymddiriedolaeth Gymunedol Caerdydd y Gwasanaeth Iechyd.

Un o nodweddion amlycaf Dafydd Huws oedd ei gariad angerddol at bobl, at Gymru, ac at y byd. Hyn, mi dybiaf, sy'n egluro'r gofal a roes i gleifion; paham y rhoes ran dda o'i amser prin i weithgaredd gwleidyddol (bu'n Gadeirydd llwyddiannus iawn ar Blaid Cymru yn yr wythdegau); a phaham hefyd yr oedd diogelu'r amgylchedd a'r blaned hon, y cawn y fraint o fyw arni, yn uchel iawn ar restr ei flaenoriaethau. Cofiwn iddo ddatblygu'r fferm wynt ar Fynydd Gorddu, ger Bont-goch, yng ngogledd Ceredigion, a sefydlu Cwmni Amgen Cyf., gyda Rhian, ei briod. A chanlyniad y mentergarwch? Cynhyrchu ynni glân, ond hefyd cefnogi'r cymunedau lleol drwy gronfa gymunedol y cynllun: Cronfa Eleri.

'Duw a wnaeth ein DNA'

Pan gwrddai Dafydd a minnau, braf iawn oedd cael rhannu diddordeb y ddau ohonom mewn englyn, pennill a chân. Yr un modd, roeddwn i'n arbennig o falch o weld cyhoeddi'r gyfrol hyfryd *Cerddi Dafydd Huws* yn 2012, ac un o'i linellau cynganeddol mwyaf cofiadwy wedi'i hargraffu ar y clawr ôl: 'Duw a wnaeth ein DNA'.

Ond y mae un sylw arall y carwn ei wneud, sylw sy'n berthnasol iawn wrth gofio cymwynas fawr pob meddyg a seiciatrydd. A dyma'r sylw hwnnw: yng nghwmni Dafydd, ni allwn lai na theimlo ei fod wedi'i eni i fod yn feddyg: meddyg y corff, meddyg yr enaid. Roedd yn gyfathrebwr heb ei ail: boed wrth wely'r claf neu ar lwyfan cyhoeddus, boed ar y radio neu ar deledu. Arian byw o gymeriad. Gwên ar wyneb. Gwên a serenedd. Y cyfaill caredig, llawen, oedd yn codi calon.

I wybod rhagor am Dr Dafydd Huws, gweler teyrnged Dr John Lewis, cyd-weithiwr iddo, ar wefan Ysbyty'r Eglwys Newydd, 3 Awst 2011; ysgrif goffa Ieuan Wyn Jones: *Barn*, mis Medi 2011, t. 27; ysgrif Dafydd Williams, 'A Man whose Destiny was Wales': gwefan *Agenda* (Sefydliad Materion Cymreig), 8 Gorffennaf 2011; a theyrnged Meic Stephens yn *Welsh Lives: Gone, But Not Forgotten*, Y Lolfa, 2012, tt. 154–7.

Dr Harri Pritchard Jones

Dr Harri Pritchard Jones (1933-2015).
Llun drwy garedigrwydd Lenna Pritchard Jones a Guto Harri.

Yn Dudley, Swydd Gaerwrangon, Gorllewin Canolbarth Lloegr, y ganed y Dr Harri Pritchard Jones (1933-2015), ond ym Mhorthaethwy a Llangefni y cafodd ei fagu. Aeth i Goleg y Drindod, Dulyn, i astudio Meddygaeth. Gan gymaint ei gariad at yr iaith, y diwylliant, a phobl Iwerddon, am rai blynyddoedd wedi graddio arferai ddychwelyd am ryw fis bob haf i wasanaethu fel dirprwy feddyg (*locum*) ar Ynysoedd Aran, ger arfordir gorllewinol Iwerddon.

Wedi graddio, bu'n seiciatrydd yn Ysbyty yr Eglwys Newydd, Caerdydd: 1965–6, ac yn Ysbyty Hensol, Bro Morgannwg: 1966-75. Yna dychwelodd i'r Eglwys Newydd, fel seiciatrydd (rhan amser am gyfnod) yn Uned Harvey Jones, hyd nes iddo ymddeol (1979). Yn 1982 cyhoeddodd gyfrol dreiddgar yng nghyfres 'Y Meddwl Modern' ar Sigmund Freud (1856-1939), y niwrolegydd enwog o Awstria.

Afraid dweud, gwyddom yn dda am Harri Pritchard Jones fel llenor a beirniad llenyddol o bwys. O 1991 hyd 1996 ef oedd Cadeirydd Adran Gymraeg yr Academi Gymreig. Yr oedd yn awdur nifer o nofelau a storïau, a chaiff ei gyfnod yn byw yn Iwerddon, a'i brofiadau fel meddyg, ei adlewyrchu yn rhai o'r cyhoeddiadau llenyddol gwerthfawr hyn. Fel ei gyfaill Saunders Lewis, roedd yntau wedi mabwysiadu'r ffydd Gatholig. Ond gŵr eangfrydig iawn ei syniadau a'i ddaliadau ydoedd. Gallai hefyd eu mynegi mewn modd diddorol a chofiadwy, a chafodd llawer un ohonom fendith fawr o ddarllen ei gyhoeddiadau, neu wrando arno'n llefaru.

Ac yntau wedi treulio blynyddoedd fel meddyg a seiciatrydd yn rhannu ei ofal ag eraill, yr oedd yn gwbl nodweddiadol ohono yn ei nofel olaf un, *Darnau'n Disgyn i'w Lle* (2014), iddo ddal ar y cyfle i ddiolch yn ddiffuant iawn i garedigion y byd meddygol. Dyma eiriau a roes foddhad mawr i mi pan welais hwy am y tro cyntaf, a hyfryd yw cael eu dyfynnu nawr yn y gyfrol hon:

> 'Diolch i Wasg Gomer, ac yn arbennig Mair Rees, am eu gofal a'u dealltwriaeth wrth baratoi'r gwaith i'w gyhoeddi. Ac i holl staff rhyfeddol y Gwasanaeth Iechyd am gadw'r hen gorffyn yma i fynd dros y blynyddoedd diwethaf – hyd yn oed at fedru sgwennu nofelig.'

I gael rhagor o wybodaeth am Dr Harri Pritchard Jones, gweler ysgrif goffa Daniel Huws iddo yn *Barn*, Mehefin 2015, t. 18; ac ysgrif Meic Stephens yn *More Welsh Lives*, Y Lolfa, 2018, tt. 102-6.

'Cannwyll yn olau' a lleisiau'n llefaru: cymwynas anfesuradwy Rhian Evans i'r deillion

Rhian Evans, Caerfyrddin, ar long yn teithio i Gasablanca, 31 Ionawr 2019.
Llun a dynnwyd gan Iris Owen, Caerfyrddin, chwaer Rhian Evans.

Merch o dref Caerfyrddin yw Rhian Evans. Ei henw yng Ngorsedd Cymru yw Rhian Mair. A Thir Du yw enw'i chartref. Ond nid tŷ du y tywyllwch. Tŷ gwyn y goleuni ydyw. Yno y bu'n byw erioed. Tir Du hefyd oedd enw'r fferm ym Motwnnog, Llŷn, cartref Jane Griffith, ei mam. Gŵr o Ryd-y-ceir, Capel Dewi, ger Llandysul, oedd William Evans, ei thad.

Wedi graddio yn y Gymraeg yng ngholeg Aberystwyth, bu Rhian, rhwng 1966 ac 1976, yn Llyfrgellydd yng Ngholeg y Drindod. Yna daeth tro ar fyd. Erbyn 1976 roedd ei golwg wedi dirywio, ond gyda chefnogaeth barod y cymwynaswr Alun R Edwards, Prif Lyfrgellydd Dyfed, fe'i penodwyd yn Arolygwraig Cynllun Creu Gwaith y Llywodraeth yn y sir. Ei weledigaeth arloesol ef oedd defnyddio'r cyfle hwn i gofnodi hanes llafar yn Nyfed. Roedd Rhian hithau yn ei helfen yn cael ymwneud â gweithgarwch mor ddiddorol a gwerthfawr.

Yn yr un flwyddyn, ac yn gwbl wirfoddol, sefydlodd Bapur Llafar y Deillion. Cynllun oedd hwn yn rhoi sylw yn bennaf i newyddion a hanesion lleol Caerfyrddin a'r cylch, gan wneud defnydd helaeth o'r papurau bro. Yn 1979 sefydlwyd Cynllun Casetiau Cymru (a chryno-ddisgiau hefyd yn ddiweddarach). Cynllun i Gymru gyfan, ac yr oeddem ni yn Amgueddfa Werin Cymru, fel mudiadau eraill, yn falch iawn o gael rhan fechan i gefnogi'r gweithgarwch hollbwysig hwn. Rhwng 1989 a 2011 daeth Cymdeithas Deillion Gogledd Cymru i'r adwy i ysgwyddo llawer ar y baich ariannol. Yna, yn 2012, sefydlwyd Llyfrau Llafar Cymru, yn gorff annibynnol, yn cael ei gynnal drwy haelioni mudiadau ac unigolion.

Llawenydd mawr yw deall bod Llyfrau Llafar Cymru newydd gyhoeddi llyfr Rhian: *Siarad Cyfrolau: Speaking Volumes*, yn gynnar eleni (2021). Yn y gyfrol hon, fel y gwnaeth yn gyson cyn hyn, y mae'n mynegi yn ddiffuant iawn ei gwerthfawrogiad o lafur cariad llu mawr o gyd-weithwyr a charedigion. Mi garwn innau wneud yr un modd yn awr. Ond mi garwn hefyd, ar ran pawb yng Nghymru, ddiolch o waelod calon i'r ferch o Sir Gaerfyrddin am ei chyfraniad rhyfeddol. Cannwyll yn olau yn y tywyllwch ydyw. Y dall yn gweld ac yn arwain. Un drws yn cau, a gweld cyfle i agor drws arall. Diolch, Rhian, a phob bendith. Hyfryd yw cael cyflwyno'r englyn a ganlyn iti.

I'r fwynaf un eiddunaf – ogoniant
Y gwanwyn tyneraf;
Hedd yr awel dawelaf,
A gwynfyd yr hyfryd haf. (RG)

'Agor y drws i fywyd newydd': Croeso i'r Stafell Fyw, ac ymroddiad nodedig Wynford Ellis Owen

Llun drwy garedigrwydd
Wynford Ellis Owen a'r Stafell Fyw.

Nid oes raid i mi atgoffa neb o'r darllenwyr am y gymwynas fawr a wnaed pan sefydlwyd y Stafell Fyw yng Nghaerdydd yn 2011. Mae'n ganolfan amhrisiadwy sy'n estyn croeso cynnes ac yn cynnig cymorth parod i'r sawl sy'n gaeth i alcohol a chyffuriau eraill, yn gaeth i unrhyw beth sy'n niweidio'r corff, y meddwl a'r ysbryd. Y Stafell Fyw sy'n 'agor y drws i fywyd newydd'. Hawdd deall paham y bu i'r Dr David Enoch, yntau, fod mor gefnogol i waith hollbwysig y ganolfan ragorol hon. A hyfryd nawr yw cael cyhoeddi englyn ardderchog iawn y Prifardd Idris Reynolds:

Lle'r oedd y gwinoedd yn gell, – a'r ddiod
Awr dduaf yn cymell;
Y mae'n braf cael ystafell
Yn fan hyn i fyw yn well.

Fel y gwyddom, sefydlwyd y Stafell Fyw gan Wynford Ellis Owen, sy'n byw heddiw yng Nghreigiau, ger Caerdydd. Fe'i ganed yn Llansannan, Sir Ddinbych, cyn symud i Lanllyfni, Sir Gaernarfon. Yn 2008, wedi blynyddoedd llwyddiannus iawn fel actor a chynhyrchydd teledu, derbyniodd radd mewn Cwnsela Dibyniaeth. Yr un flwyddyn, fe'i penodwyd yn Brif Weithredwr Cyngor Cymru ar Alcohol a Chyffuriau Eraill, o dan nawdd yr enwadau crefyddol yng Nghymru, ac yna, yn 2011, yn Gyfarwyddwr y Stafell Fyw. Roedd eisoes wedi cyhoeddi ei hunangofiant: *Raslas Bach a Mawr!* yn 2004, ac yn 2010 cyhoeddwyd ei gyfrol nodedig: *No Room to Live: A Journey from Addiction to Recovery.*

Arwyddlun y Stafell Fyw, Caerdydd.   Arwyddlun y Stafell Fyw.

Yn 2017 ymddeolodd Wynford o'i ddyletswyddau penodol gyda'r Stafell Fyw, ond nid o'r genhadaeth fawr y bydd yn parhau i'w hyrwyddo. Derbyniodd wahoddiad i fod yn Ymgynghorydd Cwnsela i Gais, ac un o'i freuddwydion yw gallu sefydlu Stafell Fyw mewn canolfannau eraill yng Nghymru, megis Aberystwyth, Bae Colwyn, Caerfyrddin a Chaernarfon. Y mae'n cynnig gwasanaeth Cynnal, sef cyngor i glerigwyr, gweinidogion eglwysig a'u teuluoedd. Sefydlodd hefyd wasanaeth 'Curo'r Bwci' ar gyfer gamblwyr eithafol a'u teuluoedd.

Braint arbennig i mi nawr yw cael cyhoeddi dau englyn rhagorol iawn i Wynford. Alan Llwyd yw awdur un ohonynt:

Brwydraist a chefaist iachâd; – i eraill,
O'r herwydd, adferiad
A roddaist; hawliaist wellhad:
Iacháu eraill â chariad.

Rhys Dafis yw awdur yr ail englyn:

Yn y gwadedd roedd gweddi – unig, daer;
Ac o'i dweud, corneli
Tywyll, pell d'ystafell di
A lanwyd â'r Goleuni.

Y drws i'r Stafell Fyw yn parhau ar agor led y pen, a chymwynas fawr Carol Hardy

Carol Hardy
Llun drwy garedigrwydd Carol Hardy a'r Stafell Fyw.

Yn 2017, yn dilyn ymadawiad Wynford, daeth Carol Hardy, Pentre'r Eglwys, ger Pontypridd, yn Rheolwr Gwasanaethau'r Stafell Fyw. Ganed Carol ym Methesda, a bu'n athrawes cyn dechrau gweithio gyda'r Stafell Fyw yn 2013. Ar unwaith, ymroes i'r gwaith gyda chalon lawn o ddiolch am y cyfle i gynorthwyo eraill. Erbyn 2014 roedd hi wedi llwyddo i gydlynu'r deunydd ar gyfer paratoi'r gyfrol *Estyn Llaw*, llawlyfr arbennig o werthfawr at wasanaeth unrhyw un â dibyniaeth ar alcohol a phroblemau eraill.

Y mae Cais yn parhau i noddi'r Stafell Fyw, ond bellach y mae hefyd o dan adain yr elusen Adferiad: *Recovery*, a'r staff yn parhau â'u gwaith hollbwysig fel cynt.

Ar ran holl ddarllenwyr y gyfrol hon, hyfrydwch tu hwnt i eiriau i mi yw cael diolch o waelod calon yn awr i Wynford Ellis Owen, Carol Hardy, a phawb yn y Stafell Fyw am eu hymroddiad a'u gwasanaeth cwbl anhepgorol. Hefyd i ddymuno iddynt bob bendith a llwyddiant eto yn y dyfodol.

Ofnau hen a newydd

Fel y gŵyr staff y Stafell Fyw yn dda, y mae ofn yn ofid amlwg iawn i lawer un sy'n mentro'n betrus i groesi dros riniog y drws i gael cymorth. Ofn methu torri'n rhydd o'r caethiwed mawr. Ond y mae gennym ninnau hefyd, bob un ohonom, ein hofnau. Yn ogystal ag ofn bod yn gaeth i alcohol a chyffuriau eraill, megis ysmygu a gamblo, rhai o'r hen ofnau sy'n gallu peri poen meddwl i gynifer o bobl heddiw yw ofn afiechyd; ofn colli'r cof; ofn 'mynd yn hen', a 'dechrau ffwndro'; ofn marwolaeth, ac yn arbennig ofn colli anwyliaid yn sydyn drwy ddamwain neu afiechyd; ofn mam yn y cyfnod wedi geni'r plentyn; ofn tlodi a 'methu byw'; ofn colli cartref; 'poeni am les y plant'; ofn unigrwydd; ofn rhyfel a thrais; ofn canlyniad cynhesu byd-eang – mae'r rhestr yn faith.

Y mae gennym hefyd ofnau na fyddem wedi dychmygu amdanynt rai blynyddoedd yn ôl: cwmnïau ac unigolion yn yr oes dechnolegol hon yn defnyddio – neu'n camddefnyddio – eu sgiliau i dwyllo, er mwyn ceisio dwyn oddi arnom filoedd ar filoedd o arian. Er enghraifft, neges ar sgrin y cyfrifiadur oddi wrth gwmni Sky, medden nhw (ond celwydd yw hynny, wrth gwrs), yn ein rhybuddio: 'Rhaid ichwi ddilyn y cyfarwyddiadau hyn ar unwaith, neu byddwch yn colli eich holl e-byst a'ch ffeiliau.' Dro arall, neges ffôn (wedi'i recordio ar beiriant) oddi wrth gwmnïau, megis BT, Amazon, neu ryw fanc. Rhybudd difrifol: 'Rhaid ichwi wneud hyn … neu …' (Er enghraifft, 'pwyswch rif "un" ar unwaith.')

Ond twyll yw'r cyfan, wrth gwrs. Eu bwriad yw creu braw ac ofn, eich perswadio bod rhyw berygl mawr yn agos, ac oni wnewch yr hyn y maent hwy yn gofyn ichwi ei wneud, yna chi fydd ar eich colled. A'r cyfan er mwyn ceisio cael gwybod beth yw rhif eich cyfrif banc. Mor glyfar yw'r negeseuon hyn, ac anodd ar brydiau, yng nghanol y braw, yw penderfynu rhwng y gwir a'r gau. Mor rhwydd yw cael ein camarwain a'n temtio i wneud yr hyn na ddylem, a chael ein dal yn y rhwyd. Rhy hwyr fydd edifarhau.

Haint creulon Corona; gofid meddwl; a gofal anghymharol

Rhai o ofnau dyddiol yr unfed ganrif ar hugain yw'r ofnau hyn, oes â'r 'Brawd Mawr' yn ein gwylio bob dydd. Ac un o'r ofnau mwyaf un: ofn bod ag ofn, ofn yr anwybod: 'Gŵr dieithr yw yfory.' Ni ŵyr neb ohonom beth sydd o'n blaenau. Mor arbennig o wir yw hynny yn y cyfnod ansicr a phryderus yr ydym ynddo ar hyn o bryd pan rwy'n sgrifennu'r geiriau hyn ar adeg yr Haint Corona.

Fel y crybwyllwyd eisoes, yr oedd hi'n ddiwrnod hyfryd, y pumed o Ebrill, 2020, pan ddechreuais i baratoi'r Rhagair a rhan gyntaf y gyfrol hon. Y dyddiad heddiw, a minnau'n parhau i ysgrifennu, yw'r pymthegfed o Fai. Yn ystod y cyfnod hwn o Ebrill a mis Mai bu'r haul yn tywynnu. Ond nid oes filoedd ar filoedd eleni yn ymgasglu ynghyd ac yn cydorfoleddu yn nyfodiad y gwanwyn cynnes. Na, daeth Covid 19, y 'gofid mawr', i beri ofn dros y byd i gyd, ofn ac ansicrwydd poenus. Pwy nesaf fydd yn marw? Pa bryd y daw'r dioddef i ben?

Profiad rhyfedd iawn i mi fu'r wythnosau diwethaf hyn. Maddeuer imi am ychwanegu nodyn personol yn y fan hyn. Bu raid i minnau gysylltu â'r feddygfa leol a'r rhif 111, rhif 'angylaidd' Feirws Corona'r Gwasanaeth Iechyd. A'r canlyniad? Hunan-ynysu, nid yn unig oddi wrth bobl o'm cwmpas, fel y gwnawn gynt, ond rhaid oedd hefyd yn awr gadw pellter am gyfnod oddi wrth fy mhriod hoff – a ninnau'n byw yn yr un tŷ! Ond beth oedd fy mhryder i o'i gymharu â phryder eraill a'r hiraeth mawr o golli anwyliaid?

Na, diolch sy'n fy enaid i. Diolch am y cyfle, er gwaethaf popeth, i ysgrifennu am y meddyg a dreuliodd ei oes yn cynorthwyo pobl yn dioddef o iselder ysbryd, a rhai ohonynt wedi gorfod wynebu'r cyfyngder affwysol hwn am flynyddoedd lawer: y poen meddwl, yr unigrwydd, yr ofn, yr ansicrwydd. 'Pa bryd y byddaf yn gwella?' 'A fyddaf yn gwella byth?' Gofid meddwl i bawb, o bob oedran.

Yr un modd, cael cyfle i ysgrifennu am gyfeillion a charedigion eraill yn y byd meddygol. Yn arbennig yng nghanol yr holl ofidiau dwys a achoswyd gan Feirws Corona, ni allwn ddiolch digon i bob ysbyty, cartref gofal, gwasanaeth iechyd meddwl a chwnsela; pob meddygfa, a fferyllfa, a'r myrdd o wirfoddolwyr a fu mor barod i roi eu hysgwydd o dan y baich.

(Nodyn personol. Y term 'Coronafeirws' a ddefnyddir yn gyson gan gyflwynwyr Radio Cymru ac S4C, fel gan y mwyafrif o ysgrifenwyr a siaradwyr Cymraeg. Ond fersiwn ar y ffurf Saesneg yw hwn, wrth gwrs. Yn fuan wedi dyfodiad yr haint, awgrymais yn garedig ar Radio Cymru mai'r ffurf orau a chywirach i'w defnyddio yn Gymraeg yw: Feirws Corona. Ond ymddengys mai ofer oedd fy awgrym!)

Ofnau cudd ein plant ...

Trais yn y cartref ac ofn.
Llun o gyfrol yr awdur: *Rhyfel a Heddwch a Sancteiddrwydd Bywyd* (2008).

'Gofid meddwl i bawb o bob oedran': oedolion – a phlant hefyd. Trist yw gorfod cydnabod bod mwy o blant ac ieuenctid heddiw nag erioed, yn ôl y dystiolaeth, yn dioddef o iselder ysbryd. Dywedir bod dros 70,000 o blant o dan 18 ym Mhrydain yn derbyn cyffuriau gwrthiselder. Pan fo ofn yn llechu yng nghalonnau a meddyliau tyner yr ifanc, dwfn iawn yw'r creithiau: hiraeth dwys wedi marwolaeth sydyn ac annisgwyl un o'r rhieni, ac ofn colli'r un rhiant sydd ar ôl yn y teulu i ofalu amdanynt; ofn afiechyd; ofn newyn a thlodi; ofn methu cysgu; ofn trais yn y cartref a thrais yn yr ysgol (bwlio); ofn methiant, megis methu cyflawni gwaith ysgol, ac ofn arholiadau; ofn unigrwydd; ofn colli ffrindiau; ofn colli cariad; ofn bod yn wahanol i blant eraill. Dim ond rhai o'r ofnau a all beri poen meddwl i blant ac ieuenctid, a pheri pryder mawr hefyd i fam a thad.

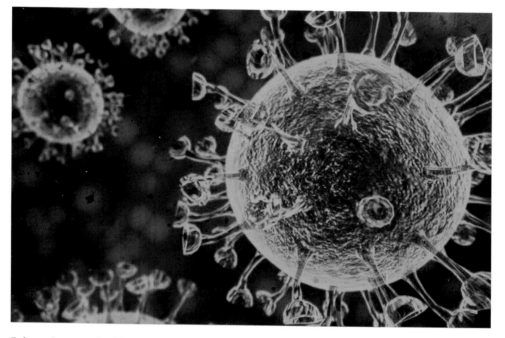

Feirws Corona: Covid 19. Llun drwy garedigrwydd Cais.

Bu'r flwyddyn ddiwethaf hon yn un arbennig o anodd i blant a'u hathrawon ysgol, yn ogystal â'u rhieni. A dyma'r fan y carwn innau o waelod calon ddweud diolch, nid yn unig i'r rhieni, ond hefyd i'r holl athrawon am eu gofal. Rhwydd yw ail-greu'r sefyllfa. Plentyn yn gorfod aros gartref, a'r ffôn yn canu. Llais ei athrawes neu ei athro: 'Sut wyt ti …'? Gweithred fechan, ond mor werthfawr. Dolen gynnes o gariad. Diolch, a chanmil diolch amdani.

Yr angen am adnoddau digonol i ofalu am iechyd meddwl plant ac ieuenctid

Y mae'r mudiadau a'r elusennau, y gwefannau a'r asiantaethau, sy'n darparu gwasanaeth iechyd meddwl yn teilyngu pob clod am eu gwaith gwerthfawr. Y mae, fodd bynnag, yng Nghymru o leiaf ddau angen mawr. Yr angen amlwg cyntaf yw am lawer rhagor o staff, meddygon, a chwnselwyr sy'n gallu sgwrsio â'u cleifion yn Gymraeg.

Yr ail angen amlwg yw am lawer rhagor o ganolfannau iechyd meddwl yng Nghymru, ac yn arbennig ganolfannau sy'n gallu darparu'r gofal angenrheidiol i blant ac ieuenctid. Meddylier, er enghraifft, am yr effaith andwyol y mae oedi dianghenraid cyn gweld meddyg neu gwnselydd yn gallu ei gael ar feddwl tyner plentyn. Neu ystyrier yr effaith niweidiol o orfod teithio ymhell a cholli efallai ddiwrnod cyfan o ysgol unwaith yr wythnos. Hynny wedyn yn gallu ychwanegu at ofid meddwl y plentyn.

Yn ôl y Llywodraeth, rhan o'r anhawster yw diffyg arian. Choelia'i fawr! Dywedaf eto, mater o flaenoriaeth ydyw. Mater o roi'r flaenoriaeth i les dynoliaeth. Yn fuan wedi imi ysgrifennu'r tri pharagraff uchod, gwnaeth Prif Weinidog Prydain Fawr, ym mis Tachwedd 2020, ddatganiad ei fod yn cynyddu'r arian ar gyfer y Lluoedd Arfog am y pedair blynedd nesaf o un biliwn ar bymtheg o bunnoedd. Wrth ymateb i'r datganiad syfrdanol hwn, ac wrth gofio am gymaint o'n hieuenctid sydd angen y gofal gorau posibl pan ddaw gofid meddwl i'w rhan, ni allaf yn well na dyfynnu geiriau doeth o'r galon y newyddiadurwr a'r awdur, John Pilger, yng *Nghylchlythyr Stop the War Coalition*, 30 Rhagfyr 2020:

> 'In the midst of the greatest health emergency in modern times, Johnson announced a record rise of £16 billion in so-called defence spending. But the £16 billion is not for defence. Britain has no enemies, other than those who betray its ordinary people: its nurses and doctors, its elderly and its carers, its vulnerable, its youth.'

[Teg yn y fan hon yw ychwanegu'r wybodaeth a ganlyn. Ar 1 Chwefror 2021, cyhoeddodd y Farwnes Eluned Morgan, Gweinidog Iechyd Meddwl, Llesiant a'r Gymraeg, fod Llywodraeth Cymru wedi penderfynu darparu £9 miliwn 'i gefnogi plant a phobl ifanc yng Nghymru gyda'u hiechyd meddwl'. Newyddion da! A diolch amdano. Er hynny, ni allwn lai na chymharu'r ddau swm. £16 biliwn (hynny yw: 16,000 o filiynau) yn rhagor i'r Lluoedd Arfog; £9 miliwn ar gyfer Cymru gyfan i gynorthwyo ein plant a'n hieuenctid sy'n dioddef o un o'r afiechydon mwyaf dwys a phryderus y gallwn ei ddychmygu.]

'Young Minds', a'r freichled felen, lliw yr haul a'r haf : 'Rwy'n dy garu di'

Breichled felen a chwlwm arni: un o arwyddluniau'r mudiad Meddyliau'r Ifanc: Young Minds.

Breichled lliw melyn a du: un arall o arwyddluniau Meddyliau'r Ifanc: Young Minds.

Gair yn awr am ddau fudiad sy'n rhoi sylw arbennig i blant ac ieuenctid. 'Young Minds' yw enw un ohonynt, a sefydlwyd yn 1993. Ni welais enw Cymraeg, megis 'Meddyliau Ifanc', ar yr elusen hon, ond fe ddylai fod. Gwn fod y gangen yn Abertawe, er enghraifft, yn 'cynnig cefnogaeth emosiynol' werthfawr i'r sawl sydd ei angen.

Y mae Young Minds yn ei disgrifio ei hun fel: 'the Uk's leading charity fighting for young people's mental health'. A dyma'r geiriau ardderchog sy'n dynodi ei gweledigaeth:

> 'We want to see a world where no young person feels alone with their mental health, and gets the mental health support they need, when they need it, no matter what. ... Three children in every classroom have a mental health problem. We're here to put them at the heart of tackling the problem.'

Ceir cysylltiad agos rhwng Young Minds a gwefan 'Hello Yellow'. Prif arwyddlun yr elusen 'Young Minds' yw breichled felen, ac y mae tri math o freichledau hardd ar gael i'w prynu am bris rhesymol iawn: un felen a chwlwm arni; un â'r llythrennau YM arni; ac un mewn lliw melyn a du. Y mae pob breichled, fel pob cylch, afraid dweud, yn ddelwedd o'r ddolen annatod, y berthynas hyfryd, agos, a ddylai fodoli rhwng pobl o bob oed â'i gilydd. Y mae'r freichled â chwlwm arni, dybiwn i, fel pe bai'n cyfoethogi'r ddelwedd fwyfwy.

Anogir pobl, yn oedolion ac yn blant, i wisgo'r breichledau hyn i fynegi un neges bwysig; un neges o'r galon. A'r neges yw: i ddweud wrth bob plentyn a pherson ifanc: 'Rwy'n dy garu di; nid wyt ar dy ben dy hun.'

Ar Ddiwrnod Iechyd y Byd, 10 Hydref 2020, bu i dros 2,000 o ysgolion, colegau, a chymdeithasau ym Mhrydain wisgo melyn, gan gynnwys un o'r breichledau a ddisgrifiwyd uchod.

Pamela Evans a Heddwch Mala: Peace Mala; 'breichled yr enfys' a'r 'Rheol Aur': 'Gwnawn i eraill fel y carem i eraill ei wneud i ni'

Pamela Evans, Treforys, sefydlydd a phrif weithredwraig Heddwch Mala.
Tynnwyd gan Dolleen Evans. Cyhoeddir y llun hwn, a gweddill lluniau Heddwch Mala, drwy garedigrwydd Pamela Evans.

Sefydlwyd Heddwch Mala: Peace Mala, gan Pamela Evans, Treforys, fel elusen yn 2002. Yn Nhreforys mae'r ganolfan, a hi yw'r Brif Weithredwraig. Y mae hi hefyd yn awdur nifer o lyfrau i blant ac oedolion, megis *Sharing the Light: Walking for World Peace with the Celtic Saints of Gower* (2012).

Yn sgîl yr ymosodiad erchyll ar y Ddau Dŵr yn Efrog Newydd, 2001, gwelodd Pam Evans gynnydd mawr mewn anoddefgarwch yn Ysgol Coed-cae, Llanelli, lle roedd hi ar y pryd yn Bennaeth Astudiaethau Crefydd. Yn arbennig iawn roedd plant o dras Mwslemaidd yn cael eu cam-drin, gan achosi gofid meddwl difrifol. Dyna un o'r prif resymau paham y bu iddi fynd ati i sefydlu Heddwch Mala.

Mudiad 'addysgol creadigol' ydyw: 'Creative Compassionate Education that Empowers and Embraces all, Uniting the World in Peace'. Y mae'n cyflwyno mewn ysgolion a chanolfannau ieuenctid yr egwyddorion sylfaenol hynny sy'n hyrwyddo parch, cydymdeimlad a goddefgarwch, cariad a chyfeillgarwch ymhob cymuned drwy'r byd. Hyrwyddo 'dinasyddiaeth dda'. Dysgu cyd-fyw mewn heddwch, beth bynnag fo lliw ein croen; beth bynnag fo ein credoau, ein diwylliant, ein crefydd. Cyflwynir yr egwyddorion hyn mewn gwersi annibynnol a gweithdy, neu fel rhan o unrhyw wers ysgol sy'n berthnasol i ledaenu'r neges.

Y mae'r disgyblion yn derbyn pecyn 'Heddwch Mala'. Daw'r gair 'mala' o'r hen iaith Sansgrit, iaith glasurol yr Hindwiaid. Ei ystyr yw plethdorch o flodau. Yn y Dwyrain yn arbennig y mae'r gair hefyd yn golygu cadwen o baderau, neu laswyrau: gleiniau (*beads, rosary*) a ddefnyddir wrth fyfyrio a gweddïo mewn sawl rhan o'r byd a sawl crefydd, fel y gwneir, er enghraifft, gan y Catholigion hyd heddiw.

Cynnwys y pecyn a ddosberthir i'r disgyblion bedair glain ar ddeg liwgar, gleiniau sy'n cynrychioli saith lliw yr enfys ddwywaith. Gwnaed y gleiniau â llaw, o wydr gwerthfawr Preciosa, Gwerinaeth Tsiec. Breichled yr enfys yw arwyddlun y mudiad.

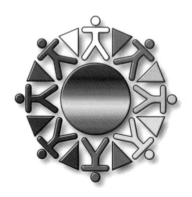

Arwyddlun Heddwch Mala: breichled o liwiau'r enfys, yn cynnwys pedair glain ar ddeg mewn gwydr Preciosa, Gweriniaeth Tsiec.

Arwyddlun Heddwch Mala: cylch, yn lliwiau'r enfys, ac yn cynrychioli pobl a phlant y byd.

Y mae pob glain yn cynrychioli'r egwyddorion hynny sy'n cael eu hyrwyddo gan Heddwch Mala, megis (yn ychwanegol i'r rhai a enwyd uchod): tosturi, cydraddoldeb, cyd-ddealltwriaeth, cyfiawnder, hawliau dynol, a maddeuant. Cysylltir y gleiniau hefyd ag egwyddorion dyrchafol sydd i'w canfod yn nifer o grefyddau'r byd. (Gweler cyfrol Pam Evans: *How the Wisdom of the Ages is Reflected in Many World Faiths.*) Y mae'r lliw coch, er enghraifft, yn cynrychioli Cristnogaeth, gydag anogaeth Crist ar inni garu hyd yn oed ein gelynion. Y mae pob un glain, pob un egwyddor, megis llwybr ysbrydol sy'n arwain tuag at yr amcan mawr o barchu'r 'rheol aur': 'Gwnawn i eraill fel y carem i eraill ei wneud i ni.' Rhoi cariad ar waith bob munud awr o'r dydd.

Yn ychwanegol at y pedair glain ar ddeg, ceir glain olau dryloyw i'w gosod yn y canol rhwng y ddwy res o seithliw'r enfys. Dyma berl amhrisiadwy. Cynrychioli'r person sy'n gwisgo'r freichled y mae hon. Ei neges yw dweud wrth y person ei bod hi neu ef yn werthfawr iawn. Yn wir, yn unigryw, heb wahaniaeth o gwbl i ba ddosbarth y perthyn, neu beth yw lliw y croen. Dyma neges sydd o'r pwys mwyaf i bob un ohonom heddiw, yn blant ac yn oedolion, ac yn arbennig i unrhyw un sydd ar adegau yn teimlo'n isel eu hysbryd; yn teimlo mewn mawr angen am weld adfer yr hen hyder hwnnw i wybod, o dderbyn gofal a chariad, y daw eto fore newydd a haul ar fryn. Diwrnod newydd arall: cyfle newydd arall.

Yn perthyn i'r freichled ceir un glain ychwanegol nad wyf hyd yn hyn wedi cyfeirio ati. Glain olau dryloyw yw hon eto, ac y mae'n rhan o'r cwlwm sy'n cadw'r gleiniau ynghyd. Cynrychioli y mae'r glain hon: undeb, cynghanedd, cyd-ddyheu a chyd-rannu; cymod a heddwch.

Yn y pecyn a ddosberthir i'r disgyblion y mae hefyd edau gref – 'edau aur y bywyd ysbrydol', fel y gelwir hi. Cyfarwyddir y disgyblion i weini'r edau hon drwy bob un o'r gleiniau i ffurfio'r freichled: 'breichled yr enfys'. Y mae'r enfys yn ddelwedd o brydferthwch a gobaith; o'r haul wedi'r glaw; hindda wedi'r storm. Y mae'r edau hithau, fel y freichled, yn ddelwedd o'r hyn sy'n ein dolennu ynghyd yn un teulu mawr cytûn, ym mha ran bynnag o'r byd yr ydym yn byw ynddo.

Yn ychwanegol i'r gwersi a'r gweithdai mewn ysgolion a chanolfannau ieuenctid, trefnir nifer o gyfarfodydd lle mae plant ac oedolion yn bresennol. Un enghraifft yw'r cyfarfodydd a'r gwasanaethau aml ffydd. Yn rhai o'r cyfarfodydd hynny, ac yn arbennig wrth gofio'r 'rheol aur', bydd sylw, bid siŵr, i eiriau a dywediadau cyfarwydd mewn sawl crefydd, megis y geiriau bendigedig hyn o eiddo Crist: 'Gwyn eu byd y tangnefeddwyr …' (Math. 5: 9), a 'Dyma fy ngorchymyn i: carwch eich gilydd …' (Ioan 15: 12)

Arwyddlun Heddwch Mala: dwylo ynghyd, a breichled yr enfys ar bob arddwrn.

Ond un o nodweddion amlwg Heddwch Mala yw'r dyhead hefyd i rannu ei neges ag ysgolion, colegau a chymunedau ymhell tu hwnt i Gymru. A dyna arwyddocâd y pedair ar ddeg o golomennod tangnefedd symbolaidd a breichled yr enfys ym mhig pob un, colomennod sy'n cael eu defnyddio'n gyson gan y mudiad. Y mae pob colomen a anfonir i rannau eraill o'r byd yn cynrychioli un o'r egwyddorion y cyfeiriwyd atynt eisoes. Ac y mae'n werth nodi yn y fan hon mai yn fwriadol y trefnwyd i golomen rhif tri ar ddeg gynrychioli'r egwyddor o heddwch, gan obeithio tawelu meddyliau y rhai sy'n parhau i gredu bod y rhif hwn yn anlwcus!

Delwedd o 'golomen tangnefedd' Heddwch Mala, a breichled o liwiau'r enfys yn ei phig. Anfonir yn gennad tangnefedd i sawl rhan o'r byd.

Mudiad ardderchog ac agos iawn at fy nghalon yw Heddwch Mala. Nid yw'n syndod iddo ennill clod ymhell ac agos. Derbyniodd Pam Evans hithau, yn haeddiannol sawl anrhydedd (gan gynnwys yr MBE). Ond yr anrhydedd pennaf a dderbyniodd oedd y gwerthfawrogiad cyson gan blant ac oedolion o'i gwaith. Y mae'n hynod ddiolchgar hefyd am gefnogaeth ddiffuant amryw o bersonau adnabyddus y mae ganddi'r parch mwyaf tuag atynt. Yn eu plith: y Pab Francis (Jorge Mario Bergoglia); y Dalai Lama; yr Archesgob Emeritus Desmond Tutu; Terry Waite; Dr Rowan Williams, cyn-Archesgob Caergaint; Dr Barry Morgan, cyn-Archesgob Cymru; a Jill Evans, Cadeirydd CND Cymru, a chyn-aelod o'r Senedd Ewropeaidd.

Meddai'r Dalai Lama wrth anfon ei neges i fendithio'r mudiad: 'Peace in the world depends on peace in the hearts of individuals. It is the manifestation of human compassion.' Y mae gan Pamela Evans feddwl uchel iawn o'r gŵr mwyn hwn, arweinydd ysbrydol Tibet, a rhwydd yw deall paham y bu iddi ysgrifennu cyfrol gyda'r teitl gogleisiol: *When the Dalai Lama Came to Tea: A Story for Children*. (Cysegrwyd Tenzin Gyatso, y Dalai Lama presennol, 14 Chwefror 1940.)

Y Dalai Lama (Tenzin Gyatso), Tibet, un o gefnogwyr brwd Heddwch Mala. Meddai wrth fendithio'r mudiad: 'Y mae heddwch yn y byd yn dibynnu ar dangnefedd yng nghalonnau unigolion. Arwydd ydyw o dosturi dynol.'

'Y mae heddwch yn y byd yn dibynnu ar dangnefedd yng nghalonnau unigolion ...', meddai'r Dalai Lama, a dyma gael ein hatgoffa unwaith yn rhagor o gyfoeth y gair Cymraeg 'tangnefedd': 'heddwch y nefoedd'. Yr un modd, ein hatgoffa o'r adnod: 'Teyrnas nefoedd o'ch mewn chwi y mae.' Dyma hefyd, mi obeithiaf, egluro yn rhannol paham y bu imi adrodd am gymwynas fawr elusen Heddwch Mala mewn cyfrol ag iddi ddwy brif thema: 'gofal am iechyd meddwl' a 'diolch am destun diolch'.

Rwy'n cloi'r adran hon o'r gyfrol drwy ddyfynnu, yn ei hiaith gyntaf, ychydig frawddegau o gyfarchiad sylfaenydd Heddwch Mala, Pamela Evans, gan ddiolch o waelod calon iddi hi a'i chydweithwyr, a dymuno iddynt bob llwyddiant a bendith eto yn y dyfodol.

> 'Peace Mala stands for total compassion for all beings. ... The future of the world lies in the heart and minds of our young people. With the vision of Peace Mala there is hope. ...The project is designed to promote understanding of different faiths, cultures and lifestyles, and encourages tolerance against a backdrop of rising global fundamentalism and intolerance. Join us on the Peace Mala journey and help create a better and more compassionate world. Be an instrument of peace, hope and healing. Together we can make a difference.
>
> With my love and every blessing,
>
> Pam Evans.'

Ymweld, fel dosbarth o ieuenctid Ysgol Sul Eglwys y Tabernacl, Caerdydd, â Chartref Gofal Jane Hodge; ward i'r ifanc mewn ysbyty meddwl, a Chanolfan Byddin yr Iachawdwriaeth

Wedi mynegi fy niolch mwyaf diffuant i nifer o garedigion y byd meddygol ac i gymwynas fawr unigolion a mudiadau dyngarol, carwn rannu gyda chwi nawr ychydig brofiadau personol a ddaeth i'm rhan innau yma yn ninas Caerdydd. Y mae'r profiadau hynny yn gysylltiedig, yn bennaf, â'm haelodaeth yn Eglwys y Bedyddwyr, y Tabernacl.

Flynyddoedd yn ôl bellach, fy mraint i, ar ran y Diaconiaid a'r aelodau, oedd llunio 'Datganiad Cenhadol' yr eglwys. Dyma'r geiriad a dderbyniwyd:

> 'Y mae Eglwys y Tabernacl yn bodoli er mwyn addoli Duw; cyhoeddi'r Efengyl; ac arddangos cariad Crist: yn ein bywyd bob dydd; yng Nghaerdydd; yng Nghymru; ac yn y byd.'

Llawenydd mawr i mi yw fod Eglwys y Tabernacl yn gwneud ei gorau glas i weithredu'r datganiad hwn. Gwneud ein rhan fechan i sefydlu Teyrnas Nefoedd ar y ddaear. Pan gyhoeddwyd y gyfrol *Eglwys y Tabernacl, Caerdydd: Dathlu 200 Mlynedd* (2013), dyma'r geiriau ardderchog a ddewiswyd gan y Parchg Denzil John,

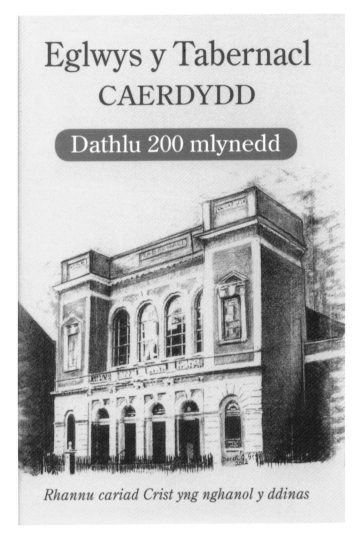

Eglwys y Tabernacl
CAERDYDD

Dathlu 200 mlynedd

Rhannu cariad Crist yng nghanol y ddinas

Clawr blaen cyfrol 'dathlu 200 mlynedd' Eglwys y Tabernacl, Caerdydd (2013), yn cynnwys darlun o'r capel, gan Derek Griffiths, Dinas Powys, Bro Morgannwg.
Llun drwy garedigrwydd Derek Griffiths ac Eglwys y Tabernacl.

gweinidog yr eglwys, fel is-bennawd i'r gyfrol honno (a olygwyd ganddo ef a'r diweddar Athro John Gwynfor Jones): 'Rhannu cariad Crist yn y ddinas.'

Hyd yn oed cyn imi allu bod yn swyddogol yn aelod yn Eglwys y Tabernacl (gan nad oeddwn bryd hynny wedi derbyn bedydd credinwyr), hyfrydwch arbennig iawn i mi oedd cael gwahoddiad i fod yn athro Ysgol Sul (am y blynyddoedd tua 1970-1975). Athro ar ddosbarth o ieuenctid, oddeutu'r pedair ar ddeg i ddeunaw mlwydd oed. Braint nodedig iawn oedd honno.

Yn hytrach na bodloni ar sôn y unig am bwysigrwydd mawr caru ein gilydd, roeddwn i am i'r dosbarth gael y profiad o weld cariad ar waith. Cael bod yng nghwmni pobl garedig oedd yn ymroi yn llawen, ddydd ar ôl dydd, i ofalu'n dyner am eraill llai ffodus. Cofiaf, er enghraifft, inni fod yn ymweld â Chartref Jane Hodge yn Nhre Rhingyll, ger y Bont-faen: cartref gofal ardderchog i blant ag anghenion arbennig, a chartref sy'n rhoi cyfle hefyd i rieni gael ychydig ddyddiau haeddiannol o orffwys. Roedd bod yng nghwmni'r plant yn y Cartref hwn, a gweld y wên ar eu hwynebau, er bod rhai ohonynt, bid siŵr, mewn poen, yn ysbrydoliaeth arbennig iawn i aelodau'r dosbarth, fel i'w hathro. Felly hefyd wrth ymdeimlo â chariad di-ben-draw y personau oedd yn gofalu am y plant.

Un flwyddyn bu i'r dosbarth 'fabwysiadu' ward mewn ysbyty bychan yn Nhrelái, Caerdydd. Ysbyty meddwl ydoedd, a phlant tua deuddeg i ddeunaw mlwydd oed oedd yn y ward y byddem ni'n ymweld â hi ambell brynhawn Sul. Profiad cofiadwy iawn i ieuenctid y Tabernacl ac i minnau, fel athro, fu'r profiad hwnnw. Cawsom, er enghraifft, wybod dyddiadau pen-blwydd y plant. Roeddem ninnau'n rhoi cardiau ac anrhegion iddynt. Cofiem yn dda y wên ar eu hwynebau, rhai ohonynt heb fam na thad na neb i ymweld â hwy.

Er i aelodau'r dosbarth werthfawrogi'r profiad o gael bod gyda'r plant yn yr ysbyty, bu i sylw gan un aelod o'r dosbarth fy sobreiddio, a pheri imi ofyn rhai cwestiynau i mi fy hun. Cwestiynau nad oedd yn hawdd eu hateb oedd y rhain. A'r sylw ydoedd: 'Dwi'n gobeithio'n fawr na fydd raid i mi byth orfod dod i aros i le fel hyn.' Roedd yna obaith yn cael ei fynegi yn y geiriau. Ond roedd y geiriau hefyd yn fynegiant o ofn yng nghalon dyner un person ifanc.

Buom fel dosbarth unwaith neu ddwy yn ymweld â Chanolfan Byddin yr Iachawdwriaeth yng Nghaerdydd, canolfan oedd yn darparu lloches i'r digartref (ac a enwyd yn ddiweddarach yn addas iawn yn 'Dŷ Gobaith'). Cawsom gyfle i estyn ychydig gymorth tuag at ail-ddodrefnu un ystafell. Codi digon o arian i dalu am lenni un ffenestr a wnaethom ni, er mawr foddhad i'r ieuenctid – ac i minnau! Dim ond un weithred fechan, ond yr un mor bwysig, fodd bynnag, roedd ymweld â'r ganolfan hon yn gyfle i'r ieuenctid ddod i wybod am fyd gwahanol iawn i'w byd hwy a'u hathro: byd y digartref a'u gofidiau cudd. Dod i wybod hefyd am y bobl ragorol hynny yn ninas Caerdydd, fel mewn llawer man arall, sy'n rhannu eu gofal â'r anghenus.

'A oes gofid y tu ôl i'r wên?' Te i'r digartref yn Eglwys y Tabernacl, Caerdydd

O gofio mor gyffredin yw afiechyd meddwl heddiw, bu i un profiad arall cysylltiedig ag Eglwys y Tabernacl fod yn werthfawr iawn i mi. Gwyddai Megan Davies, aelod ifanc yn yr eglwys, am ddiddordeb Eleri a minnau mewn gwaith cymdeithasol. Tua dechrau'r 1980au bu i'r tri ohonom fod yn trafod sut orau i estyn cymorth i'r nifer cynyddol oedd yn ddigartref yng Nghaerdydd? Gwyddem, wrth gwrs, fod Capel y Tabernacl wedi'i leoli ar yr Ais, yng nghanol bwrlwm mynd a dod y ddinas, a nifer o'r personau digartref eisoes yn gyfarwydd â'r fangre. Wrth sgwrsio, penderfynwyd y byddai'r tri ohonom yn gwirfoddoli i agor drysau festri isaf y capel rhwng tri a phedwar o'r gloch un prynhawn Sul, yn y gobaith y byddai eraill yn ein dilyn. Ac felly fu. A'r amcan? Estyn gwahoddiad i bawb a ddymunai ddod atom i gael te a rhywbeth bach i'w fwyta bob prynhawn Sul drwy gydol y flwyddyn. A'r gair pwysicaf ar yr arwydd mawr y tu allan i ddrysau'r festri ydoedd CROESO.

Gyda chefnogaeth frwd ein gweinidog hoff bryd hynny, y Parchedig Raymond Williams (1928-1990), a chydweithrediad aelodau a chyfeillion y Tabernacl, daeth mwy a mwy i fanteisio ar y 'Te Prynhawn', er nad 'digartref' yng ngwir ystyr y gair oedd llawer ohonynt. Yn y man ymunodd pob un o eglwysi Cymraeg eraill Caerdydd a'r cylch i gefnogi'r gwaith. Mor fawr ein dyled iddynt. Enghraifft ardderchog o gydweithio Cristnogol, heb na chredoau nac arferion yn ein gwahanu, ond y cariad gwynfydedig at eraill yn ein huno a'n hysbrydoli. A heddiw, ddeugain mlynedd yn ddiweddarach, wedi i Govid 19, gobeithio, fynd heibio yn fuan, bydd y drysau yn agor eto. Diolch am destun diolch.

Mygiaid o de neu goffi; brechdan neu ddwy a bisgedi; teisen a dewis o ffrwythau; sgwrs gydag unrhyw un sy'n dymuno; a gair o gyfarwyddyd ble mae modd cael dillad a llety: dyna'r arlwy. Mae'r mwyafrif mawr yn gwrtais ac yn gwerthfawrogi pob caredigrwydd. Gwnawn yr hyn a allwn. Ond buan y daw'n bedwar o'r gloch. Gwelaf hwy'n gadael o un i un. Gadael y festri gynnes, glyd, a mentro allan eto i'r byd mawr. Haul ac awel yn ystod y dydd yn yr haf; gwynt ac oerni yn ystod y nos yn y gaeaf.

A dyna pa bryd y daw myrdd o gwestiynau i'm poeni. A fydd rhai ohonynt yn unig yng nghanol tyrfa ddieithr o bobl yn syllu arnynt, ac yna yn cerdded heibio? A fydd rhai'n ymlwybro'n fuan i'r dafarn am 'un bach arall' a chwmni? Ambell un efallai'n cofio am y cyffuriau yn ei boced? Pwy fydd yn poeni o ble y daw'r tamaid nesaf o fwyd? A ble y bydd yn cysgu pan ddaw'r nos? Pwy fydd yn pryderu na chafodd ddŵr a sebon i ymolchi na dillad glân ers wythnosau a misoedd? A beth am yfory? A fydd yfory yn ddiwrnod gwell?

Ond cwestiynau cymharol amlwg i'w gofyn yw'r rhai hyn a'u tebyg. Yn wir, y mae gennym amcan go dda o rai o'r atebion yn fuan wedi croesawu'r ffyddloniaid i festri'r Tabernacl, ac wrth sylwi ar eu pryd a'u gwedd a'r modd y maent yn ymddwyn. Rhai â gwên, a rhai yn methu â gwenu. Hefyd, wrth wrando arnynt yn siarad, neu rai yn methu â siarad. Rhai yn dawel ac yn edrych yn drist iawn. Ond y mae cwestiynau pwysicach, dwysach, a llawer anoddach i'w gofyn a'u hateb. Sut y mae'r personau a fu yn ein cwmni am awr yn teimlo? Yn gwir deimlo? Pa bryderon, pa ofidiau cudd sy'n llechu yn y galon? A oes gofid y tu ôl i'r wên? A ydynt yn gallu meddwl yn glir, neu a yw'r meddwl ar chwâl? Ai eu hamgylchiadau a'u cyflwr a fu'n bennaf gyfrifol am yr iselder hwn? Ynteu ai eu hafiechyd meddwl a fu'n bennaf gyfrifol am eu hamgylchiadau a'u cyflwr?

Cwestiynau i feddygon sy'n arbenigo mewn seiciatreg yw cwestiynau o'r fath, yn bennaf, cwestiynau i feddygon y meddwl a ŵyr werth holi a gwrando, gwrando a holi. Gwerth seicotherapi. A gwybod hefyd, pan fo'u hangen, pa foddion meddygol i'w rhoi i'r claf.

Terry Hutchinson: pedair golygfa yn nrama fawr ei fywyd

Wrth ystyried cwestiynau megis y rhai uchod, daeth un person digartref yn fyw iawn i'm meddwl. Terry Hutchinson oedd ei enw (3.iii.1939-19.x.2005). Arferai ddod i festri'r Tabernacl ar brynhawn Sul, tua'r cyfnod 1984-95. Ef oedd un o'r personau mwyaf cymhleth a adnabûm erioed, yn llawn o wrthgyferbyniadau. Gallai fod yn ffiaidd o gas yn ei ddiod, ond pan oedd yn lled sobor, gwelais wên garedig ar ei wyneb. Un prynhawn Sul, pan oedd pawb o'r cwmni wedi gadael y festri, gwrthodai ef fynd allan. Mynnai gael rhagor o fwyd, a ninnau heb ddim i'w roi iddo. Llwyddodd i gael gafael ym mlaen y peiriant glanhau – yr hwfer – a cheisio ei orau i'm bwrw. Ond dro arall daeth i'r Tabernacl gan erfyn arnaf yn fwynaidd i fynd ag ef i Ysbyty Llandochau Fach i weld ei 'Gariad' oedd yn ddifrifol wael.

Tua'r flwyddyn 1995, rhoes Terry y gorau i ymweld â festri Capel y Tabernacl ar brynhawn Sul. Yn achlysurol iawn y gwelwn ef wedi hynny. Ond ni allwn ei anghofio. A dyma'r geiriau a ddaeth imi yn fuan wedyn wrth ddwyn i gof bedair golygfa yn hanes ei fywyd:

> Ti, Terry, oedd y tarw tra pheryglus,
> A ruthrai'n ddiseremoni ar brynhawniau Sul,
> Yn feddw, fudr, yn gegog, gas, i'r festri ar yr Ais,
> Gan hawlio dy frechdanau o gaws a'th fygeidiau o de.
> Ac wedi'r llowcio a'r llyncu,
> Mynnu crafangu am fwy a mwy o fwyd.

Terry Hutchinson (1939-2005): un o deulu'r digartref yng Nghaerdydd, o flaen Capel y Tabernacl, ar ddiwrnod priodas mab yr awdur, Sadwrn, 26 Gorffennaf 1995. Adnabu Terry RG, ac ymunodd â'r gwesteion (yn ddiwahoddiad!), gan ofyn i dad y priodfab dynnu ei lun.

Ti oedd yr oen tirionaf
A ymlwybrodd eto i'r Tabernacl un prynhawn Sul,
Yn fud gan ofidiau.
Gofynnaist imi estyn iti ddŵr a sebon
I olchi dy ddwylo garw a'th wyneb,
Yn gasnach ac yn gornwydydd i gyd.
Gofynnaist am grib i gribo dy wallt weirennog.
Ymbiliaist am gael dy gludo draw i Landochau Fach;
Ac yno gwelais di'n penlinio wrth wely angau d'anwylyd,
Yn welw ei gwedd,
A'r gangrin ar gerdded drwy'i chnawd.

Ti oedd y tresmaswr, yr actor talog,
A ruthrodd yn ddigywilydd i'r oedfa un nos Sul,
Heb hidio dim fod y Gweinidog a'i braidd
Yn gweddïo ar Dduw.
Yn herfeiddiol afreolus,
Cyhoeddaist dithau bennau dy bregeth ar goedd
Wrth gynulleidfa mewn braw.
Minnau a geisiais dy gysuro:
Cynigiais iti fwyd a diod i'r corff,
Ac yn dringar bryderus arweiniais di allan o'r Cysegr;
Dy dywys, fel tywys ci,
At fwyty draw yn Stryd Caroline,
A llenwi dy geubal gwancus
Â sglodion, sgodyn a chaniaid o gôc.
Yna brasgemais yn ôl i gludwch yr addoldy,
Bolltio'r drws, a'th adael dithau, fel adyn ar gyfeiliorn,
Ar balmant y stryd i barhau dy bregeth a'th berorasiwn.

Ti oedd y cyfaill
A ddaeth yn sydyn o rywle un bore Sadwrn
I dabernaclu unwaith yn rhagor ar yr Ais,
Ac ymuno yn ddiwahoddiad
Â'r parchus gwmni ym mhriodas fy mab.
Estynnais innau iti fy llaw a thynnu dy lun.
Ac wele, ymlawenhau yn ddirfawr a wnaethost ti:
Gwenu ac ymorfoleddu; ymorchestu, moesymgrymu;
A llefaru myrdd a mwy o eiriau teg.

*****

Terry, ble rwyt ti heno?
Mi wn yr ateb. Yr wyt rywle ar strydoedd y ddinas
Yn fwndel o ofnau ac o ddyheadau,
Yn gwagswmera yng nghwmni dy gyd-fforddolion,
Yn yfed gwin a seidir rhad,

A beunydd beunos yn chwilio am lwyfan
I berfformio drama fawr dy fywyd.

Ond heno yr wyt hefyd gyda mi yn nwfn y galon,
Yn ysbrydoli fy nghân
Ac yn procio fy nghydwybod.

Terry, y claf ei feddwl, a'i angen am gariad a gofal a chymorth meddygol

Ond pam sôn am Terry yn y gyfrol hon? Mentraf gynnig y prif reswm a ganlyn: oherwydd bod yr un person unigolyddol hwn, er mor wahanol i bawb arall ydoedd, yn cynrychioli cannoedd o bersonau digartref eraill yng Nghymru a thu hwnt, ddoe a heddiw. Rhaid i'r digartref gael bwyd a dillad, man cyfforddus i gysgu a chyfleusterau i ymolchi. Ond y mae arnynt angen llawer mwy na hynny. Y mae arnynt hefyd angen gofal a chwmni cyfeillion; cartref parhaol; cymorth i adfer yr awydd a'r gallu i weithio ac i gynnal eu hunain; cymorth i adfer eu teimlad o ddiogelwch a'u hunan-barch. Ond yr un mor bwysig hefyd, cymorth i sicrhau eu bod yn cael gofal meddygol.

A dyma ni yn ôl yng nghwmni Terry. Gweld yr allanolion yr oeddem ni: Terry â'r wyneb garw, blêr ei wisg; Terry a'i ddibyniaeth ar alcohol (ac efallai ar gyffuriau?); Terry yr actor, yn actio byw; Terry a'i anwadalwch mawr; Terry a'i ymddygiad ar brydiau yn creu dychryn. Ond ni welem, ni wyddem, am ddoluriau cudd ei galon doredig, ei ofnau a'i unigrwydd. Gŵr claf ei feddwl ydoedd, ac wedi bod yn glaf am flynyddoedd maith. Beth petai, pan oedd yn llawer iau, wedi cael bod yn un o gleifion Dr David Enoch mewn ysbyty (neu unrhyw un o'r meddygon y cyfeiriais atynt yn y gyfrol hon), ac yno yn cael gofal caredig a thriniaethau meddygol a seiciatryddol cymwys? Yna, wedi gadael yr ysbyty, yn cael yr un gofal a'r cariad gan deulu a chyfeillion? Beth tybed fyddai hanes Terry wedyn?

'Thank you. You have saved my life': sgrechian ac wylo y wraig gynhyrfus a ddaeth i'r Tabernacl un noson yng nghanol ei gofid.

Nid Terry oedd yr unig un i darfu ar oedfa yng Nghapel y Tabernacl o fewn fy nghof i. Oedfa arbennig ganol yr wythnos oedd hon, rywdro yn ystod diwedd y saithdegau, neu yn gynnar yn wythdegau'r ganrif ddiwethaf. Oedfa o dan ofal y chwiorydd. Roedd tua deng munud o amser cyn dechrau'r gwasanaeth, a dyma wraig ddieithr yn dod i mewn i'r capel a golwg drist a chynhyrfus iawn arni. Oedodd am funud a syllu o'i chwmpas. Yna pan welodd hi y sedd fawr yn llawn o wragedd, dechreuodd sgrechian yn afreolus; gweiddi a rhegi, a gwibio o un pen y capel i'r llall. 'Rhaid inni alw'r Heddlu', meddai rhai o'r dynion oedd yn sefyll yn y cyntedd. 'Na', meddwn, 'gadewch i mi geisio siarad hefo hi gyntaf.'

Euthum i mofyn Beibl Saesneg; siaredais yn dawel gyda hi a gafael yn dyner yn ei llaw. Cynigiais ddarllen iddi ychydig adnodau. Yna ei harwain yn dringar i sedd gefn olaf un y capel. Eistedd yno a dechrau darllen y drydedd salm ar hugain: 'The Lord is my Shepherd, I shall not want. He maketh me to lie down in green pastures …' Fel y darllenwn y geiriau, fe wyddwn ei bod hithau yn wylo'n dawel.

Wrth ei thywys i sedd gefn y capel, roeddwn wedi gofalu mai hi oedd yn eistedd agosaf at y drws, rhag iddi deimlo ei bod mewn carchar. Roedd yn rhydd i adael yr addoldy unrhyw funud, os dyna'i dymuniad. Ond pan ddechreuodd y gwasanaeth, ni symudodd fodfedd. Ni chodais innau i ganu yr un emyn. Drwy gydol yr oedfa, pwysai ei phen ar fy ysgwydd chwith. Roedd yn parhau i grio'n dawel, a phan ddaeth yr oedfa i ben, gwyddwn fod y gôt ar fy ysgwydd chwith yn wlyb gan ei dagrau. Ar ddechrau'r oedfa, cofiaf imi fod yn crynu fel deilen, ond yn fuan teimlais rhyw dangnefedd hyfryd.

Sgwrs fer a gawsom wedi gadael y capel y noson honno. Ond yn ystod y munudau prin hynny roedd y geiriau yn llifo o'i genau, fel bwrlwm ffynnon yn goferu. Cyfaddefodd iddi fod yn crafu byw drwy fod allan ar y strydoedd yn hwyr y nos. Bywyd o unigrwydd, ansicrwydd, ac ofn. Ond digon oedd digon. Dim mwy o boeni am yfory. Y noson honno roedd hi wedi penderfynu rhoi diwedd ar ei bywyd. Ond gwelodd olau yn y Tabernacl, a daeth i mewn i'r capel i weddïo a derbyn bendith. Wedi iddi ddod i mewn, fodd bynnag, ni welai gerflun na darlun o Grist yn unman, dim ond llond y sedd fawr o wragedd. A dyna pryd, meddai, y ffyrnigodd a dechrau sgrechian yn ei chynddaredd.

Erbyn hyn, y tu allan i'r capel, roedd dagrau yn ei llygaid eto. Ond, rywfodd, fe synhwyrwn nad dagrau o ofid oedd rhain. Dyna oedd fy ngweddi dawel innau. Gwasgodd fy llaw a rhoi gwên fechan. Yna ffarwelio, ac fe gofiaf yn dda ei geiriau olaf: *'I'm OK now. I'll go home. Thank you. You have saved my life.'*

'Mabwysiadu' dau o deulu'r digartref: Johnny Roderick a Johnny O'Sullivan

Gan mor ddifrifol yw argyfwng digartrefedd heddiw, y mae rheidrwydd ar i bob un ohonom ystyried: a oes yna unrhyw beth y gallwn ni ei wneud? Er enghraifft, a oes modd inni drefnu bod rhagor o'n cymdeithasau a'n heglwysi hwnt ac yma yng

Nghymru yn cynnig man cyfarfod cymwys i'r digartref, o leiaf am awr neu ddwy bob wythnos? A allwn ni geisio perswadio ein Llywodraeth a'n cynghorau sirol a threfol i ddarparu rhagor o fannau diogel a chlyd iddynt gysgu'r nos? Yr un modd, i drefnu bod rhagor o deulu'r digartref yn derbyn gofal meddygol?

Teg yw cydnabod, serch hynny, fod cynifer o bobl eisoes mor barod eu gweithgarwch ac yn cefnogi myrdd o achosion da. Y mae'r gwasanaeth gwirfoddol a gynigir gan gynifer o unigolion, cymdeithasau, eglwysi, a mudiadau eraill ledled Cymru yn haeddu pob clod. Y mae'r cymorth a roddir gyda Banciau Bwyd yn enghraifft dda.

Nid rhwydd chwaith bob amser yw dyfalbarhau i gyflawni'r aruchel nod sydd gennym. Cryf iawn ar adegau yw'r demtasiwn i ddweud 'na', a digalonni.

Rai blynyddoedd yn ôl bellach, yn gynnar yn wythdegau'r ugeinfed ganrif, bu i Eleri a minnau fentro 'mabwysiadu' – os dyna'r gair priodol – ddau berson digartref o Gaerdydd. Dau berson heb unrhyw gysylltiad penodol â'i gilydd. A menter o'r iawn ryw, yn wir, ydoedd! Dau Johnny: Johnny Roderick a Johnny O'Sullivan. Cofiwn yn dda amdanynt. Cofio eu pryd a'u gwedd a'u hymarweddiad. Cofio'r noson y mentrais fynd i weld yr adeilad mewn hen hofel oer, dywyll, lle roedd Johnny O'Sullivan yn cysgu – y noson y bu bron imi â disgyn drwy un o ffyn pren pydredig y grisiau. Cofio fel y byddai yr un Johnny yn fwriadol yn dwyn crys – ac yn cyflawni gwaeth droseddau – er mwyn cael 'cartref gwell' a chynnes dros dro mewn carchar. Cofio'r wên ar riniog y drws wrth ffarwelio, a'r geiriau caredig o ddiolch am bob cymorth.

Ond cofio hefyd am ddawn fawr y ddau Johnny i'n twyllo. Ond stori arall yw honno. Mor gryf ar adegau oedd y demtasiwn i'w casáu. Mor fawr oedd yr angen am ras! Un tro gofynnodd Johnny am ddillad glân i fynd i'r ysbyty, a pharatoes Eleri becyn iddo, a mawr oedd ei ddiolch. Ond a fu Johnny yn yr ysbyty? Do? Naddo? Er hynny, parhau i'w caru oedd raid. Dod i wybod gymaint yr oeddynt yn gwir werthfawrogi cwmni a chyfeillgarwch. Yr un modd, cael agor cil y drws i wybod rhyw ychydig am eu teimladau, am eu pryderon, eu poen meddwl, a'r dyddiau du yn eu bywydau. A gwybod nad y botel ac nad tlodi oedd eu gofid mawr, ond unigrwydd. Eu hangen am gwmni, gofal, a chariad.

'Gwen' o Dre-lai yn ei thlodi a'i thrueni ; a'r wraig mewn sachau a'i thraed dolurus

Roedd gan Johnny Roderick, meddai ef, gariad o'r enw Gwen. Cymraes o Faesteg. Roedd am ei phriodi ac wedi bod yn gofyn i mi am arian i brynu modrwy iddi. Daeth

Eleri a minnau i sylweddoli yn y man nad oedd hynny'n wir. Ond yr *oedd* ganddo ffrind o'r enw Gwen. Mae'n debyg iddo ddefnyddio peth o'r arian a gawsai gennym ni i brynu bwyd iddi. Roedd hi'n wael ac yn unig iawn. Penderfynais innau fynd gyda Johnny un diwrnod i'w gweld. Mi gofiaf yr ymweliad cyntaf hwnnw am byth.

Roedd hi'n byw yn un o'r rhes o dai bychain unllawr a'u muriau llwydgoch o briddfeini, yn agos i Heol Orllewinol y Bont-faen. Dim ond tua dwy filltir o'n cartref ni yn Llandaf. Ni allwn gredu mor wahanol oedd tu mewn y tŷ i'r olwg o'r tu allan. Doedd fawr ddim dodrefn yn yr ystafell, roedd unrhyw ddodrefn a fu yno unwaith wedi'i falu yn goed tân. Ond pa bryd y bu yno dân ddiwethaf? Dim ond tomen o ludw oer ar garreg yr aelwyd a welwn i. Dim syndod chwaith ei bod hi mor oer yn y tŷ, roedd twll mawr yn un o baenau'r ffenest. Haen o blastig wedi'i osod yn flêr lle bu gwydr gynt oedd yr unig gysgod bellach rhag y gwynt a'r glaw. A dyna lle roedd hithau, Gwen, gwraig o dan drigain oed, ddwedwn i, yn hanner orwedd ar wely cul mewn cornel rhwng y ffenest a'r lle tân. Wrth ochr ei gwely roedd rhes o boteli seidr gweigion. Mor welw a thruenus oedd ei gwedd. Doedd neb o'i theulu wedi ymweld â hi ers blynyddoedd. Gwrthodai'r meddygon hefyd, meddai hi, ddod i'w gweld, er roeddwn i'n amau'r honiad hwnnw, ac yn arbennig wedi imi gysylltu fy hunan â'r Gwasanaeth Iechyd.

Byw iawn yn fy nghof yw un noson yr euthum i edrych am Gwen. Roedd hi yn llwyd-nosi erbyn imi gyrraedd ei thŷ. Gorwedd yn ei gwely yr oedd, fel bob tro y gwelais hi. Roedd Johnny Roderick yntau yn y stafell y noson honno, yn eistedd ar yr unig stôl oedd ar gael. Nid oedd ganddo yr un hosan am ei draed. Ni allwn innau lai na sylwi a rhyfeddu at ei ewinedd. Yr ewinedd mawr, cryfaf, a welais erioed, heb eu torri ers misoedd lawer, dybiwn i.

Yna sylwais ar swpyn llwyd, llonydd, ar y llawr mewn cornel dywyll o'r stafell. Am foment cefais fraw. Ai rhywun oedd yno'n cysgu? Beth petai'r person wedi marw? Ond gwraig ganol oed oedd yno'n gorwedd ar lawr, wedi clymu'i hunan yn dynn gyda dwy neu dair o sachau. Roedd ei hwyneb rhychiog wedi'i hanner orchuddio â chudynnau o wallt seimllyd, cnotiog. Roedd hithau, fel Johnny, yn droednoeth, a'i hewinedd hirion fel pe'n clymu am flaenau'i bysedd duon. Mor druenus oedd yr olwg arnynt. Pan welodd hi fi, buan y rhuthrodd allan o'r tŷ, fel anifail gwyllt yn dianc mewn braw i'r coed. Ni chwrddais fyth wedyn â'r wraig honno mewn sachau, ond byddaf yn parhau i weld ei hwyneb a'i thraed dolurus.

Bûm yn ymweld â Gwen rai troeon wedi hynny, ond ymhen ychydig fisoedd daeth Johnny Roderick i'n tŷ ni un diwrnod i ddweud y newydd ei bod wedi marw. Yr un pryd, gofynnodd imi yn garedig a allwn i fynd ag ef i'w hangladd.

Ac mi euthum. Claddu mewn mynwent ym Maesteg. Dim ond pedwar ohonom oedd yn bresennol: yr offeiriad; mab Gwen, na chofiaf ei enw; Johnny Roderick, a minnau. Dechreuodd y gwasanaeth angladdol yn union wrth glwyd y fynwent, a ninnau'n cerdded y tu ôl i gludwyr yr arch. Erbyn inni gyrraedd at y bedd, roedd yr offeiriad wedi dod i ben â'r cyfan oedd ganddo i'w ddatgan. A hynny ar wib wyllt braidd. Gollyngwyd yr arch i'r bedd gwag. Traddodwyd y fendith. A dyna'r gwasanaeth ar ben.

Wrth ddychwelyd i Gaerdydd y diwrnod hwnnw, roedd myrdd a mwy o gwestiynau ar fy meddwl. Pwy oedd y Gwen hon y buom yn ei hangladd? A fu hi unwaith yn rhan o deulu a chymuned ac yn llawen ei byd? Paham roedd ei theulu bellach wedi'i diarddel? Pa droeon yr yrfa a'i gyrrodd i'r fath gyflwr o drueni a thlodi yn ei bwthyn bach yn Nhre-lai? Beth oedd ei phoenau a'i gwir bryderon? A oedd ganddi hithau ei dyheadau, ei gobeithion a'i hiraeth? Ond yng nghanol y llu o gwestiynau, diolch yn dawel fach hefyd i'r hen Johnny Roderick anwadal, dwyllodrus, hoff, am fod ganddo yntau galon garedig i ofalu am Gwen. A diolch, yr un modd, am iddo ymddiried ynof innau a rhoi cyfle i'r ddau ohonom gael mynd i'w hangladd i dalu'r gymwynas olaf.

Mam a'i merch ar ffo o Viet-nam, a'u bywyd o bryder yn ninas Caerdydd

Er pan symudais o Uwchaled wledig yn y Gogledd i fyw ym Mhrifddinas Cymru ym mis Hydref 1964, mynych y daw sawl profiad yn ymwneud â'r digartref yn ôl yn fyw iawn i'r cof. Ond rhaid ymatal. Rhannaf un hanesyn arall yn unig. Y mae'n stori hir. Dyma fraslun.

Un diwrnod, rywdro yn 1992, cwrdd yn annisgwyl ar yr Ais yng Nghaerdydd, â mam a'i merch yn eistedd ar fainc, nid nepell o Gapel y Tabernacl. Trist iawn oedd y ddwy. Roedd y ferch yn mwytho cath ar ei glin – golygfa go anarferol yng nghanol dinas. Rachel oedd enw'r ferch. Roedd hi'n bedair ar ddeg mlwydd oed. A Felix oedd enw'r gath. Roedd y fam (Augustine Holland oedd ei henw hi), wedi gorfod ffoi gyda'i rhieni o Viet-nam i Ffrainc. Yn y man daeth i Gymru a chael lle i fyw yn Nhre Lluest (Grangetown), Caerdydd.

Ond bywyd o anhunedd ac ofn mawr fu ei hanes hi a Rachel yno. Ei chymar yn cam-drin ei ferch ei hun. Hwythau'n dianc o'u cartref ac yn cael lle i fyw dros dro, o dan nawdd Cyngor y Ddinas, mewn tŷ yn Nhre-lai. Ond daeth tad Rachel i wybod lle roeddent yn trigo. A dyma'r fam a'r ferch unwaith eto yn gorfod gadael eu cartref dros dro. Gofid ar ben gofid fu eu hanes wedi hynny. Unigrwydd a phryder, ddydd a nos. Dim rhyfedd fod y gath yn gannwyll eu llygaid, yn gwmni ac yn gysur.

Mam a'i merch (Augustine Holland a Rachel), a'u cath yn gwmni: teulu ar ffo o Viet-nam, a'u bywyd o bryder yn ninas Caerdydd.

A dyna pa bryd y daeth Eleri a minnau yn rhan fechan o'u bywydau. Wrth imi wrando ar eu stori, a hwythau'n eistedd ar y fainc yng nghanol Caerdydd y diwrnod hwnnw, cyflwynwyd imi hanes y naw o flychau cardfwrdd mawr. Yn y blychau hynny yr oedd holl gynnwys eu cartref gynt: offer cegin angenrheidiol; hoff deganau Rachel; ac ychydig drysorau oedd yn annwyl iawn gan Augustine, y fam, ac yn ei hatgoffa o ddyddiau hapusach. Stori bywyd mewn naw blwch. Ond roedd y cyfan o'r blychau hynny bellach mewn storfa yng Nghaerdydd, a'r perchennog yn bygwth eu gwaredu oherwydd y dyledion. A dyna'r foment y tosturiais innau. Cynnig talu'r ddyled a gofalu am y blychau yn ein tŷ ni dros dro.

Ai ffôl oeddwn? Ai'r galon oedd wrth y llyw? Y bocsus llwydion, llawnion hynny! Bûm yn eu gweld yn fy nghwsg! Sawl tro y symudais hwy i gael mwy o le yn y garej, eu cartref newydd? A cheisio sicrhau hefyd fod pren sych o danynt, rhag bod unrhyw leithder yn beryg o bydru'u gwaelodion. Ond rhyfedd o deimlad oedd gofalu am y blychau hyn. Nid dicter. Nid difaru'r weithred. Yn hytrach, wrth ofalu amdanynt, teimlwn fel pe bawn yn rhannu rhyw ronyn bach o'm gofal hefyd am y fam a'r ferch ddigartref yn eu gofid mawr.

Am ddwy flynedd y bu'r blychau yn cartrefu yn ein tŷ ni. Yn ystod y cyfnod hwn, helbulus iawn fu hanes Augustine Holland a Rachel. Yn ôl yr ychydig lythyrau, cardiau, a galwadau ffôn a gawsom, roedd y fam, yn arbennig, yn dioddef o iselder ysbryd mawr. A pha ryfedd? Un pryder oedd ei dyledion. Buont yn byw ym Mryste am gyfnod. Llwyddodd y ddwy hefyd, rywsut-rywfodd, i fynd i Ffrainc i weld eu teulu. Ond, ysywaeth, ni chawsant fawr o groeso yno.

Tra buont yn Ffrainc roeddent wedi gorfod gadael Felix, y gath, mewn gwarchodfa anifeiliaid: yr Alkhamhurst Kennels, yn Alkham, ger Dover. Wedi dychwelyd, rhaid oedd talu'r ddyled, neu ni chaent eu hoff gath yn ôl. Mae'r anfoneb gennyf o flaen fy llygaid y funud hon: £154.50, ac yn codi'n ddyddiol. O'm blaen hefyd y mae llythyr perchennog y warchodfa ataf, dyddiedig yr un diwrnod â'r anfoneb: 10 Tachwedd 1992. Mae'n agor fel hyn:

> 'I am writing in reference to Mrs Holland and her cat, Felix. We have had no reply to our correspondence to her, nor have we received any payment for Felix's boarding. In your letter you suggested we contact you if there were any problems. Unfortunately, if payment is not received in seven days, we have no other alternative but to consider Felix abandoned.'

Mor drist fyddai hynny, ac yr oedd angen calon o garreg i adael i beth felly ddigwydd. A dyma dosturio unwaith yn rhagor a thalu'r ddyled yn llawn.

Do, fe ddychwelwyd y blychau hefyd bob un yn y man. Ond nid oedd gan y fam a'r ferch bryd hynny gartref parhaol i'w derbyn. Ni wn beth a ddigwyddodd i'r bocsus wedyn. Nac i'r gath. Ac ni wn chwaith ble mae Augustine Holland a Rachel erbyn hyn. 'Boed anwybod yn obaith', meddai R Williams Parry, a'n dymuniad ninnau yw: ble bynnag y maent heddiw, boed i'r fam a'r ferch iechyd, llawenydd a phob bendith. Hyfryd y cof amdanynt.

Rhan o stori un teulu o ffoaduriaid o Viet-nam a gyflwynais i yn y gyfrol bresennol. Un stori o blith llu o storïau cyffelyb y gellid eu cyflwyno. Mor ddwys yw'r angen heddiw am loches i ffoaduriaid o lawer rhan o'r byd. A'r angen i gynnig iddynt hefyd mewn gwlad ddieithr bob cyfeillgarwch a chwmnïaeth sydd bosibl.

Yn ystod Nadolig 1992 bu i aelodau a chyfeillion Eglwys y Tabernacl, Caerdydd, fod mor garedig â threfnu casgliad ariannol i'w anfon yn rhodd i Augustine Holland a Rachel. Mawr yw'r diolch iddynt.

Ardderchog iawn hefyd yw fod Eglwys y Tabernacl ar hyn o bryd yn cydweithio gydag Eglwys y Santes Fair, Heol Bute, a'r Ganolfan Islamig, i ddarparu tŷ yn Nhre-Bute, Caerdydd, ar gyfer lletya teulu o Syria. Prif noddwyr y cynllun tra phwysig hwn yw Dinasyddion Cymru: Citizens Cymru.

Gofal am y digartref a'r anghenus yng Nghymru

Yn ôl Crisis, Elusen Genedlaethol y Digartref, y mae cynifer â 236,000 o bersonau ym Mhrydain heddiw heb gartref. Y mae canran uchel iawn o'r personau digartref ac anghenus hyn – llawer ohonynt yn ifanc – yn dioddef o iselder ysbryd ac unigrwydd mawr. Mor drist yw'r ffaith hon yn yr unfed ganrif ar hugain. A pha nifer o blith y rhif uchel hwn sydd mewn modd i weld meddyg teulu a seiciatrydd?

Mor fawr ein diolch i bawb heddiw sy'n cynnig lloches a chymorth i'r sawl sydd mewn angen. Boed i'r enwau a ganlyn gynrychioli'r myrdd o fudiadau, elusennau, eglwysi, cymdeithasau, ac unigolion sydd mor barod eu gofal a'u cariad.

Byddin yr Iachawdwriaeth

Fel y gŵyr y mwyafrif mawr ohonoch, rwy'n siŵr, mudiad Cristnogol elusengarol a sefydlwyd gan William Booth yw'r mudiad rhagorol hwn. A hynny mor bell yn ôl ag 1885. Bellach, mae iddo 1.6 miliwn o aelodau mewn 109 o wledydd. Cyfeiriwyd eisoes at y Ganolfan yng Nghaerdydd, gyda'r enw cwbl addas 'Tŷ Gobaith', sy'n cynnig cysgod a bwyd i'r digartref. Nid nepell o Dŷ Gobaith, gellir hefyd ymweld ag Eglwys Byddin yr Iachawdwriaeth yn Heol Ddwyreiniol y Bont-faen.

Shelter Cymru

Sefydlwyd yn 1981, gyda'r brif ganolfan yn Abertawe. Ers hynny, fel y mae'r arwyddlun yn ei awgrymu, y mae wedi cyflawni gwaith gwir werthfawr i fynd i'r afael â digartrefedd mewn sawl rhan o Gymru.

Llamau

Dyma elusen wir werthfawr arall, a sefydlwyd dros ddeng mlynedd ar hugain yn ôl, gyda'i chanolfan yng Nghaerdydd. Mae'n rhoi sylw penodol i bobl ifanc a gamdriniwyd. Un ystyr i'r gair 'llam' gynt oedd mesur o bum troedfedd. Heddiw, fel y gwyddom, ystyr 'llam' yw 'cam bras', neu 'naid'. Mae'r enw 'Llamau', felly, yn awgrymu y gall y dioddefydd wneud camau breision tuag at wellhad o dderbyn cymorth gan y mudiad hwn. A gwir y gair, bid siŵr. Awgrymir hynny hefyd gan arwyddlun yr elusen: delwedd sy'n ymdebygu i aderyn, glas ei liw, a'i adenydd ar led, yn hedfan fry yn yr awyr.

Wallich

Arwyddlun Wallich: gofal
am y digartref a'r anghenus.

Dyma elusen, fel Shelter a Llamau, sy'n gweithredu dros Gymru, ac yn fawr ei gofal am y digartref a'r anghenus. Y mae ei harwyddlun ar ffurf triongl a chylch, sy'n awgrymu i mi, o leiaf, fod y mudiad hwn yn credu, fel y dylid, fod pawb yn gyfartal. Ac yma daw enw mudiad arall i gof, sef Hafal, a'r gair sy'n golygu 'cyfartal' y cawn gyfeirio ato eto yn nhrydedd adran rhan gyntaf y gyfrol hon.

Huggard

HUGGARD: Helping
the Homeless

Huggard: Yn cynorthwyo'r
digartref

Sefydlwyd yng Nghaerdydd dros ddeng mlynedd ar hugain yn ôl. Ers hynny, bu gennym ni a fu'n ymwneud â darparu te i'r digartref ar brynhawn Sul yn Festri Eglwys y Bedyddwyr, y Tabernacl, ar yr Ais, gysylltiad agos â Huggard. Gwyddom yn dda am ymroddiad y gwirfoddolwyr, ac fel y bu drysau'r Ganolfan yn Nherras Tresillian, Caerdydd (a bellach yn Heol Hansen, yn agos i'r Orsaf Ganolog), ar agor ddydd a nos bob dydd o'r flwyddyn. Y mae gan y Ganolfan hefyd dŷ bwyta o'r enw Cafe H, yn Heol Dumball gerllaw.

Enfys Gobaith: Rainbow of Hope

Enfys Gobaith: yn rhannu
bwyd yng nghanol dinas
Caerdydd.

Dyma elusen arall yng Nghaerdydd, elusen Gristnogol sy'n gwir deilyngu'r enw a ddewiswyd ganddi. Sefydlwyd yn 1995. Bob nos Iau ar yr Ais dosberthir cawl a pharseli bwyd (oddeutu 250 parsel y mis) i'r anghenus. 'Paradise Run' yw'r enw ar y gwasanaeth hwn. Paradwys yn wir, yn arbennig ar nosweithiau oer y gaeaf. Rhennir bwyd a the a choffi hefyd ganol dydd.

Gwasanaeth Gofalu am Draed y Digartref: 'Homeless Help'

Dyma gwmni diweddar o garedigion yn Abertawe sy'n gwahodd y digartref i gael trin eu traed: eu golchi yn ofalus gyda dŵr cynnes a sebon; torri eu hewinedd; gwaredu unrhyw gyrn a chroen caled, hyd y mae modd; ac yna eneinio'r traed. Y mae rhai o'r gwirfoddolwyr cymwynasgar hyn (ac yn arbennig yn ystod cyfnod Feirws Corona) yn mynd yn uniongyrchol at bersonau sy'n ddigartref ac yn cynnig trin eu traed yn y fan a'r lle. Y maent yn rhoi pwys arbennig hefyd ar sgwrsio'n gyfeillgar â hwy a chynnig clust i wrando ar eu pryderon.

Cyfeiriwyd eisoes yn y gyfrol hon at Johnny Roderick, Caerdydd, ac at y wraig druenus ei gwedd yn gwisgo sachau y bu imi gwrdd â hi mewn tŷ yn Nhre-lai. Ond nid yw gofal am y traed yn bwnc yr ydym yn sôn amdano yn aml wrth gofio am y digartref. Mor fawr ein diolch i'r caredigion o Abertawe, a phob dymuniad da iddynt.

Bugeiliaid y Stryd: Street Pastors

Cyn cloi'r adran hon o'r gyfrol, nac anghofiwn am gyfraniad nodedig y cymwynaswyr hyn sy'n cynnig cymorth gwerthfawr yn hwyr y nos ac yn oriau mân y bore, yn arbennig i bobl ifanc, yn rhai o drefi a dinasoedd mwyaf Cymru. Caiff eu gwasanaeth ei werthfawrogi hefyd gan yr heddlu. Yr ydym ni yn Eglwys y Tabernacl yng nghanol Caerdydd yn falch iawn o allu cynnig ein Festri Isaf bob nos Wener a nos Sadwrn, hefyd ar ddyddiau gŵyl, fel man cyfarfod cyfleus i Fugeiliaid y Stryd yn y Ddinas.

Y *sakura*, y goeden geirios yn Siapan, yn ddelwedd o brydferthwch, a'r canhwyllau sy'n olau ddydd a nos yn Hiroshima

Fe ddywedais eisoes yn y gyfrol hon fod ar bob achos da angen arian ac adnoddau digonol. Pa achos sydd bwysicach heddiw, fel ym mhob oes, na'r achos i sicrhau iechyd, dedwyddwch, a rhyddid; cyfiawnder a heddwch i bobl y byd? Ac y mae'r angen yn yr unfed ganrif ar hugain yng Nghymru a Phrydain yn fwy nag erioed. Mwy a mwy o deuluoedd a phlant mewn tlodi. Mwy a mwy o'r boblogaeth yn byw i oedran hŷn. Mwy a mwy yn ddigartref. Mwy a mwy yn dioddef o afiechyd meddwl. Colli cof: dementia a chlefyd Alzheimers ar gynnydd. Clefydau megis y cancr creulon heb eu concro. A heintiau o'r newydd, megis Feirws Corona, Covid 19, yn dod yn ddirybudd o rywle.

'Lle bo tywyllwch, rhaid goleuo un gannwyll.'

Yng ngwanwyn 1986 bûm am dair wythnos ar daith yn darlithio mewn prifysgolion yn Siapan: teithio yn nhymor y gwanwyn pan oedd y *sakura*, y goeden geirios, yn ei holl ogoniant, ac yn ddrych dihafal o brydferthwch annifwynedig. Wedi'r fraint o gael ymweld â rhannau helaeth o'r wlad a nifer o brifysgolion, amgueddfeydd, a chanolfannau diwylliannol, cyrraedd Hiroshima. Yno, dwyn i gof yr 80,000 a mwy a fu farw oherwydd i un wlad benderfynu gollwng un bom i lofruddio'r trigolion a dinistrio'r ddinas, ac effaith y danchwa fawr i'w ganfod ar groen ac esgyrn rhai o'r disgynyddion hyd heddiw.

Ond yn y cofio tawel, gweld hefyd y canhwyllau'n goleuo ddydd a nos yn Hiroshima. Fyth oddi ar hynny, cyn cau fy llygaid a mynd i gysgu, byddaf yn aml yn dal i weld y canhwyllau yn olau. Gweld, a chofio hefyd yr hen ddihareb (ai o Tsieina?): 'Mae'n well cynnau un gannwyll na melltithio'r tywyllwch'. Neu, o geisio mynegi gwirionedd cyffelyb ar ffurf pennill a chwpled:

> Ni all y tywyllwch eithaf
> Ddiffodd y gannwyll leiaf.

Lle bo tywyllwch, rhaid goleuo un gannwyll, pa mor wan bynnag y bo, er mwyn dod â rhywfaint o oleuni i ystafell dywyll pob drygioni.

Dinistrio bywyd neu ddiogelu bywyd? Gwallgofrwydd a gwastraff arfau niwclear, ynteu cefnogi ein Gwasanaeth Iechyd?

Dau arwyddlun CND Cymru (Ymgyrch Diarfogi Niwclear:
Campaign for Nuclear Disarmament).
Lluniau drwy garedigrwydd Jill Gough a Jon Plumpton, Glynarthen.

Prin fu'r sôn ar y newyddion i Wobr Heddwch Nobel yn 2017 gael ei dyfarnu i ICAN, yr Ymgyrch Ryngwladol i Ddileu Arfau Niwclear (The International Campaign to Abolish Nuclear Weapons). Clymblaid yw ICAN o grwpiau mewn 100 o wledydd, ac un o'r grwpiau yw CND Cymru (Ymgyrch dros Ddiarfogi Niwclear). Fel aelod o

CND Cymru, nid anodd yw amgyffred mor falch yr oeddwn o'r anrhydedd i ICAN, ac mor ddiolchgar yr ydym i bawb o'r ymgyrchwyr. Dyfarnwyd y wobr i ICAN am lwyddo i sicrhau 'Cytundeb i Wahardd Arfau Niwclear'. Ym mis Medi 2017 cafodd y Cytundeb hanesyddol a hollbwysig hwn ei gefnogi gan y Cenhedloedd Unedig, gyda chefnogaeth hefyd 122 o wledydd. Erbyn mis Mawrth 2020 yr oedd 82 o wledydd wedi arwyddo'r Cytundeb. Ond nid yw Prydain yn un ohonynt. Dylai gywilyddio mewn sachlïain a lludw.

Bruce Kent (g.1929), yr ymgyrchydd dros heddwch adnabyddus, ar y dde, gyda'r awdur yn Senedd Cymru, 13 Tachwedd 2013. Bruce Kent yw Cadeirydd a Sefydlydd 'Movement for the Abolition of War' (MAW), a Golygydd y gyfrol: *The Final Surrender: Time to Abolish War* (1998).
Tynnwyd y llun gan Jill Gough, Glynarthen, Ceredigion.

[Ar y 24ain o Hydref 2020 daeth y newyddion da fod 50 o wledydd nid yn unig wedi arwyddo'r Cytundeb, ond hefyd wedi'i gadarnhau. Beth y mae hynny'n ei olygu? Dyma'r ateb: ar 22 Ionawr 2021 daw'r 'Cytundeb i Wahardd Arfau Niwclear yn Fyd-eang' yn ddeddf, gyda hawl gan y Cenhedloedd Unedig i'w gweithredu. Newyddion da, yn wir. Ond y newyddion drwg yw fod Prydain yn un o'r gwledydd sy'n parhau i wrthod arwyddo.]

Gwyddom hefyd fod Llywodraeth Prydain yn benderfynol o fynd rhagddi â'r bwriad i adnewyddu Trident. A'r gost? 200 biliwn o bunnau. Ie, nid 200 mil, nid

200 miliwn, ond 200 biliwn. O leiaf hynny. Y fath wastraff, y fath farbareiddiwch. A'r hyn sy'n anghyfiawn yw fod Cymru hithau, fel yr Alban – o leiaf ar hyn o bryd – yn cael ei gorfodi i fod yn rhan o'r gwallgofrwydd mawr hwn. Y mae yr un mor drist hefyd nad yw Llywodraeth bresennol Cymru yn datgan yn glir ac yn groyw wrth y byd ei bod yn gwrthwynebu'r gwallgofrwydd. A dyna, yn fy marn i, un ddadl gref iawn o blaid Annibyniaeth i Gymru.

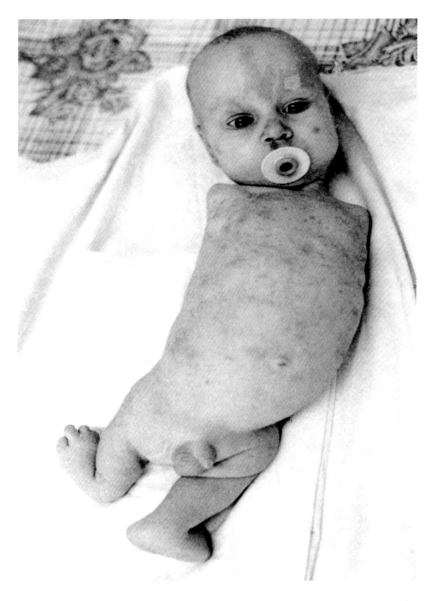

Plentyn a aned wedi'r danchwa niwclear fawr yn Chernobyl, yr Wcráin, 26 Ebrill 1986.
Llun o gyfrol yr awdur: *Rhyfel a Heddwch a Sancteiddrwydd Bywyd* (2008).

Ddiwedd mis Mawrth (2020), pan oedd Covid 19 yn ymledu fwyfwy drwy'r byd, daeth y nodyn a ganlyn i aelodau CND Cymru a Chymdeithas y Cymod, nodyn i sobreiddio unrhyw un sy'n caru cyfiawnder a brawdgarwch:

'O'r biliynau lawer o bunnau y mae Prydain yn ei wario yn flynyddol i gynnal arfau niwclear, byddai £7.2 biliwn yn unig yn ddigon i dalu am:

100,000 o welyau mewn wardiau gofal dwys;

30,000 o awyryddion, neu beiriannau anadlu;

50,000 o weinyddesau;

40,000 o feddygon.'

Ceir tystiolaeth feddygol o sawl rhan o'r byd: 'Mae'r feddyginiaeth gennym; gallem agor ei lygaid a'i arbed rhag oes o ddallineb.' Ond mae angen i lywodraethau'r gwledydd roi'r flaenoriaeth i ddarparu'r adnoddau angenrheidiol, yn lle gwastraffu arian. Er enghraifft, ar arfau rhyfel.
Llun o'r gyfrol: *Rhyfel a Heddwch a Sancteiddrwydd Bywyd* (2008).

Wedi derbyn gwybodaeth mor ddifrifol â hyn rhaid oedd ei rhannu mor fuan ag oedd modd. A dyna a wnaed. Gwerthfawrogwn y cyfle i gyflwyno'r manylion ar Radio Cymru, ac fe'i cyhoeddwyd mewn dau wythnosolyn Cymraeg. Roedd apêl daer yn fy nodyn hefyd ar i bawb anfon at Brif Weinidog Prydain (gyda chopi i Brif Weinidog Cymru) yn gofyn iddo sicrhau bod y Llywodraeth ar fyrder yn rhoi'r flaenoriaeth, nid i arfau niwclear gwastrafflyd, bomiau, tanciau, a gynnau, sy'n fodd i ddinistrio bywyd, ond i adnoddau digonol sydd eu mawr angen i ddiogelu bywyd.

A gwnaf yr un apêl yn garedig iawn eto yn y gyfrol hon, gan ddyfynnu geiriau'r Parchedig Pryderi Llwyd Jones yn ei fersiwn Gymraeg gofiadwy ef o'r datganiad Saesneg: 'Healthcare, not warfare':

> Nid bomiau i ladd,
> Ond iechyd i'r claf.

[Yr oedd 27 Mai 2020 yn Ddiwrnod Rhyngwladol dros Heddwch, a bu i Gymdeithas y Cymod yng Nghymru, ynghyd â'r canghennau cydwladol o'r un gymdeithas, a mudiadau cyffelyb mewn sawl gwlad, alw ar i holl lywodraethau'r byd, ac i bob un ohonom ninnau fel unigolion, wneud ein rhan fechan i sicrhau cyfiawnder a heddwch, amodau byw a gwasanaeth iechyd teg i bawb.]

Isaja yn cael ei gario i wersyll yn Sudan.

Diolch am Destun Diolch

3.

Dyma fi wrth fanylu ar yr ail reswm paham cyhoeddi portread Malcolm T Rees o'i frawd yng nghyfraith o feddyg wedi ceisio dangos pa mor gyffredin yw afiechyd meddwl yn yr oes yr ydym yn byw ynddi, a hefyd pa mor anhraethol bwysig yw iechyd meddwl; iechyd da. Yr un modd, pwysleisio pa mor gwbl angenrheidiol yw sicrhau bod yr adnoddau digonol ar gael i hyrwyddo cyfraniad cyfoethog ac anhepgorol pob meddyg, seiciatrydd a gweinyddes; pob ysbyty, hosbis, meddygfa, fferyllfa, a chartref gofal; pob menter a chynllun i ymchwilio ymhellach ym maes meddygaeth. Ac yna, dangos hefyd, mi hyderaf, unwaith eto, mai braint amheuthun i ninnau yw cael diolch o waelod calon i bob un sydd wedi rhannu yn hael eu harbenigedd, eu dawn, a'u cariad, i ofalu am ein chwiorydd a'n brodyr, lle bynnag y maent, a beth bynnag eu hangen.

Y corff a'r meddwl, yr isymwybod a'r anymwybod

A dyma ni nawr yn cyflwyno'r **trydydd rheswm paham cyhoeddi'r gyfrol hon**, ac mi dybiwn i fod y rheswm hwn hefyd yn amlwg iawn bellach. Mewn brawddeg, dyma ydyw: mae teyrnged ddiffuant Malcolm Rees i'w frawd yng nghyfraith yn dangos yn eglur iawn inni gymaint yw ein dyled i'r un meddyg arbennig y mae'n ei bortreadu. Felly y teimlaf innau. A chyda llawenydd yr ychwanegaf y sylwadau gwerthfawrogol a diffuant a ganlyn am fywyd a gwaith Dr David Enoch.

Un o osodiadau cryno, pwysig yr awdur yn ei gyfrol *Y Deg Gorchymyn ac Erthyglau Eraill* (t. 134) yw'r un a ganlyn: '[Y mae dyn] yn greadigaeth driphlyg: corff, meddwl ac ysbryd (enaid).' Yr un modd â'r meddyg, y mae'r seiciatrydd yntau wedi astudio anatomeg a ffisioleg, ond y mae'n mynd rhagddo, fel y seicolegydd, i arbenigo ar y meddwl. Mae'n rhoi sylw i ymwybyddiaeth person ac yn ceisio treiddio i'r isymwybod, gan geisio treiddio hefyd yn ddyfnach fyth i'r anymwybod, neu'r diymwybod – y stad o feddwl lle mae hen ofnau a gofidiau cudd yn llechu, rhai efallai ers blynyddoedd lawer. A dyma pa bryd y mae angen gwybodaeth a dawn arbenigol y seicotherapydd: y gwrando dwys a'r holi tyner, treiddgar. Er bod i'r corff a'r meddwl eu priod swyddogaethau, gwyddom o'r gorau hefyd mor aml y mae'r corff yn gallu dylanwadu ar y meddwl, a'r meddwl ar y corff. A dyma ni nawr ym maes seicosomateg.

Cyfeiriwyd eisoes yn y rhagair at gyfrolau enwog David Enoch: *Uncommon Psychiatric Syndromes* (1967), a *Healing the Hurt Mind: Christian Faith and Clinical Psychiatry* (1983). Gellir cyfeirio yn y fan hon hefyd at bedair o gyfrolau Saesneg eraill gwerthfawr yr awdur: *The Organisation of Psychogeriatrics* (Ipswich Society of Clinical Psychiatrists, 1971); *Schizophrenia: Voices in the Dark* (is-bennawd pellach: *Hope for Those Who Care*), ar y cyd â Mary Moate (Kingsway Publications, 1990); *Psychiatric Disorders in Dental Practice*, ar y cyd â Robert Jagger (Butterworth Heinemann, 1994; argraffiad Siapanaeg, 1996). A'r pedwerydd cyhoeddiad: *I Want a Christian Psychiatrist: Finding a Path Back to Spiritual and Mental Wholeness* (Monarch Books, 2006).

Diolchwn hefyd am unig gyfrol Gymraeg yr awdur y cawn gyfeirio ati eto: *Y Deg Gorchymyn Heddiw ac Erthyglau Eraill* (Cyhoeddiadau'r Gair, 2014).

Meddyg y galon, a 'meddyg gorau, meddyg enaid'

Y corff a'r meddwl … Ni allai David Enoch fod wedi ennill y fath glod am ei gyfraniad gloyw i faes seiciatryddiaeth oni bai iddo yntau dreiddio'n ddwfn am flynyddoedd lawer i geisio deall dirgelion a rhyfeddod y corff a'r meddwl dynol, fel ei gilydd. Ond gwnaeth lawer mwy na hynny. Sylweddolodd yn gynnar yn ei yrfa y cysylltiad annatod, nid yn unig rhwng y corff a'r meddwl, ond hefyd rhwng y corff, y meddwl, yr ysbryd a'r enaid.

Yr ysbryd? Beth a ddywedaf? Cymaint â hyn yn unig. Gair cyfoethog iawn ei ystyr ydyw. 'Isel ysbryd', meddem ni am rywun sy'n dioddef gofid meddwl. Ceisio 'codi ysbryd' y sawl sy'n ddigalon a wnawn. Dweud: 'hwyl fawr', 'codi hwyliau rhywun.' Bod yn awel ac yn wynt i hwylio'r cwch yn ddiogel i'r harbwr. A dyna'r gair ardderchog: 'ysbrydoli'. Ysbrydoli'r sawl sy'n isel ei ysbryd; codi calon y digalon: dyna brif nod pob meddyg. Meddyg yr ysbryd ydyw. Meddyg y galon.

Ie, a meddyg yr enaid. Sylwn ar y geiriau cofiadwy a ddefnyddiwyd yn yr is-bennawd i'r adran hon: 'Meddyg gorau, meddyg enaid'. Hen ddihareb ydyw. Roedd yn arfer gan y llenor mawr a'r Piwritan enwog Morgan Llwyd o Wynedd (1619-1659) wneud defnydd cyson o gyfoeth ein diarhebion Cymraeg: 'gwir y doethion mewn geiriau dethol', chwedl T Gwynn Jones. Yn ei glasur o gyfrol, *Llyfr y Tri Aderyn* (1653), cofiwn fod yr eryr, y gigfran, a'r golomen yn ymddiddan â'i gilydd. Yn lled agos i ddechrau'r gyfrol mae'r eryr yn gyntaf, yna'r gigfran, ac wedyn yr eryr drachefn yn rhestru rhai degau o ddiarhebion, un ar ôl y llall. Y bedwaredd ddihareb a gyflwynir gan yr eryr yw: 'Gorau meddyg, meddyg enaid'.

Arwyddlun y Gymdeithas
Seiciatregol Gymreig.

Fersiwn ar eiriau'r ddihareb hon a welir fel rhan o arwyddlun y Gymdeithas Seiciatregol Gymreig: The Welsh Psychiatric Society, a sefydlwyd yn 1960. Ni allai yr un gymdeithas gael geiriau mwy addas.

Yr enaid – mor heriol i'r meddwl dynol yw ceisio cwmpasu holl ddyfnderoedd ystyr y gair pum llythyren hwn. Y mae, fodd bynnag, un allwedd werthfawr i'w ystyr yn nharddiad y gair Cymraeg ei hun. Y mae'n tarddu o hen air *anatio yn yr iaith Frythoneg, o'r gwreiddyn *an-, a roes inni hefyd y geiriau 'anadl' / 'anadlu'. Yr un modd: 'animeiddio', o'r Lladin *anima*. Cofiwn ninnau am y geiriau 'anadl einioes', a dyma ni'n nes at ddeall ystyr y gair enaid. Y mae'n gyfystyr â bywyd ei hun: anadl, nerf a gwaed a churiad y galon. Hanfod ein bod.

Ond y mae'r enaid yn cynnwys hefyd y wedd ysbrydol. Dyma'r perl gwerthfawr, y trysor sy'n rhoi gwerth parhaol ar fywyd. Nid yw'n syndod chwaith ein bod yn defnyddio'r geiriau 'enaid hoff' i gyfeirio at gyfaill neu gyfeilles sy'n werth y byd yn grwn mewn aur coeth; un sydd yn agos iawn atom bob amser, fel petai'n rhan ohonom, yn codi calon ac yn gefn inni ym mhob tywydd. Yn union fel y mae'r ysbryd a'r enaid yn rhan annatod o'r corff a'r meddwl, yn cynnal ac yn ysbrydoli.

Seelenprobleme der Gegenwart ('Y dyn cyfoes yn chwilio am enaid'): cyfrol Carl Gustav Jung, a geiriau cofiadwy Morgan Llwyd: '… cynnal y galon doredig'

Enaid hoff yw pob claf i'r meddyg. Y mae'r ysbryd a'r enaid yn cael lle canolog ym mhob un o gyhoeddiadau'r Dr David Enoch yntau. Nid hap a damwain chwaith yw ei fod yn cyfeirio'n gyson at gyfrolau o waith awduron eraill sy'n ymwneud yn benodol â'r wedd ysbrydol ac eneidiol i feysydd seiciatreg a seicoleg. Un o'r cyfrolau pwysicaf y cyfeiriodd ati yw cyhoeddiad arloesol y seicolegydd a'r seiciatrydd byd-enwog o'r Swistir, Carl Gustav Jung (1875-1961): *Modern Man in Search of a Soul* (Efrog Newydd, Harcourt Brace & World Inc., 1933). (Teitl y gyfrol wreiddiol yn yr Almaeneg yw: *Seelenprobleme der Gegenwart*, 1931.)

Carl Gustav Jung (1875-1961), 'y seicolegydd a'r seiciatrydd byd-enwog o'r Yswistir'.

Ar ddechrau'r wythfed bennod, 'Therapist and Pastor', yn ei gyfrol *I Want a Christian Psychiatrist* (2006), ysgrifennodd Dr Enoch y geiriau hyn:

> 'When Christians say, "I want a Christian psychiatrist", what they are really saying is that they want both mental and spiritual support and healing; they want a combination of a therapist and pastor. They recognize that they need medical intervention through medication and psychotherapy, but they also want emotional reassurance and spiritual guidance; they know that their healing must encompass their whole selves, mind, body and spirit.'

Clawr blaen un o gyfrolau Saesneg enwog Dr David Enoch (Monarch Books, 2006.

Rhwydd hefyd y gallwn ddeall paham y rhoes yr awdur yr is-bennawd a ganlyn i'r gyfrol, sef: *Finding a Path Back to Spiritual and Mental Wholeness*. Dro ar ôl tro mae'n sôn yn ei gyhoeddiadau am 'y bersonoliaeth gyflawn'. Pwysigrwydd trin y claf gyda pharch, nid fel un claf arall yn yr ysbyty, ond fel person byw o gig a gwaed, meddwl a chalon, ysbryd ac enaid. Person â theimladau rif y gwlith: ofnau a dyheadau, amlwg ac anamlwg; person ag enaid wedi'i glwyfo. Braint y meddyg, fel pawb arall, yw ymddwyn tuag at y claf gyda thynerwch, amynedd, a dyfalbarhad. Ymostwng ac ymwyleiddio; creu hyder o'r newydd, gan roi pob cyfle i'r dioddefydd geisio datgelu dwfn deimladau a meddyliau cudd y galon. Cyd-ymdeimlo; cyd-wrando; cyd-ddioddef; cyd-gysuro.

Dyma i David Enoch ystyr y geiriau 'rhoi cariad ar waith' y mae wedi cyfeirio atynt fwy nag unwaith. 'Duw, cariad yw'; 'cariad yw Duw', medd y Gair. 'Carwch eich gilydd', a 'châr dy gymydog fel ti dy hun': dyna oedd gorchymyn Iesu yntau. A dyna a wnaeth Dr Enoch: mynd â Duw cariad tosturiol y Crist gydag ef at wely'r claf. Nid Duw mewn geiriau, ond Duw yn y galon sy'n troi geiriau'n weithredoedd bendithiol, calonogol. Gweithredoedd o gariad ac empathi o ddydd i ddydd. Dyfynnais eisoes o gyfrol Morgan Llwyd, *Llyfr y Tri Aderyn*, ac yn awr daw eto i gof eiriau eraill gorfoleddus o'r un gyfrol. Meddai'r eryr wrth y gigfran: 'ond y mae Efe yn edrych ar yr isel ac yn cynnal y galon doredig.'

'Bûm yn glaf ac ymwelsoch â mi': cadwyn aur cariad

'Cynnal y galon doredig': ni ellid mewn pedwar gair gael gwell disgrifiad o weinidogaeth Iesu yntau, na gwell disgrifiad o genhadaeth pob meddyg. Ar derfyn y bedwaredd bennod ar ddeg o'r Efengyl yn ôl Mathew, darllenwn y geiriau hyn: 'a daethant â'r cleifion i gyd ato, ac erfyn arno am iddynt gael yn unig gyffwrdd ag ymyl ei fantell. A llwyr iachawyd pawb a gyffyrddodd ag ef.' Mor aml yn yr Efengylau y cawn hanes yr Iesu yn iacháu.

Un o ddamhegion mwyaf cofiadwy yr Iesu yw Dameg y Brenin (Mathew 25: 32-46), ac rwy'n arbennig o falch i David Enoch roi sylw iddi yn ei gyfrol *Y Deg Gorchymyn ac Erthyglau Eraill* (t. 61). Yn y ddameg hon y mae Iesu yn datgan ateb y 'Brenin' i'r cwestiwn: pwy fydd yn 'etifeddu'r Deyrnas'? 'Bûm yn glaf', meddai, 'ac ymwelsoch â mi; bûm yng ngharchar, a daethoch ataf.' Mae'r rhai 'cyfiawn' sy'n gwrando yn gofyn i'r Brenin: 'Pryd y'th welsom di'n glaf neu yng ngharchar.' Fe gofiwn ninnau yr ateb (yn fy marn i, un o frawddegau pwysicaf y grefydd Gristnogol ac unrhyw grefydd):

'Yn wir, rwy'n dweud wrthych, yn gymaint ag ichwi ei wneud i un o'r lleiaf o'r rhain, fy nghymrodyr, i mi y gwnaethoch.'

Y meddyg wrth wely'r claf yw corff a meddwl ac ysbryd yr Iesu byw yn yr unfed ganrif ar hugain.

A dyna hefyd yw pob un heddiw sy'n gofalu am eraill, a chadwyn aur cariad yn ein clymu ynghyd yn un gymuned. Hwy yw deiliaid y Deyrnas y cyfeiriodd y Brenin ati. Yng ngeiriau gweddi'r Iesu, Teyrnas Nefoedd ar y ddaear ydyw: teyrnas ddi-drais o dangnefedd, brawdgarwch a chyfiawnder; byd a phawb yn gofalu am ei gilydd: bwyd i'r newynog ac iechyd i gleifion. A daw geiriau'r bardd Islwyn i'r cof: 'Mae'r oll yn gysegredig.'

Hyn, dybiwn i, yw'r rheswm paham y bu i'r Dr David Enoch, er yn ifanc iawn, deimlo bod perthynas mor agos rhwng meddygaeth a Christnogaeth. A sylwer mai 'Cristnogaeth' a ddywedais, nid 'crefydd'. Nid yr hen gred ac arfer ddinistriol o dalu drwg am ddrwg, 'llygad am lygad a dant am ddant', sy'n parhau i achosi'r fath anoddefgarwch, rhyfela a dioddefaint heddiw, ond cenhadaeth y Crist tosturiol, cariadus, maddeugar.

Y mae'r cwlwm annatod hwn rhwng Cristnogaeth a meddygaeth i'w ganfod yn amlwg iawn yn nwy gyfrol Saesneg David Enoch y cyfeiriwyd atynt eisoes: *Healing the Hurt Mind*, gyda'i his-deitl: *Christian Faith and Clinical Psychiatry*, a'r gyfrol, *I Want a Christian Psychiatrist*. Felly hefyd yng nghyhoeddiad Cymraeg yr awdur, *Y Deg Gorchymyn ac Erthyglau Eraill*. Yn wir, mae'r gyfrol hon yn un o'r cyfrolau lled brin hynny yn y Gymraeg sy'n cyfuno trafodaeth gyfoes ddeallus ar y ddau faes: Cristnogaeth a seiciatryddiaeth. A mawr ddiolch i Gyhoeddiadau'r Gair am y gymwynas o'i chyhoeddi. Y mae penawdau nifer o'r erthyglau yn awgrym clir o'r gydberthynas glòs rhwng Cristnogaeth a seiciatreg, er enghraifft: 'Katharine Welby a'r Felan'; 'Tywyll Heno' [nofel Kate Roberts]; 'Tywyllwch yn fy Nghuddio'; a 'Crefydd a Seicosis'.

Mewn adolygiad o'r gyfrol hon yn *Y Pedair Tudalen Gydenwadol* (12 Medi 2014) cyfeiriodd y Dr D Ben Rees ati fel 'cyfrol i'n hysbrydoli', ac meddai ymhellach:

'Rhoddaf gymeradwyaeth uchel i bob pennod ac ysgrif, a chroesawaf y drydedd ran hefyd, lle cawn ymdriniaeth drylwyr ar y testun: "Y Meddwl a Bugeilio Cristnogol". Dyma astudiaeth y dylid ei darllen gan bob blaenor a diacon a bugail eglwys.'

Cytunaf yn llwyr â'r geiriau hyn, a byddwn yn ychwanegu hefyd: 'a'i darllen gan bawb, boed Gristnogion neu ddyneiddwyr'.

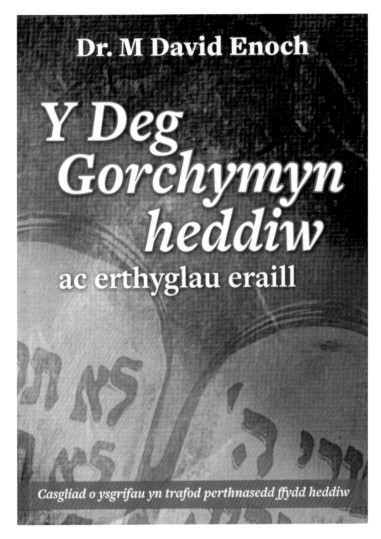

Clawr blaen cyfrol arloesol yn y Gymraeg yn cynnwys erthyglau ar Gristnogaeth, Seiciatreg, a Seicoleg. (Cyhoeddiadau'r Gair, 2014.)

Prydferthwch y dyfroedd tawel

Yn *Y Pedair Tudalen Gydenwadol* yn ystod misoedd Chwefror-Mehefin 2018, cyhoeddodd David Enoch gyfres o bum ysgrif ar thema'r 'Dyfroedd Tawel'. Ysgrifau ardderchog iawn yw'r rhain. Bu eu darllen i mi yn foddion gras, a'r geiriau tangnefeddus o'r drydedd salm ar hugain yn canu yn y cof: 'Efe a'm tywys gerllaw y dyfroedd tawel.' Y mae eu darllen yn peri inni gofio yn annwyl iawn am bawb sydd mewn gofid ac yn dyheu bob awr o'r dydd am dawelwch meddwl. Rwy'n dyfynnu o ran olaf yr ysgrif gyntaf yn y gyfres: 'Dyfroedd Tawel Prydferthwch'. Ar ddechrau'r ysgrif honno mae'n cyfeirio at un o'i hoff lynnoedd yn Sir Gaerfyrddin: Llyn Llech Owain.

'Bu'r llyn llonydd, y dyfroedd tawel hyn, yn symbol o brydferthwch i mi ar hyd y daith. Ble bynnag y bûm, yn wyneb pob storm ac argyfwng, ac yng nghanol pob llwyddiant hefyd, bu syllu ar y darlun o'r dyfroedd tawel yn help i mi i gadw fy nhraed ar y ddaear.

Trwy gydol fy ngyrfa fel meddyg dros gyfnod o chwe deg o flynyddoedd, bu i mi gyfarfod â channoedd o bobl o bob cwr o'r wlad. Gwelais hwy yn eu pryder a'u hanobaith, eu hiselder a'u hofnau, wedi crymu dan bwysau helbulon y plant, y gwaith, yr ysgol a'r swyddfa.

Mor wir y gair nad yw bywyd yn hawdd. Yn ôl y diwinydd a'r athronydd Paul Tillich, mae'n rhaid wrth ddewrder i fyw. Ond y mae meddwl yn bositif yn help ac yn therapiwtig. Daw iachâd wrth syllu trwy lygaid ein meddwl ar y dyfroedd tawel, ar y prydferth, y gwir a'r da. Mae'r llyn llonydd, y dyfroedd tawel, yn hanfodol i fywyd llwyddiannus. Ac y mae hyn yn sicr yn wir wrth i ni orfod syllu bob dydd ar hylltod y darluniau a welwn ar y teledu a'r rhyngrwyd o'r dioddef …

"Nid gwastraff amser yw syllu mewn cyfaredd ar y prydferth", meddai John Ruskin … Pwysleisiodd Keats [yntau]: "Beauty is truth, truth beauty. That is all ye know on earth, and all ye need to know."

Yn ystod yr Ail Ryfel Byd daeth faciwî, merch fach, i fyw gyda ni ym Mhantyblodau [rhan o Ben-y-groes]. Wrth syllu ar y wlad o amgylch a gweld y caeau agored, y blodau gwyllt a'r coed mawr, gofynnodd hi i'm mam: 'Parc pwy yw hwn?' Atebodd fy mam: 'Parc Duw ydyw.' A dyna'r ferch fach yn gofyn ar unwaith: 'Pryd mae Duw yn cau'r parc?' '

'Gardd o gariad': gardd Hafal yn Amgueddfa Werin Cymru, a chofio Fred Dymott a Ray Mills

O brydferthwch y dyfroedd tawel, dewch gyda mi i ardd brydferth oedd yn Sain Ffagan, Amgueddfa Werin Cymru, ychydig flynyddoedd yn ôl. Nid prydferthwch blodau a phlanhigion a llysiau llesol yn unig oedd yn yr ardd hon. Gardd o gariad ydoedd. Y lleoliad: ychydig aceri o dir fferm Ysgubor Fawr, yn perthyn ers tro bellach i'r Amgueddfa Werin.

Yn gofalu'n wirfoddol am yr ardd hon, am bymtheng mlynedd a mwy er 1997, yr oedd nifer o gyfeillion yn dioddef o afiechyd meddwl (sgitsoffrenia yn bennaf). Roeddynt yno o dan nawdd Hafal. Ac roeddynt yn llawen i gael bod yno, yng nghanol hyfrydwch byd natur. Teimlent yn ddiogel am fod rhywun yn gofalu amdanynt. Hafal, fe gofiwn, yw'r enw Cymraeg am yr arwydd mathemategol '*equals*', a ddyfeisiwyd gan y Cymro Robert Recorde (1510-1558). 'Hafal': enw ardderchog iawn ar fudiad dyngarol sy'n cyflawni gwaith rhagorol i sicrhau bod pawb, boed glaf neu iach, yn cael eu trin yn gyfartal.

Arwyddlun Hafal: 'Dros adferiad
o afiechyd meddwl difrifol'.

Hyfrydwch arbennig i mi fu cael cwmni'r garddwyr hyn a Fred (Fred Dymott, 1944-2016), eu pennaeth mwyn. Gŵr nodedig iawn oedd ef. Cyfaill hoff. A chyfaill hoff y garddwyr oedd o dan ei ofal. Pan oedd yn cael ei ben-blwydd yn drigain oed, 13 Medi 2004, trefnodd rhai o'i gyfeillion yn yr Amgueddfa i ddathlu'r amgylchiad yn ystod awr ginio. Hyfryd i minnau oedd derbyn gwahoddiad a chael cyfle i annerch Fred ar gân. Cyhoeddir y gân yn y gyfrol hon. Cyhoeddir hefyd lun ohono yn yr Amgueddfa yn bwydo'r colomennod yr oedd mor hoff ohonynt.

Cyfrifoldeb penodol un o'r garddwyr, Ray Mills, oedd dyfrhau'r blodau yn neuadd groeso'r Amgueddfa, ac fe gyflawnai yntau ei orchwyl dyddiol gyda gofal neilltuol iawn. Arferwn ei wahodd ar adegau i gael cinio a sgwrs gyda mi. Yn y man, ac yntau yn gwybod o'r gorau ein bod erbyn hyn yn ffrindiau agos iawn, fe ddechreuodd rannu'i ofidiau gyda mi wrth y bwrdd bwyd – agor ei galon a dagrau yn ei lygaid. Dywedodd wrthyf paham y bu iddo ddioddef poen meddwl ar hyd ei oes. Roedd wedi cael ei gam-drin yn rhywiol pan oedd yn fachgen ifanc.

Yn 2003 bu farw Ray, ac fe adeiladodd ei gyfeillion bont fechan o bren – pompren – yng ngardd Sgubor Fawr i gofio amdano. Fyth oddi ar hynny y mae ei fywyd personol ef wedi dod i mi yn ddarlun o fywyd ei hun. Y mae yna gam-drin, dioddefaint a thywyllwch. Ond y mae yna hefyd hiraeth am lawenydd, am fywyd di-boen, am oleuni. Yng nghanol hagrwch, mae yna brydferthwch. Mae yna ardd a rhywrai'n gofalu amdani, yn dyfrhau'r blodau a gwrteithio'r pridd.

Cyfeiriwyd eisoes at un o eiriau hyfrytaf yr iaith Gymraeg, sef 'tangnefedd': 'heddwch y nefoedd'. Ond nid nefoedd rywle i fyny draw fan acw, ymhell oddi wrthym, yw'r nefoedd hon i mi, na'r nefoedd i fynd iddi a'i phrofi wedi i'n blynyddoedd ar y ddaear ddod i ben, fel y cyfryw. Na, ond y nefoedd sy'n agos iawn atom yn awr, y funud hon. Neu fe ddylwn ddweud: a all fod yn agos iawn atom, ac a all fod yn eiddo inni bob dydd o'n hoes. Dyheu am brofi'r nefoedd hon, y baradwys o'n mewn, dyna ddyhead dwfn pob un ohonom. Ac wedi profi'r nefoedd ein hunain, gweddïwn am ras i rannu'r nefoedd ag eraill.

Fred Dymott (1944-2016), Prif Oruchwyliwr, ar ran Hafal, a chyfaill y 'cleifion' oedd yn gweithio yng ngardd Amgueddfa Werin Cymru, Sain Ffagan, c.1997-2012. Yn y llun gwelir Fred ger Ty^'r Gerddi, yn yr Amgueddfa, yn bwydo ei hoff golomennod.
Llun drwy garedigrwydd Mandy Dymott, Caerdydd, merch Fred Dymott.

TO FRED DYMOTT ON HIS SIXTIETH BIRTHDAY, 13.ix.2004

My dear Fred:
Three days ago a little bird tapped my shoulder
And sang in my ears:
'On Monday, Fred will be sixty.'
'No', I said, 'it cannot be true.'
And then I thought, it must be so.
But to me – and all your innumerable friends –
You will be forever young:
Sixty – going on fifty!

You are swift, handsome and strong,
Yet so gentle and kind.
You, the slogger, the renowned 'very hard worker',
Always busy, like the bees
In the enticing flower-beds of Ysgubor Fawr.
But however busy,
You are the one who always has time:
Time to listen; time to care.

You are the cultured, well-dressed gentleman,
Yet you are never afraid to get your hands dirty
For the sake of others.
You inspire your fellow-gardeners by your own example;
You give them confidence and a new hope;
You are their daily mentor and companion;
You are their friend for life.

Your humour and unfailing wit,
Your generosity and empathy,
Are more soothing than a priceless ointment,
More effective than medicine and countless bottles of tranquilizers.

You are an ever-active, imaginative pioneer,
Clearer of weeds and undergrowth,
Bringer of light into dark corners.
And with the help of your industrious colleagues
You have created on the banks of the River Ely
A place of beauty and tranquillity; a garden of joy.

My dear Fred, *Diolch o galon* – my 'heartfelt thanks';
Canmil diolch – 'a hundred thousand thanks'.
Today as we celebrate your birthday,
May life itself be for you a celebration.
May you have health and strength and every blessing.
And may you long continue to nurture that evergreen olive branch
Which is in your heart,
Then the birds will descend and continue their wonderful song.

Robin Gwyndaf

Cynorthwyo i brofi'r tawelwch meddwl hwnnw, yr iechyd meddwl a'r tangnefedd gwynfydedig hwnnw, yw rhodd fawr pob meddyg; pob gweinyddes; pob fferyllydd; pob cynorthwy-ydd mewn cartref gofal; pob un sy'n gofalu am anwyliaid yn y teulu a chydweithwyr yn y gweithle; pob un sy'n rhoi gair ar y ffôn, neu yn anfon cyfarchiad cynnes ar gerdyn. Dyna gymwynas nodedig Fred Dymott. Dyna hefyd gymwynas fawr meddyg y galon glwyfus sy'n brif destun y gyfrol hon.

Cyfeillion a chyd-weithwyr yn diolch i'r meddyg o Ben-y-groes

Roedd Malcolm Rees yn falch iawn o'r cyfle i gyflwyno'i deyrnged i'w frawd yng nghyfraith. Felly finnau. Ond cyn dwyn y rhan gyntaf o'r gyfrol hon i ben, priodol yw cynnwys detholiad byr o werthfawrogiad gan rai o gyfeillion a chyd-weithwyr Dr David Enoch. (Am deyrngedau pellach, gweler Atodiad 3.)

1. Shirley Tart, *Shropshire Star*, 28 Mehefin 1974

Y pennawd yw: 'David leaves after "Goliath" conquest'. Cyfeiriad ato'n gadael Ysbyty Shelton, Amwythig, i weithio fel Prif Ymgynghorydd Seiciatryddol yn Ysbyty Brenhinol Prifysgol Lerpwl:

> 'Shropshire loses one of its Davids this week. He came 12 years ago, saw the situation, and with all the gentle but firm professional skill of a surgeon, has gone a long way towards conquering the Goliath of mental health in the county. ...
>
> I have known Dr Enoch for some years and I believe he is one of those rare people who somehow manage to find a firm enough surface in shifting sands to build a structure to withstand all pressures.
>
> A brilliant consultant psychiatrist, he is very Welsh, very enthusiastic, totally committed to the pinprick of light at the end of the mental health tunnel ...
>
> He has one other asset which I think is probably the most important of all. He cares about the dignity of a human being. He cares so much that his eyes all but burn up with anger if he knows that anyone is being treated with less respect than they should be.
>
> Dr Enoch is also a firm believer in as much top class teaching as can be made available. Medicine of all kinds changes constantly, and he wants everyone connected with it to be in the forefront of knowledge, so that every patient gets the best possible treatment.'

2. Dr Gamal Hammad, Ymgynghorydd Seiciatryddol yn Ysbytai Charing Cross a Hammersmith, Llundain. *Hospital Doctor*, 20 Ionawr 2005

'For me, Dr David Enoch, author of books, including *Healing the Hurt Mind* and *Schizophrenia: Voices in the Dark*, is a charismatic guru, a wonderful mentor and a visionary. I dare to put him in the same league as Abraham Maslow, Viktor Frankl, Edward de Bono, André Malraux, William Sargent, William Linford Rees, and so on. …

I started my duties as Dr Enoch's Registrar at Rain Hill Mental Hospital [Liverpool] which does not exist any more. … Most of my basic knowledge of psychiatry was learned over the next three years from Dr Enoch, and I continued to consult him over the phone for the next 30 years. …

[He] is a committed, convinced Christian with great respect for other religious followers. I am a Muslim, and a liberal thinker, also with great respect for followers of other religions. …

We produced our first joint publication in 1977: 'Acute Hallucinosis Due to Clonidine', having resisted considerable pressure from the manufacturer.'

3. Chris Cartwright, Arolygwr Cyffredinol Eglwysi Pentecostaidd Elim, 'Soul Care', cyhoeddwyd yn *Direction*, cylchgrawn Elim Pentecostal Church, Hydref 2018, t. 5

'The day before I had the privilege of an hour with one of my mentors, Dr David Enoch. David has lived an extraordinary life of input and influence. In a distinguished career in psychiatry he was at the forefront of the 'humanising' and modernising of psychiatry. He was a pioneer in the diagnosis and treatment of a host of uncommon psychiatric disorders. As a deeply devoted Christian and a great Bible teacher and preacher, David has spent a lifetime bringing together the realms of medicine and faith.

In both conversations we spoke of the enormous challenges of mental health in the wider society and the widely reported 'epidemic' of depression, anxiety and stress. … Whatever the underlying issues, as we talked we spoke not only of the huge challenge those headlines present, but of the opportunity for the church to step forward with fresh faith, hope and compassion to a society struggling under a seemingly unbearable weight'.

Dathlu sefydlu'r Gwasanaeth Iechyd: 1948-2018, ac Ymddiriedolaeth Wellcome yn anrhydeddu'r Dr David Enoch

Sefydlwyd Ymddiriedolaeth Wellcome yn 1936 drwy haelioni Syr Henry Wellcome. Ers hynny y mae cyfraniad yr Ymddiriedolaeth hon yn hyrwyddo meddygaeth wedi bod yn un cwbl amhrisiadwy ac yn wybyddus drwy'r byd.

Yn 2018, er mwyn dathlu 70 mlynedd o gyfraniad y Gwasanaeth Iechyd ym Mhrydain, trefnodd yr Ymddiriedolaeth i gyflwyno lluniau ac ychydig o hanes saith person i fod yn 'wynebau y Gwasanaeth Iechyd: 1948-2018'. Un o'r saith a ddewiswyd – a'r unig seiciatrydd – oedd David Enoch. Dyma ddyfyniad o'r llythyr a dderbyniodd oddi wrth Dr Alice White, Golygydd Gwefan Casgliad Wellcome: Wellcome Collection, 12 Mehefin 2018:

> 'We have a set of articles soon to be published on the history of the NHS and its decades of helping people. To illustrate these articles our photographers would like to take a set of portraits of people who have worked for the NHS at different points since its founding. ... We are looking for people who made a remarkable contribution to British health ... and [we] would be honoured if you would consider being one of our "faces of the NHS".'

Tynnodd Ymddiriedolaeth Wellcome lun Dr Enoch yn sefyll o flaen Ysbyty Athrofaol Cymru, Caerdydd, ac fe'i cyhoeddir yn y gyfrol hon.

Dr David Enoch o flaen Ysbyty'r Brifysgol, Mynydd Bychan, Caerdydd. I ddathlu 70 mlynedd y Gwasanaeth Iechyd Cenedlaethol fe'i hanrhydeddwyd gan Ymddiriedolaeth Wellcome drwy gael ei ddewis yn un o 'saith wyneb y Gwasanaeth Iechyd, 1948-2018'. Llun drwy garedigrwydd Ymddiriedolaeth Wellcome. Tynnwyd gan Ben Gilbert.

'Ei ofal oedd ei grefydd': dymuno'n dda a diolch ar gân

Dyma fi wedi cael cyfle amheuthun i ddweud gair o werthfawrogiad i gymydog ac i gymwynaswr nodedig iawn sydd, fel rwy'n sgrifennu'r geiriau hyn, yn 94 mlwydd oed. (Ar y trydydd ar hugain o Ionawr 2021 bydd yn 95 mlwydd oed.) Ar ran y darllenwyr oll, dymunwn iddo ef a'i deulu iechyd a bendithion rif y gwlith.

Ac yn awr, cyfarchiad ar gân. Rai blynyddoedd yn ôl lluniais ddau englyn i gofio am ddau gyfaill hoff, ac i ddiolch o galon iddynt. Y mae'r geiriau yn yr englynion hynny yr un mor berthnasol i gydnabod cymwynas fawr Morgan David Enoch yntau.

Moelwyn Daniel Preece (1920-2001), Caerdydd, oedd un o'r cyfeillion: cymwynaswr dysgwyr y Gymraeg ac ymgyrchydd diflino ar ran carcharorion cydwybod a boenydiwyd.

Ti oet dderwen ysblennydd, – yn gysgod
I'r di-gwsg mewn stormydd;
Eu hiau ym mhob rhyw dywydd;
Hafan deg hyd derfyn dydd.

Y Parchg T J Davies (1919-2007), Radur, oedd yr ail berson: llenor, gweinidog, a chyfaill carcharorion a'r rhai yn gaeth i alcohol a chyffuriau eraill:

Braich gref pob dioddefydd, – yn rhannu
Â'r enaid aflonydd;
Ei her oedd troi'r caeth yn rhydd;
Ei ofal oedd ei grefydd.

Tair cerdd, a chariad eto ar waith

A dyma ni yn awr yn dyfynnu tair cerdd sydd, gredaf i, yn cyfleu teimladau pob meddyg a phawb sy'n fawr eu gofal dros eraill. Mewn byr eiriau, eu cenhadaeth a'u cymwynas fawr hwy yw rhoi cariad ar waith o ddydd i ddydd. I Gristion, megis David Enoch, hwy yw traed a dwylo, ymennydd a chalon y Crist byw yn y byd heddiw. Crist y Meddyg Da. A dyna a gredaf innau. Ceisio cyfleu'r teimlad hwnnw a wneuthum i yn y gerdd gyntaf a gyflwynaf. Fe'i hysbrydolwyd gan gerdd Saesneg, 'Have you seen Jesus?', cerdd na wn ar hyn o bryd pwy yw ei hawdur. Cyflwynaf y geiriau Cymraeg gyda chanmil diolch i'r Dr David Enoch a phob meddyg a seiciatrydd, a phawb arall sydd heddiw, fel ag erioed, yn 'gwrando ar gri y claf a'r anghenus'.

A Welsoch Chwi Iesu?

'A welsoch chwi Iesu, groeshoeliwyd ar bren;
Mae'r daith ddeugain niwrnod wedi dod i ben?
Aeth ymaith fel niwl yn codi o'r tir.'
'Na, na, nid yw yma, er chwilio yn hir.'

'A welsoch chwi Iesu ar hindda, neu wlaw?
Fry ar y mynydd, neu'r dolydd islaw?
Yng nghwmni'r pysgotwyr yn rhwyfo i'r lan?'
'Na, na, nid yw yno, er chwilio mhob man.'

'A welsoch chwi Iesu yn cerdded y stryd?
Yn cwrdd â'i ddisgyblion mewn ystafell ynghyd?
Yn llysoedd y Deml, a'i drem tua'r ne?'
'Na, na, nid yw yno, er chwilio'r holl le.'

'A welsoch chwi Iesu, yr annwyl Oen,
Yng Ngardd Gethsemane, yn fawr ei boen;
Yn gorwedd mewn bedd, a'i gyfeillion yn drist?'
Na, na, nid yw yno, cyfododd y Crist.'

'A welsoch chwi'r Iesu sy'n fyw ynom ni,
Yn ffynnon o gariad i wrando ar gri
Y claf a'r anghenus, yr unig a'r gwan?'
'O, do, mae'r Iesu i'w weld ym mhob man.'

'Rhanna dy bethau gorau …': Cerdd R H Jones.

Awdur yr ail gerdd yw R H Jones (Robert Henry Jones, 1860-1943), mab fferm Tal-y-cefn Uchaf, Pentrellyncymer, Mynydd Hiraethog. Treuliodd ran dda o'i oes yn gweithio mewn banc yn Lerpwl. Cyhoeddwyd ei gerddi yn y cyfrolau hyn: *Drwy Gil y Drws* (1907); *Drws y Galon* (1907); *Y Drws Agored* (1909); *Drysau Eraill* (1923); a *Caneuon R H Jones* (Detholiad, 1927). Ef hefyd yw awdur *Yr Hen Ddoctor* (1905), cyfieithiad o gyfrol Ian MacLaren: *A Doctor of the Old School* (Dr William MacLure, 'Dr of Drumtochty', Swydd Aberdeen). Derbyniodd fersiwn Gymraeg R H Jones glod mawr yn ei dydd gan bersonau megis O M Edwards.

R H Jones (1860-1943), mab fferm Tal-y-cefn Uchaf, Pentrellyncymer. Un o feirdd telynegol Bro Hiraethog a Lerpwl. Awdur y gerdd 'Rhanna dy bethau Gorau'.

Llun o'r gyfrol *Caneuon R H Jones: Detholiad* (Hugh Evans a'i Feibion, Lerpwl, 1927.) Gyferbyn â'i ddarlun, cynhwysodd y bardd y ddau bennill a ganlyn: 'Gwnaed darlun ohonof; / Ai'n gywir, nis gwn. / Chwi gewch un â chroeso - / Gymerwch chwi hwn? Ni allech f'ysbeilio / Pe cymrech bob un, / Oblegid 'rwy'n cadw / Un copi fy hun.'

Bu llawer o adrodd a chanu ar rai o delynegion a cherddi y bardd o Fro Hiraethog, cerddi megis: 'Ddoi di Dei'; 'Afon Alwen' ('Rhedaf atat unwaith eto, Alwen hoff …'); 'Bythynnod annwyl Cymru'; ac 'O ben Hiraethog draw' ('Mi welais Afon Clwyd / Yn cychwyn ar ei thaith …'). Hyd heddiw hefyd clywir dyfynnu rhai llinellau o'i eiddo ar lafar gwlad, heb sylweddoli bob amser mai ef yw eu hawdur. Un o'r enghreifftiau amlycaf yw'r llinellau hyn o'r pennill 'Y Weddi':

Rhagorach fil na gweddi faith
Yw gweddi fer mewn dillad gwaith.

O blith cerddi R H Jones y mae amryw ohonynt yn ein hatgoffa yn syml, ond yn ddiffuant iawn, o'n dyled fawr i bawb, ddoe a heddiw, a rannodd eu gofal a'u cariad ag eraill mewn angen. Un o'r cerddi hynny yw'r ddau bennill 'Rhanna dy bethau gorau' sy'n berthnasol iawn wrth inni gofio am gymwynas gweithwyr y Gwasanaeth Iechyd. Dyma'r ail bennill:

Rhanna dy bethau gorau,
Rhanna, a thi yn dlawd;
Rhanna dy wên a'th gariad;
Rhanna dy gydymdeimlad;
Rhanna dy nefoedd, frawd;
Rhyw nefoedd wael yw eiddo'r dyn
Fynn gadw'i nefoedd iddo'i hun.

'I'r rhai sydd yn caru, y mae amser yn dragwyddoldeb': cerdd Henry van Dyke

A dyna ni, bron wedi cyrraedd pen y daith yn rhan gyntaf y gyfrol hon. Diolch o galon am eich cwmni. Rwy'n cloi y rhan hon drwy gyfeirio at un o'm hoff gerddi, gan un o'm hoff awduron. Enw llawn yr awdur yw Henry Jackson van Dyke (1852-1933): gweinidog eglwys, Athro Prifysgol (llenyddiaeth Saesneg), bardd a llenor. Ganed yn Germantown, Philadelphia, Pennsylvania, UDA. Bu farw yn Princeton, New Jersey.

Pennawd gwreiddiol y gerdd yw: 'For Katrine's Sundial'. Fe'i bwriadwyd ar gyfer ei gosod ar ddeial haul yng ngardd cyfeillion y bardd, Spencer a Katrine Trash. Ond yn fuan iawn daeth y gerdd, yn arbennig y pennill olaf, yn boblogaidd dros ben, a newidiwyd ei theitl i 'Time Is'. Cyflwynwyd hi ar gân gan rai o gantorion mwyaf poblogaidd America a gwledydd eraill. Cofiwn hefyd iddi gael ei darllen yn angladd y Dywysoges Diana (6 Medi 1997).

Tri o allweddeiriau canolog rhan gyntaf y gyfrol hon yw 'cariad', 'gofal', a 'diolch'. Ni allaf, gan hynny, feddwl am fodd gwell i ddwyn y sylwadau hyn i ben na thrwy ddyfynnu pennill olaf cerdd Henry van Dyke a'm cyfieithiad innau. (Gyda'r llinell olaf un, rhof y dewis i'r darllenwyr pa un sydd orau ganddynt. Y mae'r cynnig a ganlyn, o bosib, yn nes at y gwreiddiol: 'Ond i'r rhai sydd yn caru, nid yw amser yn bod.' Yr ail bosibilrwydd yw: 'Ond i'r rhai sydd yn caru, y mae amser yn dragwyddoldeb.')

Henry van Dyke (1852-1933). Ganed yn Germantown, Philadelphia, Pennsylvania. Awdur y gerdd 'Time is'.

Dyma felly'r pennill:

Time is too slow for those who wait;
Too swift for those who fear;
Too long for those who grieve;
Too short for those who rejoice;
But for those who love,
Time is not.

Y mae amser yn rhy araf i'r rhai sy'n aros;
Yn rhy gyflym i'r rhai sydd mewn ofn;
Yn rhy faith i'r rhai sy'n galaru;
Yn rhy fyr i'r rhai sy'n llawenhau;
Ond i'r rhai sydd yn caru,
Y mae amser yn dragwyddoldeb.

Rhan 2

Portread o'r Dr David Enoch

Gan
Malcolm T Rees

(Wedi'i olygu gan Robin Gwyndaf)

1.

Y Sylfaen Gadarn

Llawenychwyd yr aelwyd pan anwyd Morgan David Enoch [23 Ionawr 1926] mewn tŷ o'r enw Cartref, Heol Waterloo, Pen-y-groes, Sir Gaerfyrddin, a hynny mewn cyfnod digon cyffrous a phryderus yn hanes ardaloedd y glo yn ne Cymru.

Yr ail ydoedd o dri phlentyn a anwyd i Tommy a Maria Enoch. Yn anffodus, bu farw'r plentyn cyntaf yn ystod ei enedigaeth, ond bu ei chwaer, Yolande, yn rhan anwesog o'i fywyd hyd y flwyddyn y bu hi farw (2007). Deuai teulu'i dad yn wreiddiol o ardal Bryncethin, a daethant i ardal Pen-y-groes i weithio yn y lofa leol. Gwraig o Henffordd oedd ei fam-gu ar ochr ei fam, a phriododd i deulu'r Lake-Davies oedd yn adnabyddus iawn yng Nghwm Aman.

Maria Davies a Tommy Enoch, rhieni David Enoch,
ar achlysur eu dyweddïad, 1923.

Cyhoeddir y llun hwn, fel y gweddill o'r lluniau yn
rhan 2 y gyfrol hon, oni nodir yn wahanol, drwy
garedigrwydd Dr David Enoch.

Maria a Tommy Enoch, gyda'u dau blentyn: Yolande (1930-2007),
a David (g. 23 Ionawr 1926).

Yr oedd ei deulu yn barchus iawn yn y pentref ac yn esiampl nodweddiadol o amryw o deuluoedd yr adeg hynny a gredai'n syml yn y ffydd Gristnogol ac a oedd yn ffyddloniaid capel ac eglwys. Cafodd y fraint, felly, o gael ei eni i fôr o gariad a gofal. Canolbwynt yr wythnos i'r teulu oedd ymuno â'r addoliad yng nghapel yr Annibynwyr (Y Sgwâr), Pen-y-groes.

Roedd ei dad-cu, y diweddar Dafydd Enoch, yn ddiacon yn y capel ac yn un o flaenoriaid selog yr achos. Bedyddiwyd David gan y gweinidog, y Parchg L Berian James, gŵr a fu'n gofalu am ei braidd am dros hanner can mlynedd. Bu dylanwad y gweinidog yn sylweddol ar David yn ystod amser cynnar ei fywyd. Yn sicr, cafodd awyrgylch cyffredinol y cyfnod hefyd effaith nerthol a pharhaol arno. Plannwyd ei wreiddiau yn y tir ffrwythlon hwn, ac y mae wedi sugno'r ysbrydoliaeth fel gwaed, i fod yn elfen ganolog o'i fywyd ac yn ymborth i'r amrywiol ganghennau a dyfodd i fod yn rhan o'r person.

Mae blynyddoedd cyntaf plentyn, pan fo'r meddwl yn ystwyth ac yn hollol agored, yn bwysig iawn. Dyma amser llunio cymeriad, oherwydd fod pob argraff a grëwyd gan awyrgylch yn ddylanwad cryf ar gymeriad, ac ar ba lwybrau y dewiso eu tramwyo drwy weddill ei oes. Cariad gofal tad a mam, disgyblaeth, parch a thynerwch, law yn llaw, yn creu aelwyd sefydlog. Dyma'r hyn a osododd y sylfaen yr adeiladwyd bywyd y llanc o Ben-y-groes arni.

David Enoch (g. 23 Ionawr 1926),
yn 14 mis oed.

2.

Ysgol a Chapel a Drws yn Agor

Dechreuodd llwybr hir addysg David Enoch yn Ysgol y Cyngor, Pen-y-groes, ysgol oedd yr adeg honno o dan ofal y diweddar G F Llywelyn, y prifathro. Diddorol fod yr hen ysgol wedi dathlu ei chanmlwyddiant yn 1978. Un o atgofion cyntaf David o'r ysgol oedd mynd law yn llaw yno gyda'i gefnder, Wynford, oedd o leiaf dair blynedd yn hŷn nag ef. Wynford druan yn cael y cyfrifoldeb o sicrhau bod David yn cyrraedd pen y daith yn lân, yn holliach ac mewn pryd.

Fel y gwyddom ni oll, nid hawdd cyrraedd un man yn disgleirio fel y gadawsom law mam, oherwydd plant yw plant. Ni chymer lawer o amser i anghofio'r rheolau cyfyng a ddodwyd i lawr gan fam bryderus rhyw funud neu ddwy yn ôl. Beth bynnag, cyn cyrraedd yr ysgol mi gwympodd David a brifo'i goes. Efe yn wir a gwympodd, ond Wynford a gafodd y loes. Pa eglurhad oedd yna ar gael i heddychu mam? Mam oedd yn gallu troi mewn eiliad i fod yn erlynydd, barnwr a rheithgor? Dyna fe, mam yw mam, ond ar ôl y storm fer, bu cofleidio a maddau.

Fel yr aeth yr amser rhagddo, daeth yn amlwg i athrawon yr ysgol fod yma ddisgybl gyda llawer o ddoniau eithriadol o dan eu gofal. Roedd yr ysgol o'r dechrau yn fan lle teimlai David yn hollol gartrefol, ac yr oedd yn hafan ddedwydd a hapus iddo.

Uchelgais bron pawb yr adeg yma oedd 'paso'r *scholarship*', fel y dywedid, er mwyn cael mynediad i'r *'county school'*. O leiaf, dyna oedd uchelgais y mwyafrif o rieni i'w plant. Nid hawdd oedd cyflawni hyn, oherwydd fod y gystadleuaeth yn frwd a'r llefydd ar gynnig yn brin. Os cafwyd methiant yn yr arholiad, nid oedd yna lawer o ddewis, yn fachgen, ond dilyn ei dad i'r gwaith glo. Nid llawer o dadau oedd yn dymuno hyn, os oedd yn bosibl. Yn wir, roedd yna lawer bachgen crynedig wedi cael ei berswadio dan fygythiad llais dipyn yn drwm i 'stico yn yr ysgol'. Rwyf yn hollol sicr fod yna lawer dyn llwyddiannus o hyd yn clywed atsain y geiriau melltigedig yn ei glust: 'Stica yn yr ysgol, neu lawr fanna fyddi di', ac, yn ddiau, yn ddiolchgar erbyn hyn iddo ymateb i'r rhybudd. Gallaf ddatgan gyda'm llaw ar fy nghalon na fu yna achos erioed i rieni David ei fygwth â'r bygythiad ofnadwy hwn.

Un o athrawon ysgol Pen-y-groes, y sonia David amdani gyda llawer o barch, oedd y ddiweddar Mrs Ray Evans, 'Miss Bevan', fel yr oedd i blant yr ysgol. Roedd hon yn athrawes o'r radd flaenaf. Perthynai iddi ddawn naturiol o fedru bod â gofal llwyr o'i dosbarth. Roedd ganddi'r gallu i drosglwyddo gwybodaeth yn glir ac yn ddiddorol, a hyn oll o dan reolaeth gadarn a fyddai, ar yr un pryd, yn deg. Nid oes gan David unrhyw amheuaeth mai Miss Bevan oedd un o'r athrawon gorau iddo fod yn ymwneud â hi drwy gydol ei gyfnod o addysg yn unman, hyd at a chan gynnwys y brifysgol.

Capel yr Annibynwyr, Pen-y-groes, Sir Gaerfyrddin . ('Capel y Sgwâr' ar lafar gwlad, er nad oedd y Gweinidog, Y Parchg Berian James, yn hoffi clywed pobl yn defnyddio'r enw llafar hwn.)

Cofiaf fy hunan, er nad oeddwn yn yr un dosbarth â David, eiriau'r athrawes hoff, yn codi braw arnom fel dosbarth wrth enwi David yn esiampl i ni oll. 'David Enoch yn paso'r *scholarship*? Gwnaiff, *with flying colours.*' Ninnau yn disgyn i ddyfnder anobaith gan feddwl taw dim ond un â gallu tebyg i David oedd ag unrhyw fath o obaith o dderbyn y fraint.

Pwysig iawn yw cofio'r cyfnod hwn yn yr hanes, oherwydd roedd llaw anghyfiawnder yn taenu llen o chwerwder a chyffro trwy gymoedd glo'r de. Felly hefyd dros y pentref lle y magwyd ef. Roedd yn amser o bryder ac ansicrwydd i bawb. Codwyd llawer o gewri, dynion o argyhoeddiad, siaradwyr cyfareddol, rhai oedd yn barod i ddadlau yn frwd a heb ofn am gyfiawnder i'w cyd-ddynion a'u cyd-weithwyr. Cofia David fynd gyda'i dad i'r neuadd goffa yn y pentref i wrando ar un o ddynion blaenllaw'r cyfnod – Arthur Horner – yn siarad.

Gwibdaith Capel yr Annibynwyr, Pen-y-groes, i Ynys y Barri, 1928. Mae Maria a Tommy Enoch yn eistedd yn yr ail res; David ar lin ei fam, a'r tad yn dal 'Het Anthony Eden' yn ei law ar ochr y siarabáng.

Amhosibl anwybyddu'r teimladau dwfn a grëwyd gan yr achosion a barodd yr holl fwrlwm drwy'r Cymoedd. Roedd yna dlodi mawr o achos y diweithdra yn yr ardal, ond dim byd tebyg i'r hyn oedd yn y Rhondda. Cofia David, fel fi, am rai o'r Rhondda yn cerdded yr holl ffordd i'n pentref ar brynhawn dydd Sul, a chanu am geiniog neu ddwy. Os bu unigolyn yn rhan o chwyldroad drwy gyfnod ei fywyd, erys yr argraffiadau yn ei feddwl, a bron yn ddiarwybod, effeithiant yn fynych ar ei ymddygiad a'i ragolwg. Dyna un rheswm paham fod David yn oddefgar o bawb heb wahaniaeth am eu cefndir.

Er gwaethaf popeth, roedd yna o hyd amserau difyr a bendithiol, yn enwedig i'r ifanc, oherwydd o dan adain y capel a'r ysgol roedd yna lawer o bethau diddorol yn cael eu cynnal i ieuenctid yr ardal. Roedd digon o her iddynt mewn dramâu, cantatas a phethau cyffelyb. Bu David wrth ei fodd, oherwydd roedd yna alwad mawr amdano i gymryd rhan. A dim rhyfedd: meddai ar lais swynol a chof da. Gan fod ganddo hefyd ddiddordeb mawr yn yr hyn a gynhelid yn y capel i'r bobl ifanc, nid yw'n syndod chwaith fod y sefydliad a alwyd 'Y Cwrdd Pump' yn hoff iawn ganddo.

Cwrdd i blant oedd hwn, yn cael ei gynnal am bump o'r gloch ar brynhawn dydd Sul yn festri'r capel, cyn oedfa'r hwyr. Dechreuwyd y fenter yma gan un o ffyddloniaid yr achos, y diweddar William John Evans. Gŵr addfwyn a fedrai arwain y plant yn dawel ac yn siriol, a'u dysgu i werthfawrogi'r pethau da oedd yn deillio o'r hen hanes. Ar y cyntaf, er mawr siom i'r hen frawd, prin oedd y gefnogaeth i'r fenter, ond parhau i weithio ac i annog a wnaeth, nes, o'r diwedd, llwyddiant fu ei wobr. Parhaodd y fenter i ddenu plant am hir amser. Trueni nad oes rhagor o bobl fel hyn gyda'r un argyhoeddiad ar gael heddiw.

Dyna sut bethau oedd yn rhan annatod o fywyd y pentref. Dyma hefyd ddyddiau gwanwyn David Enoch.

Drama Capel yr Annibynwyr, Pen-y-groes, adeg y Nadolig, 1935. Enw'r ddrama: 'The Island of the Balkies'; stori awyren yn glanio ar ynys a hanesion rhyfeddol am yr hyn sy'n digwydd wedyn. Gwelir David, gyda chap pigfain ar ei ben, yn y rhes flaen, y trydydd o'r chwith, yn actio coblyn, neu bwca ('Elf'). Mae ei fam yn y rhes ôl, pumed o'r dde. Canu yn y corws yr oedd hi.

3.

O 'Ali-bops' i Tommy Farr: Chwaraeon a Difyrion yr Aelwyd

Fel yr awgrymwyd eisoes, ni ellid pwysleisio'n ormodol bwysigrwydd aelwyd sefydlog. Mae pethau'n wahanol efallai ar nifer o aelwydydd yr amser presennol. Doedd yna fawr o gyfle i'r '*boredom*' yma y cwyna cymaint o ieuenctid heddiw amdano i gael ei fysedd amrywiol i afael arnynt a dinistrio anturiaeth, gobaith a meddwl.

Yn wir, cael effaith hollol i'r gwrthwyneb a wnaeth anfanteision y cyfnod. Rhoi her i fachgen fel David i fanteisio ar yr adnoddau prin, i greu difyrrwch ac adloniant. I ddychymyg bywiog, roedd yna bosibiliadau di-ben-draw i'r hyn y gellir ei wneud o bethau syml. Yr oedd yna ryfeddodau i'w darganfod trwy wydrau lliwgar marblis, neu 'ali-bops', fel y'u gelwir. Casglodd David ddigon ohonynt i ffurfio timau pêl-droed, a threfnodd lawer gêm bwysig yn y *league*, yn ogystal â gemau rhyngwladol, ar y llawr o flaen y tân yn ei gartref. A thân oedd hwnnw lle'r oedd pob perlen ddu o lo caled wedi ei gosod yn ofalus (ar drawiad pedwar o'r gloch yn y prynhawn) er mwyn gloywi a gwresogi'r aelwyd at y nos. Dim ond ei dad yn y teulu oedd yn berchen ar y gyfrinach a'r dechneg arbennig a alluogai i'r perlau ddisgleirio am amser mor hir cyn troi yn gols.

Ond yn ôl at y gêm. Gallwn ddychmygu'r tensiwn. Y timau'n barod, pob aelod pen moel yn ei safle priodol ar y maes, wyneb yn wyneb. Tawelwch, a neb yn symud. Y ddau gôl-geidwad cadarn yn llonydd rhwng dau focs matsys. Credwch chi fi, roedd y ddau yma yn gadarn, oherwydd taw *ball bearings* oeddynt. Pob un yn barod am y chwiban gyntaf a hawliai i'r bys bach tenau daro'r *centre forward* a thrwyddo ddanfon y bêl i ddawnsio dros y carped (yr hyn a elwir heddiw'n *astro turf*) a dod i derfyn y daith yn ofnadwy o sydyn, rhywfaint yn bellach o un chwaraewr arall nag oedd yn ddymunol.

Roedd y fath chwarae yn bleser mawr iddo, a chred hyd heddiw taw efe a ddaeth â'r gêm fodern Subbuteo i fodolaeth! Hoffai hefyd drefnu gornest *blow football* rhyngddo ef a'i chwaer, ond cyn meddwl am ddechrau, rhaid oedd cael caniatâd mam, yn ogystal â'i chydweithrediad. Dyma'r un a benderfynai'r amser i ddechrau, ac yn ddiau'r amser i orffen. Mam hefyd oedd yr un a feiddiai dynnu'r gorchudd melfed godidog oddi ar y bwrdd, y maes chwarae disglair, er mwyn cynnal yr ornest. Felly roedd ei chefnogaeth yn angenrheidiol.

Drwy gyfrwng chwarae daw hefyd wybodaeth, er efallai na sylwir hynny ar y pryd. Dysgodd lawer drwy gasglu cardiau sigaréts. Roedd yn bosibl, drwy ffeirio gyda'r bois eraill, ddod yn berchen yn weddol gyflym ar set gyflawn yn portreadu amryw hanes darluniadol o drenau, blodau, anifeiliaid, milwyr, pêl-droedwyr a chricedwyr, ac enwi ond rhai. Pleser oedd dod i adnabod cewri enwog pêl-droed a chriced yn ei gartref. Roedd yn llyncu'r ffeithiau amdanynt mewn eiliad, a'u cofio am oes. Cawsai gymaint o fwynhad wrth edrych ar y lluniau lliwgar a darllen y portreadau byr amdanynt y tu cefn i'r garden: cael y fraint o gwrdd â phencampwyr fel Tommy Lawton, Stanley Matthews, Harold Larwood a Don Bradman ar yr aelwyd. Hyd heddiw y mae ganddo set o gricedwyr, pob un wedi ei osod yn ei le priodol, mewn albwm a brynwyd gan ei dad am geiniog, oddi wrth John Player & Sons, Nottingham, yn y flwyddyn 1936.

Maria Enoch, a'i dau blentyn: Yolande a David, ger eu cartref, sef 'Cartref', Pen-y-groes, 1937.

Dyddiau cynnar y *wireless* oedd hi hefyd. Teclyn diddorol iawn oedd hwn, ac yn gaws ar fara David a'i amryw ddiddordebau. Roedd newyddion byd-eang a sylwebaeth ar faterion pwysig ar gael mewn eiliad, drwy wasgu switsh yn y tŷ. Y teclyn hwn a reolai brynhawn dydd Sadwrn. Ei sŵn cracllyd yn medru creu distawrwydd llethol pan fyddai'r llais di-wyneb yn cyhoeddi canlyniadau'r gemau pêl-droed ac yn y blaen. Cofia'n glir y nerfau tyn(n) a'r tensiwn annioddefol wrth aros i'r ysbrydlais ddatgan canlyniadau pwysig y gemau pêl-droed. O'r diwedd, dyma nhw – Arsenal 2, Tottenham Hotspur – shsh, chr, chrrr, trychineb! Y teclyn rhyfeddol, di-ddal, yn dewis y foment fawr i dorri gwynt – dyna beth anfaddeuol, a fedrai wneud i David golli tamed o'i hunanfeddiant, ond, credwch fi, nid oedd hynny'n digwydd yn aml.

Peth a erys yn ei gof hefyd oedd codi yn oriau mân y bore i wrando ar yr ornest focsio rhwng yr anhygoel Joe Lewis, y 'Brown Bomber', a'r Cymro o'r Rhondda, Tommy Farr. Dyma achlysur nad â byth yn angof ym myd chwaraeon. Melys iawn ganddo ddwyn i gof yr amser hyfryd hwn. Parha ei ddiddordeb o hyd mewn bron bob math o chwaraeon.

Roedd yna lawer o ddiddordeb ganddo mewn casglu rhifau pob cyfres, y *serial numbers* a argraffwyd yn ddyddiol mewn ambell bapur newydd. Drwy gasglu'r rhai hyn, yr oedd yn bosibl dod yn berchen ar setiau o lyfrau o safon, er enghraifft, 'The Complete Works of Charles Dickens'. Gyda chymorth ei dad, manteisiodd ar y cyfle gwych hwn i gael casgliad o lyfrau da. Hwn oedd y dechreuad bach i'r hyn a dyfodd dros y blynyddoedd yn gasgliad enfawr o lyfrau. Yn ei gartref heddiw, mae yna nifer o ystafelloedd yn llawn o lyfrau o'r llawr i'r nenfwd, ac yn edrych yn debycach i Lyfrgell Genedlaethol Cymru na dim arall! Mae cyfanswm y llyfrau bron yn 8,000, a chredwch neu beidio, parhau i brynu rhai newydd a wna. Ond efallai mai'r peth pwysicaf yw ei fod yn eu darllen. Mae amrywiaeth y llyfrau'n dyst i'w ddiddordeb eang, ac felly i'w wybodaeth.

4.

Gwaith Glo'r Emlyn; Band Arian yr Emlyn; a'r Cartref Cerddorol

Nid teg cloi'r cyfnod hwn yn ei fywyd heb sôn am y berthynas agos rhwng David a'r teulu. Chofia' i ddim am lawer oedd â'r un fath o glosrwydd. Roedd yn rhywbeth unigryw, anodd iawn ei ddisgrifio, yn fwy o deimlad nag o rywbeth y gellir rhoi bys arno. Rhaid bod yn rhan ohono i'w ddeall, ond wrth edrych i mewn o'r tu allan, fel yr wyf wedi ei wneud, sylweddolais a theimlais ddyfnder y berthynas eithriadol hon.

Glöwr oedd ei dad yng ngwaith glo'r Emlyn, Pen-y-groes, gwaith a gyfrifid yr un mwyaf modern yn yr ardal, ac yr oedd ei dad yn gweithio yn Drift No. 2. Gwerth nodi taw Emlyn oedd y gwaith glo cyntaf yng Nghymru i gael baddonau neilltuol i'r glowyr.

Bu ei dad yn aelod o seindorf arian y gwaith, sef The Emlyn Colliery Silver Prize Band. Ar y pryd roedd y band yn adnabyddus ac yn enwog trwy Gymru, yn wir, trwy Brydain Fawr. Roeddent yn cystadlu'n gyson mewn eisteddfodau yn ogystal â meysydd ehangach. Roedd safon y chwarae yn uchel iawn, ond serch hynny, tipyn o gamp oedd cael y gorau ar fandiau fel Gwauncaegurwen a Parc and Dare yn yr Eisteddfod Genedlaethol. Wrth baratoi ar gyfer cystadleuaeth bwysig, arferai eu harweinydd, Mr Williams – 'Williams y Bandmaster' fel y'i gelwid – wahodd un o chwaraewyr enwocaf Prydain, sef Harry Mortimer, i ddod i roi'r band drwy'r felin, fel petai. Doedd yna ddim llawer o'i le wedi i'r dyn hwn gael gafael arnynt.

Hoffai David fynd gyda'i dad i wrando ar yr ymarferion oedd yn digwydd, fel rheol, yn y sied sinc a elwid yn 'Bandroom'. Syndod o'r mwyaf iddo oedd sut yr oedd hi'n bosibl i'r holl ddynion a'u hofferynnau fynd i mewn i'r fath gaban bach. Doedd yno ddim lle i droi, ac roedd y sŵn yn fyddarol. Yn ddiddorol iawn, mae'r hen 'Fandroom' yn dal i wrthsefyll pob storom, gwynt a glaw, ac yn sefyll o hyd yng nghanol y pentref, fel petai'n gofgolofn i lwyddiant a diwylliant y pentref.

Roedd ei dad yntau yn chwaraewr celfydd iawn, ac nid oedd mwy o bleser ar gael i David a'i chwaer na chael *recital* bach annisgwyl ganddo.

Band Arian yr Emlyn, tua 1938-44. Tommy Enoch, tad David, yn y rhes ganol, y trydydd o'r chwith, yn canu'r corn tenor.

Peidiodd y band â bod pan gaewyd gwaith yr Emlyn yn ofnadwy o sydyn yn 1939, ar drothwy'r Ail Ryfel Byd. Gadawyd gwagle ym mywyd pawb. Diflannodd y wefr i David o gwrdd â'i dad o flaen baddonau'r gwaith ar brynhawn dydd Sadwrn, a mynd yn syth i lawr i Abertawe i weld pêl-droed, neu rygbi. Dyma ddiwedd cyfnod na welir mo'i debyg fyth eto. Dyma adeg hefyd a fu'n ddechrau ar ddirywiad y pentref lle y'i magwyd ef – dirywiad nad yw, hyd yn hyn, wedi'i adfer yn llwyr.

Roedd gan y teulu dipyn o ddiddordeb cyffredinol mewn cerddoriaeth, ac yr oedd piano'n hawlio ei le ym mharlwr eu cartref. Hyfforddwyd David a'i chwaer ar yr offeryn, ac er nad yw'r un ohonynt yn Richard Clayderman, llwyddodd y ddau i gyrraedd safon digon da i gael mwynhad.

Roedd yna berthynas arbennig rhwng David a'i fam. Roedd hi o gymeriad cryf ac yn meddu'r ddawn a'r gallu i sicrhau disgyblaeth a hawlio parch heb godi llais. Yn gynnar yn ei bywyd bu'n forwyn i un o deuluoedd mawreddog Llanelli, a bu effaith yr hyfforddiant a ddaeth i'w rhan yn ystod yr adeg honno'n elfen hanfodol o'r ffordd yr oedd yn trefnu ei chartref. Treuliais i fy hunan oriau lawer ar yr aelwyd, ac ni chofiaf yr un tro na fyddai popeth yn y tŷ'n disgleirio, ac ni welais y bwrdd wedi'i osod yn yr un ffordd ond yn berffaith.

5.

Yr 'Aman Valley County School'; *Pneumoconiosis* ei Dad; a David yn Pregethu yn Un ar Bymtheg Mlwydd Oed

Fel y proffwydodd yr annwyl athrawes, Miss Bevan, ni fu 'paso'r *scholarship*' yn fawr o broblem i David. Derbyniwyd ef yn Ysgol Ramadeg Rhydaman – yr 'Aman Valley County School'. Y flwyddyn oedd 1937, ac ar y pryd roedd yr ysgol o dan ofal y prifathro, D Davies Jones, M.A. Cydnabyddid yr A.V.C.S. yn un o ysgolion blaenllaw de-orllewin Cymru, a bu llawer un a gyrhaeddodd uchelfannau ei yrfa yn ddisgybl yno. Nid hawdd oedd sefydlu yn yr ysgol ar y cyntaf, oherwydd fod yr holl drefn, yn ogystal â mwyafrif y disgyblion eraill, yn ddieithr. Yr oedd yr ymdeimlad o newid mawr yn ddisgwyliedig wrth gymharu'r ysgol â'r awyrgylch fach gartrefol yr oedd wedi ymadael â hi tua mis ynghynt. Tipyn o gamp oedd i unrhyw fachgen ifanc ymgyfarwyddo â'r gyfundrefn newydd.

Rhaid oedd gwisgo *uniform* swyddogol yr ysgol, sef cap a blaser lliw gwinau gydag arwyddlun y Twrch Trwyth mewn lliw melyn arnynt. Roedd yna sgarffiau lliw gwinau a melyn ar gael hefyd, ond nid oeddent yn orfodol. Efallai mai'r hyn oedd yn fwyaf trawiadol a hynod oedd yr olwg gyntaf ar yr athrawon. Roeddent oll wedi'u gwisgo mewn gynau graddio du, ac ar yr olwg gyntaf edrychent fel haid o frain! Brain, yn wir, oedd wastad yn barod i ddisgyn yn sydyn ac yn annisgwyl arnoch a rhoi blas eu tafodau pigog, dysgedig, i unrhyw ddisgybl anffodus, diniwed, am drosedd na fyddai'n aml yn ymwybodol ohono. Roedd y rhain yn gwybod sut i rwygo teimladau y rhai gorhyderus.

Yn ystod y dydd, distawrwydd a deyrnasai yn yr ysgol. Rhaid oedd i bawb, cyn mentro i'r dosbarth, ddiosg eu hesgidiau a newid i esgidiau ysgafn – *daps* fel y'u gelwid. Gwae'r un a dorrai'r rheol, oherwydd byddai Gofalwr yr ysgol yn gwneud yn berffaith sicr na wnâi hynny'r ail waith. Y Gofalwr oedd David Griffiths, a oedd yn fwy adnabyddus o dan ei enw barddol, Amanwy. Roedd yn frawd, hefyd, i Ysgrifennydd Gwladol cyntaf Cymru, sef James Griffiths.

Yn y man, ymgyfarwyddo â'r cyfan a wnaeth David, ac os bu yna rywun yn ei elfen erioed, David oedd hwnnw. Suddodd yn gyfan gwbl i mewn i'r awyrgylch addysgol. Ar ddiwedd tymor cynhaliwyd *Terminals* yr ysgol – math o arholiadau mewnol i werthuso cynnydd y disgyblion. Roedd y *Terminals* hefyd yn gystadleuaeth rhwng y disgyblion. Rhaid oedd cael cyfartaledd o farciau da, a hynny a benderfynai pwy oedd ar frig y dosbarth. Yr oedd llawer o nosweithiau hwyr yn cael eu treulio yn 'swatio' cyn yr arholiadau, ac yr oedd nifer helaeth o'r disgyblion yn encilio am wythnos neu ddwy cyn y *Terminals*. Anodd cael cystadleuaeth fwy awchus na'r un rhwng David a'i ffrind mawr, Heulwyn Davies. Byddai'r naill neu'r llall ar y brig o hyd.

Os bu ffrindiau erioed, dyma ddau. Maent wedi cadw'n gyfeillion drwy'r blynyddoedd. Brodor o bentref Tŷ-croes, ger Rhydaman, yw Heulwyn, ac roedd ei deulu yn berchen ar gwmni bws. Hoffai David ymweld â chartref ei ffrind, a threuliai lawer o amser yno, ac yr oedd bob amser yn derbyn croeso o'r galon. Dyna fan lle'r oedd pwyslais mawr ar addysg, ac yr oedd yno lyfrgell dda. Yr oedd yna ddiddordeb mawr, hefyd, yn y gêm rygbi. Nid oedd Heulwyn yn chwaraewr i'w ddiystyru mewn unrhyw ffordd, ond roedd ei frawd hynaf, Huw Lloyd Davies, yn chwaraewr o safon. Bu'n cynrychioli Prifysgol Caergrawnt, a chafodd y fraint o fod yn 'Cambridge Blue'. Dewiswyd ef hefyd i gynrychioli Cymru ar lefel ieuenctid.

Aeth y ddwy flynedd gyntaf heibio yn yr ysgol yn hapus ac yn llwyddiannus, ond roedd cyfnod tra gwahanol ar y gorwel. Dros Ewrop roedd cymylau duon yn bygwth troi'n storm pan ddaru'r Almaen ollwng ei grym milwrol yn rhydd a sengi dros Wlad Pwyl, er gwaethaf gwrthdystiad Prydain Fawr ac eraill, a wnaethant eu gorau glas i gadw'r heddwch. Doedd yna fawr o ddewis, felly, gan Brydain ond codi yn erbyn yr Almaen a mynd i ryfel, gan obeithio dinistrio a chwalu'r athrawiaeth Natsïaidd a'i chefnogwyr, rhag iddynt lwyddo i reoli'r byd, oherwydd dyna oedd eu hamcan.

Effeithiodd y digwyddiadau hyn ar bawb a phopeth, a bu newidiadau sylweddol ar holl drefn yr ysgol. Y canlyniad fu colli nifer o athrawon da a phrofiadol am eu bod wedi eu gorfodi i ymuno â'r lluoedd arfog. Ni wnaeth hyn wella safonau'r ysgol, oherwydd, gyda phob parch, nid oedd yr athrawon a benodwyd yn eu lle yn ddim byd tebyg eu dawn. Yn wir, oni bai fod yna fywyn o'r athrawon gwreiddiol ar ôl, fe fyddai safonau wedi disgyn yn llawer mwy nag y gwnaethant.

Bu David felly'n rhan o'r terfysg hwn ac yn gorfod ymdopi â'r sefyllfa, fel yr oeddem ni oll. Rhaid oedd cario *gas mask* i'r ysgol bob dydd, yn ychwanegol at y bag ysgol a oedd yn drwm gan y math o lyfrgell fechan oedd yn hanfodol i'w chario ar gyfer y gwersi. Mae'n rhyfedd sut roedd yr hen fag yn dal, gan ei fod yn rhwygo wrth y gwnïad o dan y pwysau. Nid mor hawdd oedd canolbwyntio ar astudio, chwaith, am fod *double summertime* mewn bodolaeth, ac yr oedd yn olau yn hwyr. Yn ddyddiol roedd yn rhaid cymryd rhan yn yr ymarfer cyrch awyr a ddigwyddai heb rybudd yng nghanol gwers. Roedd pawb yn gorfod llusgo'r desgiau at ei gilydd ac ymguddio danynt nes cael yr *all-clear*. Yr oedd yr holl beth yn ymyrryd yn barhaol ar ganolbwyntio.

Ni fu dyfodiad y Roan School, ysgol oedd wedi gorfod ymgilio'n gyfan gwbl o Lundain o achos y bomio, o lawer o gymorth i'r ysgol yn Rhydaman chwaith. Yr oedd eu presenoldeb niferus yn amharu gryn dipyn ar amserlen y dydd, oherwydd rhaid oedd darparu ar gyfer anghenion ysgol fawr arall o dan yr un to. Creodd hyn lawer o anawsterau i'r athrawon; ond i fod yn deg, ac ystyried y cyfan, roedd yn glod iddynt fod pethau wedi mynd rhagddynt cystal. Dim ond rhyw unwaith y bu anghydfod difrifol rhwng disgyblion y ddwy ysgol, a hynny pan ysgrifennodd dau o ddisgyblion y Roan School erthygl yn y papur lleol, gan ddweud sut dwll tawel, anniddorol a digyffro oedd Rhydaman. Addawent eu bod am ddihuno'r boblogaeth â chlychau a *hooters* eu beiciau. Dyna fe, mae yna ddiawled dwl ac anniolchgar ym mhob carfan. Fu hi ddim yn hir cyn i'r ddau hyn anghofio am y croeso a'r derbyniad cynnes a gawsant gan drigolion y dref. Buont yn ofnadwy o lwcus fod yr athrawon wedi teimlo'r tyndra ar hyd coridorau'r ysgol, neu fe fyddai wedi bod yn llawer gwaeth iddynt nag y bu. Roedd *battle lines* bechgyn y Twrch Trwyth wedi'u ffurfio'n barod i'r frwydr fawr!

Drwy'r cwbl, aethpwyd ymlaen ag addysg y disgyblion, a pharhau i lwyddo wnaeth David. Da ei fod yn berchen ar yr union ddawn yr amser hwnnw ag sydd ganddo heddiw, sef ei fod yn medru anwybyddu beth bynnag a ddigwydd o'i amgylch a chanolbwyntio ar yr hyn oedd raid.

Nid calonogol iddo chwaith yn y cyfnod hwn oedd bod yr amgylchiadau yn ei gartref wedi newid, ac yn achosi llawer o bryder iddo. Roedd iechyd ei dad yn dechrau dirywio am fod arno'r clefyd cynyddol niwmoconiosis, 'clefyd y llwch', effaith blynyddoedd o weithio o dan y ddaear yn ardal y glo caled. Doedd yna ddim dathlu mewn un teulu wrth sylweddoli bod y prif – yn wir, yr unig – enillwr bara yn dioddef gan y clefyd. Gŵyr pawb taw dedfryd marwolaeth araf oedd y peth trychinebus hwn. Doedd dim i'w wneud ond dal ati orau y gallai.

Daliai David i fynychu'r capel, ac yr oedd ei ddiddordeb yn cynyddu'n barhaol, gan fod â rhan sylweddol yn yr hyn a ddigwyddai. Yr oedd ei frwdfrydedd am bethau Cristnogol bron yn unigryw i fachgen o'i oedran ef, ac yr wyf yn credu taw teg yw dweud ei fod wedi'i argyhoeddi, oherwydd yr oedd yn gredwr ansigladwy yn ei Waredwr.

Dysgodd lawer yn y cyfarfodydd ganol wythnos a chyrddau gweddi – yn ifanc yng nghanol cewri gwybodus y Ffydd. Drwy wrando ar yr esboniadau a'r dadlau, dysgodd am bethau sylfaenol yr Efengyl, a bu hyn yn gymorth iddo yn nes ymlaen yn ei fywyd wrth astudio'r Ysgrythur a pharatoi ei bregethau.

Pan oedd yn 16 oed, fe ddaeth yna alwad annisgwyl iddo i bregethu'n gyhoeddus am y tro cyntaf. Y rheswm oedd bod un o ddiaconiaid y capel wedi methu â chyflawni addewid i bregethu'r Sul yng nghapel bach Llwynyronnen, ym mhentref Trap, ger Castell Carreg Cennen, am ei fod yn anhwylus. Roedd yr hen ŵr yn gwybod am allu a dawn David, ac ni roddodd ailfeddwl am ofyn iddo lenwi ei le. Rhybudd go brin a gafodd, ond pan ddywedodd wrth ei rieni am y gofyniad, roeddent yn llawn balchder. Ar yr un pryd roeddent braidd yn bryderus, nid am ei allu i gwrdd â'r gwahoddiad, ond am fod y daith i'r capel yn unig ac yn bellter o saith milltir o'i gartref, a'r unig ffordd i gyrraedd y lle oedd naill ai cerdded neu fynd ar gefn beic. Y cwestiwn nawr oedd i bwy i ofyn i fynd gyda David yn gwmni. Ar ôl trin a thrafod, penderfynwyd gofyn i mi, ac felly y bu. Wynebwyd fi yn awr gan broblem arall, oherwydd nid oedd gennyf feic, ond daeth ateb i'r broblem wrth i mi gael benthyg beic ei chwaer. Carreg filltir yn hanes y ddau ohonom oedd y bore Sul hwnnw, oherwydd hwn oedd achlysur ei bregeth gyhoeddus gyntaf. Roedd hefyd yn gychwyn ar berthynas agos rhyngom.

Felly dechreuwyd ar y daith i'r hen gapel. Roedd y siwrnai'n hwylus ar y cyfan, heblaw am damaid o bryder wrth deimlo fel petaem yn cymryd cam i'r anwybod. O'r diwedd, cyrraedd y cysegrfan, ac ar ôl dodi'r beics yn ddiogel, diosg ein capiau ysgol a mynd i mewn. Darfu inni eistedd yn y sêt gefn, chwarae teg: doedd yr un ohonom ni'n hollol siŵr beth i'w wneud. Roedd yr amser i'r cyfarfod ddechrau yn agosáu a'r gynulleidfa yn edrych ar ei gilydd ac arnom ni (y dieithriaid), ond yn fwy na dim yn cadw llygad ar y pulpud gwag, gan feddwl yn ddiau nad oedd y pregethwr am y Sul am ymddangos. Trodd David ataf a dweud: 'Well i fi fynd ymlaen a chyflwyno fy hunan, a'u dodi i ddeall taw fi fydd yn arwain y gwasanaeth'. 'Ie, ie', medde fi, 'cer ymlaen, fydd hi'n O.K.'

Wrth gwrs, roedd fy nerfau i yn eithaf da, heb ddim gofid o gwbl, ond gan David yr oedd yr her – dyna i chwi bartner! O'r diwedd, ymlaen yr aeth i'w gyflwyno ei hun. Wel, os bu'r ffyddloniaid wedi eu siomi wrth feddwl nad oedd yna bregethwr, fe fuont bron â llewygu wrth iddi ddod yn eglur taw un o'r bois oedd yn eistedd yn y sêt gefn, a'u capiau ysgol yn eu crynedig ddwylo, oedd i ofalu am yr oedfa. Anghofiaf fi fyth am David yn esgyn i'r pulpud ac yn edrych mor ieuanc ac archolladwy.

Y testun a ddewisodd oedd: 'Pa fodd y glanha llanc ei lwybr?' Ni fu yn hir nes i unrhyw amheuon oedd gan y gynulleidfa ddiflannu'n llwyr wrth iddynt wrando ar bregeth drawiadol ar y testun, a chael eu denu gan ddawn gŵr mor ifanc. Cawsant wledd, a mawr fu eu diolch a'u canmoliaeth. Dyma'r fflam fach gyntaf a chwythwyd yn ysgafn gan awel gras nes datblygu dros y blynyddoedd i fod yn dân yn y galon.

Teimlodd fod y bore wedi bod yn llwyddiannus iawn, ac yr oedd yn galondid iddo ei fod wedi cael derbyniad mor dda. Swil iawn oeddwn yn derbyn y gwahoddiad i fynd i ginio gyda'r sawl oedd yn gyfrifol am 'gadw'r mis', fel y dywedir. Parha'r atgofion am y profiad gyda mi. Gwraig o'r enw Miss Price oedd yn gyfrifol am lenwi bol y pregethwr gwadd ar y pryd. Hi oedd perchennog y Cennen Arms. Fe'n derbyniwyd ni i'r gegin orau, wrth gwrs. Yno roedd y cyfan wedi ei arlwyo yn ddigon da i foddhau brenin, a chawsom ginio bendigedig. Profiad hollol newydd oedd yr holl beth i ni, ac yr oeddem ar ambell eiliad yn ymladd i fygu pwl o chwerthin a godai fel ton drosom, nid am ein bod yn anghwrtais, ond am ein bod dipyn yn swil ym mhresenoldeb y forwyn, oedd drwy ein llygaid ni yn un o'r merched pertaf yr oeddem wedi ei gweld erioed. Byr, yn wir, oedd parhad y pleser anghysurus hwn, oherwydd nid oedd yna lawer o lol yn perthyn i'r hen wraig garedig oedd wedi paratoi'r cinio. Yn ei phresenoldeb nid oedd ymddwyn yn weddus yn fawr o broblem. Digon cyffredin heddiw yw mynd allan i dafarn foethus am ginio dydd Sul. Tybed a oeddem ni'n dau ymhlith y rhai cyntaf i brofi hyn? Dydd Sul bythgofiadwy – y bregeth gyhoeddus gyntaf, yn ogystal â bwyta allan. Gwir garreg filltir.

6.

Dringo Ysgol Byd Addysg, a Drws Arall yn Agor

Trymhau oedd y gwaith ysgol erbyn hyn am fod arholiad pwysig y Central Welsh Board, y 'Senior' fel y'i gelwid, yn agosáu. Roedd yn arholiad allweddol yng ngyrfa'r disgyblion, oherwydd byddai llwyddiant yn hawlio braint mynd ymlaen i addysg bellach. Yna, ymhen dwy flynedd, byddai'n caniatáu i'r disgybl eistedd arholiad yr 'Higher', a thrwy hynny gael y cyfle i fynd i brifysgol. Prin, felly, oedd yr amser i hamddena. Rhaid oedd canolbwyntio a rhoi'r holl fryd ar yr hyn oedd yn hanfodol i'w astudio. Golygai hyn lawer o waith a fu'n aml yn mynd ymlaen hyd oriau mân y bore.

Arferai David roi nodiadau ar ddarnau o bapur wrth astudio, a thueddai'r darnau i fynd ar wasgar. Weithiau, pan ddewisai gymryd awr neu ddwy o seibiant, roedd siawns i'w fam lanhau a thacluso tipyn ar yr annibendod yn yr ystafell astudio. Byddai Mam, felly, yn hollol ddiniwed, ambell dro yn taflu rhyw damed o bapur crimpiog a wir gredai nad oedd yn ddim mwy na thamed o sbwriel diwerth. Fodd bynnag, yn hwyr neu'n hwyrach, roedd David yn siŵr o ofyn am y darn pwysig: 'Mam, ydych chi wedi gweld pishyn o bapur oedd ar ben hwn a hwn?' Teimlai Mam druan yn poeni'n ofnadwy am nad oedd wedi sylweddoli pwysigrwydd yr hen grimpyn estron. 'Wel, Davy bach, ôn i'n meddwl taw *rubbish* oedd e.' Parha'r arferiad o nodi ar ddarnau o bapur ganddo o hyd, a phryd bynnag y bydd rhyw gyfarfod neu gynhadledd gwelir ef yn ysgriblo ar ddarn o bapur rywbeth sy'n hollol annealladwy i bawb arall.

Canlyniad a gwobr yr ymdrech oedd iddo lwyddo'n eithriadol yn arholiad y 'Senior' a chael 'Exemption from Matriculation'. Pen y gamp fu cael y Matric, felly roedd y cam cyntaf drosodd.

Cafodd rywfaint o amser i ymlacio nawr dros wyliau'r haf, ac i benderfynu pa bynciau i'w cymryd ar gyfer yr 'Higher'. Yr oedd erbyn hyn wedi dewis mai'r weinidogaeth oedd ei ddyfodol, ac yr oedd ei astudio o hyn ymlaen wedi'i drefnu gyda hyn mewn golwg. Felly'r dewis fu Saesneg, Cymraeg a Hanes. Yr oedd yna un rhwystr – rhaid oedd cyrraedd y safon briodol mewn Groeg cyn cael mynediad i goleg diwinyddol. Y canlyniad fu iddo ddilyn cwrs cryno, ac unwaith yn rhagor, llwyddodd i gyrraedd y nod, heb lawer o drafferth.

6ed dosbarth Ysgol Ramadeg Rhydaman, 1943. Gwelir David yn y
rhes uchaf, y cyntaf ar y dde.

Daeth gwyliau'r haf i ben a mis Medi'n agosáu, pryd y dychwelwyd i'r ysgol i
'Form Six', a chael y fraint o eistedd yn llofft neuadd gynulliad yr ysgol yn ystod yr
'Assembly' boreol. Teimlodd, fel rhai o'i gyd-ddisgyblion a oedd wedi cyrraedd yr
uchelfan yma, y newid oedd yn naws yr ysgol. Yr oedd yr athrawon yn awr yn
ymagweddu'n wahanol iawn at eu disgyblion. Efallai fod y ddwy garfan yn
ymwybodol fod y berthynas wedi aeddfedu. Ar yr un llaw, y disgyblion yn

sylweddoli bod yr athrawon, drwy'r cwbl, yn ddynol; ac ar y llaw arall, yr athrawon yn sylweddoli bod yna rywfaint o synnwyr yn y disgyblion, ac ar yr un pryd yn ymfalchïo bod eu hymdrechion dros y pedair blynedd a aeth heibio wedi dwyn ffrwyth o'r diwedd. Cyfnod hapus iawn oedd hwn, ac roedd hi'n llawer haws canolbwyntio oherwydd y gostyngiad yn nifer y dosbarth a'r ffaith fod llawer mwy o amser rhydd i astudio. Paratoad cyflawn yn barod at y brifysgol. Roedd y gwenith wedi'i wahaniaethu oddi wrth y mân us erbyn hyn. Roedd y gred a'r ffydd a fu'n perthyn iddo ers yn fachgen yn dylanwadu arno o hyd, ac nid oedd ganddo un amheuaeth mai gwasanaethu ei Waredwr oedd ei ran. Daeth diwedd ar ei gyfnod yn yr ysgol ar ôl llwyddiant yn arholiad yr 'Higher'.

Yr oedd y ffordd nawr yn glir o'i flaen. Safodd yr arholiad i fynd i Goleg Coffa Aberhonddu. Bu ei lwyddiant yn yr arholiad yn rhagorol, ac yr oedd yn bleser iddo ddod i ddeall ei fod ar frig rhestr yr ymgeiswyr a'i fod wedi cael y fraint o dderbyn Ysgoloriaeth Dewi Medi. Edrychai ymlaen at ddechrau ei yrfa yn y coleg a'r fraint o astudio yn y maes oedd agosaf at ei galon.

Ond daeth tro ar fyd. Yn hollol annisgwyl, derbyniodd lythyr oddi wrth y Brenin yn ei orchymyn i ymuno â'r lluoedd arfog. Dyna ddigwyddiad nad oedd yn ddim llai na thrychineb i'r teulu cyfan. Roedd pawb o dan yr argraff y byddai o leiaf wedi cael caniatâd i fynd i'r coleg i orffen ei addysg. Nid anghofia tra bo fyw ei deimlad ar y bore hwnnw pan agorodd yr amlen oedd yn cynnwys y 'Calling-up Papers'. Hyn a barodd newid tro ar ei obeithion ac, yn y pen draw, ar ei fywyd. 'Pam fi?' meddai wrth ei rieni, ond nid oedd ganddynt ateb i leddfu'r loes. Yr oeddent hwythau hefyd wedi eu hysigo gan y newydd; ond dyna fe, ni all neb warantu beth a ddaw i'w ran o un dydd i'r llall yn ystod taith gymhleth bywyd. Rhyfedd fod breuddwydion ac uchelgeisiau'n medru cael eu dryllio mor rhwydd gan estroniaid difater, heb un meddwl am y canlyniadau.

7.

O Gartref Cariadus i Wersyll Milwrol

Bu'n anodd iawn iddo ddod i delerau a'i gymodi ei hun â'r alwad i'r lluoedd arfog, ond, fel llawer tro yn y gorffennol, galluogodd ei gymeriad ef i dderbyn yr her ac i edrych ar y peth fel ysbaid o anhawster nad oedd ond yn un peth arall i'w orchfygu. Doedd yna fawr o rybudd, a phrin oedd yr amser i baratoi am y diwrnod y byddai'n rhaid iddo ffarwelio â'i deulu cariadus a chychwyn ar y daith i Groesoswallt i ymuno â'r fyddin yng Ngwersyll Milwrol Park Hall, Tachwedd 1944, ac yntau'n ddeunaw mlwydd oed.

Roedd yna nifer o fechgyn eraill yn cael eu galw lan ar yr adeg yma, ond, yn rhyfedd, daeth y teulu i wybod bod yna un o Lanymddyfri wedi cael yr alwad i ymuno ar yr un diwrnod ac i'r un lle. Daeth i ddeall, ar ôl tipyn o holi, taw gŵr o'r enw John James ydoedd, a'i fod yn glerc cyfreithiwr yn y dref. Mab ydoedd i John a Mary James o bentref bach Cynghordy, lle'r oedd Mr James yn orsaf-feistr gyda'r LMS. I glustiau David, oedd newydd ymadael â'r ysgol, roedd y John James yma'n swnio'n glempyn o ddyn, ac yr oedd meddwl am gyd-deithio yng nghwmni hwn yn peri mwy o anghysur iddo na drychiolaeth Croesoswallt.

Gwawrio wnaeth y diwrnod anorfod, a'r oriau di-ball fel petaent yn diflannu o un i un yn llawer cyflymach na'r arfer. Oriau oedd yn carlamu at yr amser penodedig. O'r diwedd, daeth yr awr iddo orfod ffarwelio â'i deulu dagreuol. Ymadawodd i orsaf Llandybïe ar y rheilffordd a elwir nawr yn Rheilffordd Calon Cymru. Yn Llanymddyfri cwrddodd â'i gyd-deithiwr, John James, a oedd yn cael ei hebrwng gan ei rieni. Ar ôl y cyflwyno a'r setlo, daeth yn amlwg i David fod rhieni John wedi dewis aros yn gwmni iddynt hyd at Amwythig. Nid oedd y rhai hyn yn bwriadu gollwng golwg na gafael ar eu hunig-anedig hyd at yr eithaf. Cymerodd rhieni John serch at David ar eu hunion, ac fe daflodd y fam ei hadain gysgodol amdano ar unwaith. Dyma nhw, dau lanc oedd hyd yma wedi cael pob gofal annwyl, ar y ffordd i ... beth?

Mewn rhyw ddwy awr, cyrhaeddodd y trên Amwythig. Arswyd mawr! Roedd y lle'n morio o filwyr. Dadwrdd a deyrnasai yno. Ond drwy'r holl fwrlwm a'r ffwdan, roedd hen bennau'r tad a'r fam yn diystyru'r cyfan ac yn canolbwyntio ar fater pwysig canfod lle i gael cinio. Ni wnâi unrhyw beth y tro, dim ond y gorau oedd i fod i'r bois bach. Ar ôl crwydro a chwilio am beth amser, daethpwyd o hyd i westy moethus, yn siŵr un o'r rhai mwyaf moethus yn y dref.

O dipyn i beth, i mewn i'r gwesty yr aeth y parti bach. Wel, os mynd i'w chanol hi – mynd yn gyfan gwbl! Roedd y lle'n orlawn o swyddogion milwrol, ac yr oedd yna fwy o *bips* ar ddangos nag a welwyd mewn tunnell o orenau! Yn sicr, fe allwn ddychmygu'r olygfa: Mr James, y tad gweddol oedrannus, dyn tal a'i het galed, ddu yn eistedd yn syth ar ei ben, a'r fam ffwdanus yn arwain y ddau lanc drwy'r 'rhengoedd uwch'. Y ddau ŵr ifanc, druan â nhw, yn teimlo'n agored ac yn noeth. Y ddau ohonynt yn gweddïo'n dawel am i'r ddaear eu llyncu. Doedd yna fawr o esmwythâd yn debygol o ddod i'w rhan chwaith, oherwydd gwelai'r fam annwyl bawb yn ffrind ac yr oedd yn frwdfrydig yn ei balchder i roi gwybod i bob swyddog o fewn cyrraedd a chlyw: 'The little boys are joining the army'. Mae'r profiad rhyfedd, diniwed yma mor fyw yng nghof David nawr ag yr oedd hanner can mlynedd yn ôl. Ond ar ddiwedd dydd, diolch am ofal a haelioni Mr a Mrs James, gŵr a gwraig garedig dros ben a roddodd iddynt y gorau posibl. Nid anghofia David byth eu caredigrwydd diddiwedd.

Efallai na ddylaswn fod wedi defnyddio'r gair 'diddiwedd' oherwydd doedd hyn ddim yn ddiwedd o bell ffordd. Rhaid oedd dychwelyd i'r orsaf er mwyn cael cludiant pellach i Groesoswallt. Dyma hi eto, pobman yn llifo o filwyr, llawer ohonynt yn yr un sefyllfa â David a John. Y fam hefyd yn yr union un sefyllfa yn parhau i hysbysu'n gyhoeddus: 'The little boys are joining the army'. O'r diwedd, y ddau lanc yn byrddio'r trên a ymadawodd â'r orsaf yn araf, fel creadur o'r gofod oedd â channoedd o lygaid a breichiau ar ei gorff hir, troellog. Pob braich yn arwyddo ffarwél i wynebau adnabyddus hoff oedd yn lleihau pob eiliad nes diflannu yn y mwg a'r pellter. David a John bellach yn teimlo'n unig iawn yng nghanol torf.

Yn dilyn y dadlwytho yn y gwersyll yng Nghroesoswallt daeth y ddau yn gyfeillgar â newyddian arall. Eirwyn Moses oedd ef, gŵr o Frynaman. Dros amser tyfodd perthynas agos rhwng y tri – perthynas a fu'n llawer iawn o gymorth iddynt yn y gwersyll. Nid oedd gan David unrhyw ddiddordeb yng ngweithgareddau'r gwersyll. Doedd e ddim am fod yno, dim ond o dan orfodaeth y gwnaeth bopeth – doedd ei galon ddim yno. Felly roedd y cyfeillgarwch rhwng y tri'n ddefnyddiol, oherwydd os byddai'r naill yn casáu rhyw dasg, roedd y llall yn ei chyflawni yn ei le. Er enghraifft, ni hoffai David drafod reiffl o gwbl, ac roedd y dasg o'i thrwsio a'i glanhau'n atgas ganddo; hefyd gwnïo botwm, neu newid rhyw bilyn o ddillad oedd ddim yn ffitio'n iawn. John oedd y boi am wneud y pethau hyn, ac oni bai amdano byddai David wedi bod ar *charge* fwy nag unwaith. David yn ei dro yn cyfrannu at yr achos drwy ofalu am waith papur, ffurflenni, rheolau a llwydd ei gyfeillion. Roedd y ddealltwriaeth felly'n gwneud y cyfan yn llawer haws ac yn fwy goddefol iddynt drwy gyfnod dechreuol yr hyfforddiant sylfaenol.

Diolch i'r drefn, roedd y tri chyfaill wedi dod, mwy neu lai, o'r un cefndir. Y tri wedi eu magu ar aelwydydd syml ac wedi arfer mynychu addolfa a chadw'r Sul erioed. Chwarae teg iddynt, er gorfod gwneud amryw bethau oedd yn wrthwynebol i'w magwraeth, parhaodd y tri i barchu'r Sul ac i fynd i gapel os oedd cyfle. Am yr arferiad hwn, purdeb eu hiaith a'u hymddygiad yn amlwg yn y gwersyll, cyfeiriwyd atynt fel 'The Holy Trinity'!

Bu David yng Nghroesoswallt am chwe wythnos cyn iddo gael ei symud i Norton Barracks yng Nghaerwrangon. Yma trawyd ei ddau gyfaill yn sâl gan y dwymyn goch. Yno y gwahanwyd y tri. Trosglwyddwyd David i Scarborough am ymarfer pellach, ac o dipyn i beth aeth ymlaen i Ilkley yn Swydd Efrog i ymuno â chatrawd y Royal Signals. Hyd yma parhau oedd ei ddiflastod am ei sefyllfa, a hiraethai'n fawr am y gorffennol ac am y cyfle oedd wedi'i gipio oddi arno, ac yntau yn methu â gwneud dim am hynny.

Beth bynnag, i bob cwmwl du mae yna leinin arian, ac yn Ilkley y dechreuodd gael rhywfaint o fwynhad ar ei fywyd yn y fyddin. Un rheswm am hyn oedd ei fod wedi'i ddewis i gyfranogi yn yr hyn a elwid yn 'Cipher Engaged Intellectual Exercise'. Boddhad oedd y math yma o her iddo, oherwydd dyma beth oedd yn ymestyn y meddwl ac yn gofyn am ddeallusrwydd oedd yn llawer uwch na'r cyffredin. Yn ogystal â hyn, roedd yn gyfle i dreulio llawer mwy o amser allan o wisg swyddogol y fyddin. Yr oedd yn ei elfen wrth iddo ymgymryd â gwaith cyfrinachol y *decoding*. Gwnaeth yn hynod o dda yma, ac fe'i dyrchafwyd i'w radd gyntaf yn y fyddin, sef Lance Corporal 143270 Enoch. Ymfalchïodd yn y ffaith iddo lwyddo i gyrraedd gradd AX – 'Top Army general marks'. Ni fu lawer o amser wedi hyn nes iddo gael mynd adref ar ei '*leave*' cyntaf. Edrychai ymlaen at gael dychwelyd i'w gartref, ond nid oedd yn edrych ymlaen at ddweud wrth ei deulu taw 'Embarkation Leave' o 60 awr ydoedd.

Yr oedd ei deulu bron â methu aros i'w groesawu ac yn pryderu sut i fynd i'w gwrdd i orsaf Llandybïe. Nid oedd yna lawer o geir ar gael yr adeg honno, a bid siŵr nid oeddent yn hapus iddo orfod cerdded tua 3 milltir ar ôl cyrraedd. Wedi tipyn o grafu pen, cafodd ei dad weledigaeth. 'Gofynnwn', meddai, 'i Mr Richards sy'n gweithio i fwrdd trydan Llanelli. Ef yw'r unig un sydd â chludiant yn agos i ni.' Felly y bu. Yr oedd 'Richards y Golau' yn hollol fodlon defnyddio ei fan i nôl David, a daeth yntau adref yn ddiogel – yn ôl gartref am y tro cyntaf ers ymuno â'r fyddin.

8.

O Ben-y-groes i'r India Bell: Bywyd a Phrofiadau Milwr

'Mae fy llwybr ar goll, mae fy nghamau troellog yn crwydro.
Ni allaf fynd yn ddiogel nac aros ychwaith.
Am bwy y chwiliaf ond Tydi, fy llwybr a'm ffordd?'

Yr oedd y newydd fod David yn cael ei ddanfon i India yn drist ac yn dorcalonnus i'w deulu. Doedd yna ddim llawer o amser chwaith i ddod i delerau gyda'r peth. Roedd ymadawiad David yn llawer mwy diflas iddynt na'r tro cyntaf.

Nid oedd gan David gof hapus iawn am ei ymadawiad o Lerpwl ar long fawr yr oedd arni fwy o filwyr nag oedd o le. Doedd yna ddim llawer o obaith am ymlacio na chael gafael mewn man gweddol gysurus i orffwys. Tri deg a phedwar diwrnod diflas a digysur dros ben a dreuliwyd ar y llong. Terfynodd y fordaith mewn lle o'r enw Mhow, ger Indore, tua dau gan milltir i'r gogledd-ddwyrain o Bombay. Yr oedd Mhow yn ganolfan filwrol ac yn wersyll dros dro i filwyr cyn eu danfon i wersylloedd eraill.

Danfonwyd David i le o'r enw Razmak, tua chwe chan milltir i'r gogledd o Mhow, a thua chan milltir a hanner o Lahore. Dyma, yn wir, oedd ardal o anialwch ar ffin Affganistan, yn yr enwog North West Frontier. Razmak oedd y lle mwyaf gogleddol oedd yn safle milwrol gan luoedd arfog Prydain Fawr.

Mangre goch oedd y lle uffernol hwn i fab ieuanc glöwr o Ben-y-groes ddisgyn iddo. Terfysglyd ofnadwy oedd hi yn y fan yma, ac roedd yna ryw ysgarmes byth a beunydd rhwng y milwyr Prydeinig a milwyr Faqir Ipi, a oedd yn rheoli ffin Affganistan. Lle peryglus iawn i fod ynddo yng nghanol yr holl anghydfod: gallasai rhywbeth ddigwydd yn ddirybudd unrhyw bryd. Nid oedd yn ddiogel dod i mewn na mynd allan o gyffiniau Razmak, dim ond ar y dyddiau oedd wedi eu penodi o flaen llaw – '*Road open days*', fel y'u gelwid. Dyma'r diwrnodau pryd byddai milwyr a drylliau'r R.O.D. o garsiwn Var yn Bannu yn dod i warchod y ffordd rhag ymosodiadau lluoedd y Faqir. Un tro roedd yna grŵp o filwyr, a David yn eu plith, wedi eu danfon ar wyliadwriaeth mewn wagen filwrol, ac ar ôl tipyn o amser wedi dewis aros am seibiant bach ac i ryfeddu at yr olygfa o'u hamgylch. Yr oedd David wedi ei syfrdanu wrth iddo edrych ar yr olygfa anhygoel o'r anialwch a mawredd yr Himalayas. Anodd yw disgrifio'r teimlad a gododd ynddo. Dywedodd wrthyf nad oedd erioed wedi teimlo mor fach ac archolladwy, ond hefyd, ar yr un pryd, yn agos at ei Greawdwr yn yr unigrwydd.

Nid yw'n bosibl anwybyddu'r profiad dwys a ddaeth i'w ran yn y lle rhyfedd hwn. Mae yna adegau, beth bynnag fo agwedd y corff, pryd y mae'r ysbryd ar ei bengliniau. Dyn yn cael ei daro'n fud wrth gael golwg, fel petai, ar y dechrau a'r diwedd, a'i holl ysbryd yn gytûn â'r Anfeidrol. David yma, a'i holl berson yn cofleidio'r mawredd a'r Hwn a'i creodd.

Gwaetha'r modd, byr fu parhad yr amser tawel, cyn i'r heddwch gael ei ddinistrio gan lais yn gweiddi: 'Get back into the truck – now'. Roedd y brys yn y llais yn ddigon. Nid oedd yna ddim amser i oedi. Amser o gyfyngder ydoedd oherwydd fod yna ryw saethwyr dichellgar yn tanio atynt o'u llinellau cudd. Yn ffodus, y tro hwn, nid anafwyd neb; ond yr oedd yn alwad digon agos.

Er gwaethaf yr holl helyntion a'r peryglon cyson, ac er bod y gwersyll hefyd yn fath o ragorsaf i'r uned signalau, yn groes i'r disgwyl, nid oedd David yn anhapus yno. Y prif reswm am hyn oedd bod cadlywydd y gwersyll, gŵr o'r enw Captain Gerrard, yn cadw uned hapus, diolch yn bennaf i'w bersonoliaeth siriol. Yr oedd hyn yn gwneud gwahaniaeth mawr i agwedd pawb. Nodweddiadol yn Ramzak oedd bod yno ôl traed sêr adloniant y byd wedi'u bwrw mewn sment er mwyn cofnodi eu hymweliad â'r gwersyll i ddiddanu'r milwyr. Annioddefol bron oedd y gwres llethol yn y rhan hon o'r byd. Angenrheidiol oedd gorffwys yn y prynhawn, a gwae'r un na wnâi hynny, oherwydd fod y canlyniadau'n erchyll.

Yn ôl ei arfer, defnyddiai David gymaint o amser hamdden ag oedd ar gael i ddarllen ei Destament a chyfansoddi pregethau – hyn o hyd oedd ei hyfrydwch. Rhaid nodi hefyd ei fod yn ei gadw ei hun yn heini, a chymerai ran ym mhob math o chwaraeon yn y gwersyll.

Yn ystod ei amser yn Razmak cyfarfu â milwr o'r enw Corporal Evans, brodor o Sir Benfro. Uchelgais Corporal Evans oedd cael comisiwn yn y fyddin Brydeinig – yn wir yr oedd yn obsesiwn ganddo. Fe wnaeth gais i gael cyfweliad gyda'r War Office Selection Board. Gofynnodd Captain Gerrard i David a fyddai ef yn fodlon ystyried hynny hefyd. Ateb David, yn y lle cyntaf, oedd yr un fath ag y bu droeon o'r blaen pan fyddai'n cael ei holi am ei ddyfodol yn y fyddin, a hynny oedd datgan yn glir nad oedd ganddo'r un gronyn o ddiddordeb ac mai ei unig ddymuniad oedd ymadael cyn gynted â phosibl a dychwelyd i'r coleg.

Dal ymlaen i drafod y pwnc wnaeth Captain Gerrard. Yn ddiau yr oedd yn dipyn o seicolegwr, ac yn y diwedd llwyddodd i gael perswâd ar David i ymuno gyda Chorporal Evans fel cwmni iddo. Roedd y Capten, heb os, wedi adnabod potensial, ac ar yr un pryd roedd yn ddigon cyfrwys i roi lle i hyn ddatblygu o dan nawdd y fyddin. Y canlyniad fu i'r ddau dderbyn gwahoddiad i un o'r academïau milwrol mwyaf blaenllaw yn yr India, sef Dehra Dun, tua chan milltir i'r gogledd o Delhi, er mwyn cael profion i ddarganfod eu haddasrwydd i fod yn Swyddogion.

I gyrraedd Dehra Dun yr oedd yna daith ofnadwy o'u blaen, taith a oedd yn golygu rhyw dri diwrnod o deithio ail ddosbarth ar drên oedd yn blyngad o gyrff yn gafael a hongian wrth unrhyw beth a oedd yno i afael ynddo. Yn y gymysgfa afreolus hon roeddent yn falch o gwmni'i gilydd. Cawsant brofiad dosbarth cyntaf o lid a hunanoldeb y ddynolryw. Credai llawer o'r teithwyr eu bod yn uwchraddol i weddill eu cyd-deithwyr, ac yr oeddent yn mynnu ymuno gyda'r teithwyr yn yr Ail Ddosbarth. Os byth y byddent yn llwyddo i wthio i mewn i'r lle anrhydeddus hwn, mawr oedd eu hanfodlonrwydd pe mentrai ambell un anffodus arall gynnig gwneud yn union yr un fath. Uchel oedd eu clochdar, ac yr oedd y garfan 'uwch' hon yn gwneud eu gorau i ddylanwadu ar David a Chorporal Evans i wrthod lle i'r dyrfa ddireol. Ai hyn yw hyd a lled y ddynolryw yn y pen draw?

Ni ddaeth pen y daith yn rhy fuan i'r ddau filwr. Roeddent yn falch o ddianc o'r chwys a'r ffwrn ddynol y buont ynddi am dridiau. Aeth profiadau'r daith i'r cefndir yn fuan wrth iddynt gael eu gollwng gyntaf ar y lle oedd am fod yn gartref i'r ddau dros yr wythnos oedd i ddod. Safai'r Academi Filwrol mewn lleoliad godidog. Dyma beth oedd gwir ysblander. Cawsant eu derbyn a'u harwyddo gan Uwch-swyddogion oedd â thabiau coch ar eu hysgwyddau. Hebryngwyd hwynt i ystafelloedd difrycheulyd a chawsant was i ofalu am eu hanghenion.

Dyma'r amser y cyfaddefodd David yn dawel wrtho'i hunan y byddai'n hawdd dod i hoffi'r bywyd hwn. Edrychai ar y cyfan fel math o iawndal am ei fod wedi'i lusgo i'r fyddin. Safonau hollol wahanol oedd yma, lle'r oedd y cyfan wedi'i drefnu er mwyn gweithio a chyflawni pwrpas. Rhoddwyd iddynt nifer o brofion pendant, damcaniaethol ac ymarferol i'w cyflawni. Ar y pryd nid oedd llwyr ystyr y cyfan yn glir iawn iddynt. Y noswaith gyntaf ar ôl cinio, cofia David amdanynt yn eistedd o amgylch bord enfawr, rhyw wyth cadlanc a thri neu bedwar swyddog yn hofran oddeutu. Roedd y cyfan mewn awyrgylch ymlaciol, ac yr oedd David yn meddwl wrtho'i hunan bod eisiau bod yn ofalus yn y man yma. Dywedodd un o'r swyddogion wrthynt fod yna ddau ddarn o bapur ar y bwrdd yn cynnwys pynciau ar gyfer dadl, a gofynnodd iddynt ddewis un ohonynt. Bu David yn ofalus i beidio â gwirfoddoli i fod yn gadeirydd, er mai hyn efallai oedd yn denu'r marciau mwyaf, am y gallai hynny fygu ei gyfraniad i'r ddadl. Allan o'r ddau ddewis oedd ar gael, cynigiodd David eu bod yn cynnal trafodaeth ar y testun: 'The place of woman in the modern world'. Cafwyd tipyn o hwyl yn trafod y testun am tua dwy awr, ac fel y dywedodd David wrthyf: 'Creda fi, doeddwn i ddim wedi cael fy mygu'.

Ar yr ail ddiwrnod bu'n rhaid iddynt fynd allan yng nghwmni dau neu dri o'r swyddogion i gae mawr. Yno dangoswyd iddynt lawer o rwystrau amrywiol – pob un wedi'i nodi gan rif oedd yn cymharu â gradd yr anhawster, er enghraifft:

Neidio dros afon fechan – 5 marc
Neidio dros afon fwy – 10 marc
Neidio dwy droedfedd – 5 marc
Neidio pedair troedfedd – 10 marc
Dringo rhaffau byrion – 5 marc
Dringo rhaffau hirion – 10 marc

Yr alwad oedd cyflawni cymaint ag y gellid mewn ugain munud, a chael cyfanswm ar y diwedd. Fel un oedd bob amser wedi ei gadw ei hunan yn heini, cafodd David lawer o hwyl a fawr o drafferth wrth wneud yr hyn oedd eisiau, ond nid oedd yn sylweddoli pwysigrwydd y chwaraeon hyn, ac, i fod yn onest, nid oedd yna lawer o wahaniaeth ganddo a fyddai'n cael ei ystyried yn 'Suitable Officer Material' neu beidio.

O'r diwedd daeth yr wythnos yn Dehra Dun i ben, a rhaid oedd dychwelyd i Razmak ac aros am ganlyniadau eu hymweliad â'r Academi Filwrol. O dipyn i beth daeth y ddau lythyr i wersyll Razmak, un i Gorporal Evans ac un i David. Mae'n rhyfedd sut mae'r dis yn disgyn. Dim newydd da i Gorporal Evans – ei obeithion yn deilchion mewn eiliad. David ar y llaw arall yn cael ei wahodd i'r Academi.

Felly ffarwelio â'i gyfeillion yng ngwersyll Razmak a theithio eto i Dehra Dun i dderbyn hyfforddiant. Yn fuan daeth yn Commissioned Officer yn y fyddin Brydeinig, ac yr oedd bellach yn 2nd Lt. M D Enoch R.A. Yn dilyn ei ddyrchafiad bu gyda'r 8th Field Gunners ar oror India a Phacistan. Erbyn hyn, roedd y mwyafrif o'r milwyr Prydeinig wedi ymadael â'r India, a dim ond y swyddogion oedd ar ôl. Felly fe'i cafodd ei hunan yn un o ddau oedd yn gadlywyddion ar gatrawd o Siciaid – y 2nd Field Regiment. Roedd y gatrawd hon yn cynnwys nifer o filwyr dewr a phrofiadol oedd wedi eu profi eu hunain ar faes y gad mewn llawer rhyfelgyrch, a sawl un ohonynt wedi'i anrhydeddu gan y gatrawd ac wedi derbyn medalau, gan gynnwys y Military Cross a'r Victoria Cross hefyd. Yr oedd David nawr wedi'i ddyrchafu i radd Lefftenant, ac am beth amser yn Acting Captain.

Dau filwr yn eu dillad gwaith yn Gardai, Yr India, 26 Mehefin 1946. Ar y chwith: David (Dave). Ar y dde: Is-Lefftenant Morgan David Enoch, RA.

Lefftenant Morgan David Enoch, RA [Royal Artillery], yn Yr India, 1947-48.

Er ei fod yn hapus yn y safle hwn ac yn ymdopi'n iawn â gofynion y swydd, yr oedd yna agweddau eraill yr oedd yn llawer mwy anodd iddo ddelio â nhw. Nid oedd y ffaith ei fod yn Gristion a heb ofni proffesu hynny, a ddim yn ymuno gyda'i gyd-swyddogion i ddiota a gwneud nifer o bethau eraill oedd yn hollol annerbyniol iddo, yn foddhaol iawn ganddynt, a byddent yn dal ar bob cyfle i'w watwar a'i boeni. Fel y croeshoelwyr gynt, nid oeddent yn deall. Ambell waith byddai rhai yn y *mess* yn ei wastrodi ac yn ceisio arllwys diod i mewn i'w geg. Peth digon diflas a hollol ddianghenraid oedd ymhell dros ffiniau sbri. Yn wir, nid oedd hyn yn *'gentlemanly conduct'*: dylent fod wedi gwybod yn well. Er gwaethaf yr holl ymdrechion, gwrthod ag ymuno yn eu ffwlbri a wnaeth David. Dyma enghraifft dda o gryfder cymeriad.

Er hynny, roedd yna barch mawr tuag ato yn y gatrawd yn gyffredinol. Gwerthfawrogai'r Siciaid y ffaith ei fod yn dal yn gadarn yn yr hyn yr oedd yn credu ynddo, a rhoddwyd iddo freichled i'w gwisgo ar ei arddwrn. Anaml iawn y byddai unrhyw un oedd y tu allan i'w ffydd yn cael y freichled arbennig hon, a oedd yn symbol o'u cred. Nid oedd yna fwy o anrhydedd i ddieithryn na chael y fraint a'r hawl i wisgo'r addurn unigryw hwn. Gellir edrych ar y rhodd hefyd fel diolch i David am ddangos diddordeb ynddynt, a hefyd am y bu wastad yn oddefgar o'u cred.

Manteisiodd bob amser ar y cyfle i ymuno yn y chwaraeon oedd yn rhan bwysig o fywyd y gatrawd. Dewiswyd ef i chwarae rygbi yn nhîm y gatrawd. Cafodd y fraint o gael ei ddewis yn un o'r tîm i gynrychioli Byddin yr India. Bu hefyd yn chwarae hoci i'r gatrawd. Roedd ei gyd-swyddogion wedi rhoi'r gorau i'w boeni erbyn hyn, diolch i ymyrraeth y C.O. a oedd wedi sylweddoli bod y ffwlbri wedi mynd yn llawer rhy bell.

Rhan helaeth o waith y fyddin oedd gwarchod mannau allweddol a chadw rhyw fath o heddwch rhwng y Mwslemiaid a'r Hindŵiaid. Treuliodd David beth amser ym mhlas haf Maharaja Jaipur. Pan oedd yn gwarchod trên ar yr adeg yma, bu ffrind iddo mor anffodus â cholli ei fywyd yn y gwrthdaro rhwng y ddwy garfan.

Roedd yna dair blynedd wedi mynd heibio ers iddo gyrraedd yr India gyntaf, ac yr oedd yr amser wedi dod i ddychwelyd i Brydain i'w gartref am chwe wythnos o wyliau. Gartref o'r diwedd: bron na chredai'r peth. Balchder a rhyddhad i'r teulu wrth ei weld yn holliach ac yn ddiogel, er gwaethaf y profiadau a fu'n rhan o'i fywyd am gyfnod mor hir. Bu peth amser cyn iddo ymgyfarwyddo ac ymsefydlu i fywyd teuluol fel y bu gynt. Chwarae teg, roedd yn dipyn o newid. Nefoedd fach oedd gallu ymlacio'n llwyr, a theimlad annisgrifiadwy oedd mynd eto i'r capel a chymryd rhan yn yr addoliad, a llenwi'r gwacter na fu'n bosibl ei lenwi'n hollol pan yn yr India.

Aeth y gwyliau heibio yn llawer rhy gyflym, a'r unig beth oedd yn codi ei galon oedd taw dim ond tua thri mis oedd yn weddill nes i'r cyfnod yn y lluoedd arfog ddod i derfyn. Wrth ystyried y cyfnod gweddol fyr hwn, teimlai'n sicr na fyddai gofyn iddo ddychwelyd i'r India. Ei obaith oedd y byddai'n treulio gweddill yr amser ym mhencadlys y gatrawd yn Woolwich Arsenal. Galwyd ef ar ddiwedd y gwyliau yn ôl i Southampton ac yr oedd yn ddigon ffyddiog y byddai'n cael ei drosglwyddo o'r fan honno i'r pencadlys. Roedd ei galon yn ddigon ysgafn yn mynd ymlaen at y *desk sergeant* i gael gwybod i ble'r oedd yn cael ei anfon. Pwyntiodd y dyn hwn at yr hysbysfwrdd a gwelodd David fod ei enw i lawr i hwylio ar yr *SS Mooltan* y diwrnod canlynol – yn ôl i'r India.

Suddodd ei ysbryd – yr oedd wedi'i ysigo'n llwyr. Teimlai'n llawn dicter, ac am dipyn yr oedd wedi pwdu gyda'r holl fyd. Gwasgodd y pwys o rawnwin yr oedd wedi'u prynu nes i'r sudd lifo dros ei ddillad, ond unwaith eto galluogodd ei gryfder cymeriad a'i hunanddisgyblaeth ef i ddod i drefn ac i wneud y gorau o'r gwaethaf. Roedd drannoeth yn ddiwrnod newydd. Rhaid canolbwyntio ar yr hyn oedd mewn llaw. Yn gyntaf, beth am y llong? Llong fawr iawn a dim ond yn hanner llawn – tipyn yn wahanol i'r tro cyntaf iddo fynd allan.

Bu dechrau'r daith rywfaint yn arw wrth hwylio drwy Fae Biscay, ond mewn diwrnod neu ddau roedd wedi cymodi â'r sefyllfa ac wedi penderfynu eistedd 'nôl i fwynhau'r daith ac ansawdd da'r llong. Cafodd ei brofiad cyntaf o hwylio drwy Gamlas Suez. Bu ryw 5½ mis yn yr India gyda'i hen gatrawd, y 2nd Field Regiment. Aeth yr amser yn ddigon hwylus a didrafferth ar y cyfan, hyd nes iddo ddychwelyd yn barhaol i Brydain ac i'w gartref yn Ebrill 1948.

Er nad oedd David erioed wedi rhoi ei fryd ar fod yn filwr, bu'r blynyddoedd a fu yn y fyddin yn bennod nodedig yn ei fywyd. Wrth edrych yn ôl y mae'n cyfaddef iddo deimlo bod y profiad wedi ehangu ei olygon ac wedi bod yn gymorth iddo mewn llawer ffordd annisgwyl.

9.

Newid Byd: Astudio Meddygaeth; Dychwelyd i Ben-y-groes; a Marwolaeth ei Dad

Bu yna gyfnod byr o ddathlu yn ei gartref, a gosododd ei fam faneri ar y tŷ fel arwydd cyhoeddus o groeso, ond yn eu dagrau a'u calonnau yr oedd eu gwir groeso. Ymsefydlodd yn araf eto i batrwm bywyd ei gynefin. Chwaraeodd lawer o rygbi i dimau lleol Pen-y-groes ac Aman United. Roedd ei ewythr, y diweddar Bertie Davies, yn gadeirydd clwb rygbi'r Aman, ac yr oedd yn adnabyddus i bawb oedd yn troi yn y cylchoedd rygbi fel 'Mr Aman'. Roedd David yn chwaraewr da, a bu tystiolaeth amdano mewn erthygl yn un o bapurau lleol y cyfnod:

> 'Amman United's new wing three quarter M D Enoch, recently released from the army, with whom he earned a big reputation, is the United's best wing for more than speed alone.
>
> Of splendid physique and possessing an exceptionally long stride and deceptive swerve, he has already scored a few tries. This ability has already become known to rugby league clubs and he has received an invitation to join the Batley club. To this he has turned a deaf ear in order to concentrate on his future in other fields.'

Sgwrs gyda'r diweddar T D Jones, cyn-brifathro ysgol Llandybïe a diacon capel y Sgwâr, Pen-y-groes, a barodd i David ailfeddwl am ei ddyfodol. Awgrymodd T D Jones wrtho iddo ystyried gyrfa feddygol, gan gyfeirio at fanteision bod yn feddyg yn ogystal â bod yn Gristion – dau beth oedd yn ei olwg ef yn cydredeg yn naturiol. Fel y dywedodd, roedd yna bosibilrwydd o waith da, o wella a chysuro'r rhai yr oedd angen corfforol neu ysbrydol arnynt.

Felly y bu i David ddewis gyrfa yn y byd meddygol. Gwnaeth gais i rai o ysbytai athrofaol Llundain, a chynigiwyd lle iddo yn ysbytai Guy's, St Bartholomew's a St Thomas, ond roedd ei dderbyniad yn ddibynnol ar iddo gyrraedd y safon angenrheidiol yn y coleg. Gwnaeth gwrs brys yng ngholeg technegol Abertawe ac fe lwyddodd i gyrraedd y safon, a thrwy hynny cafodd fynediad i St Thomas fel myfyriwr meddygol.

Ymadawodd â'i gartref unwaith eto. Roedd gwahanu'r tro hwn yn dipyn haws nag o'r blaen. Edrychai ymlaen yn awchus at yr addysg a'r hyfforddiant oedd o'i flaen. Daeth o hyd i le i aros yn Llundain gyda theulu oedd yn darparu lletty i fyfyrwyr, ond lle digon diflas ydoedd. Yn wir, roedd y perchnogion yn dipyn o gnafiaid, a bu'n rhaid iddo, er ei les ei hun, chwilio am letty mwy addas. Cyn bo hir llwyddodd yn ei ymchwil a symudodd i letty arall. Y tro hwn bu'n llawer mwy lwcus. Cafodd ei groesawu gan ŵr a gwraig o'r enw Mr a Mrs Evans oedd yn wreiddiol o Gymru. Bu Mr a Mrs Evans yn garedig iddo. Roeddent wedi'i gymryd i'w calon. Arhosodd David gyda nhw nes bron gorffen ei hyfforddiant. Yn ei gartref ym Mhen-y-groes, roedd ei fam yn medru cyfrannu at ei les yn Llundain, bron fel petai gartref. Bob wythnos roedd y pecyn o ddillad oedd wedi'u defnyddio yn cyrraedd er mwyn eu golchi. Byddai'r cynnwys yn slotian yn y dŵr a'r sebon cyn i'r postmon gyrraedd y tŷ drws nesaf! Dyna fel yr oedd ei fam – os oedd yna waith i'w wneud, byddai'n cael ei wneud ar unwaith. Nid oedd angen pryderu oherwydd doedd yna ddim trowsus bach, fest na chrys di-raen i fod gan ei mab.

Caletach oedd y gwaith yn St Thomas fel yr oedd amser yn mynd rhagddo. Roedd yr hyfforddiant yn gofyn am ymrwymiad llwyr. Nid oedd fawr o amser i ymlacio, hyd yn oed pan oedd gartref yn ystod gwyliau'r tymor. Ei fwynhad pennaf ar ddiwedd yr wythnos yn Llundain oedd mynychu rhai capeli Cymraeg enwog y ddinas yn eu tro. Hoffai fynd i rai o gapeli mawr Llundain i wrando ar bregethwyr fel Dr Martyn Lloyd-Jones, Leslie Weatherhead, Donald Soper a John Huxtable – cewri'r pulpud yn y ddegawd honno. Bu pregethwyr fel Dr Lloyd-Jones ac Elfed yn ddylanwadol arno. Wrth wrando arnynt dysgodd nid yn unig am bethau dyfnaf yr ysgrythur, ond hefyd am dechneg arbennig y meistri hyn o draddodi a chyflwyno neges.

Yn aml pan fyddai gartref ar ei wyliau tymor byddai'n treulio rhan o'r amser yn cyflawni gwaith ymchwil a oedd yn hanfodol fel rhan o'i astudiaethau. Golygai hyn fod yna lawer broga wedi bod yn destun *post-mortem* yn ei gartref. Cofia Yolande, ei chwaer, yn glir am yr ymchwil meddygol hwn, ac yr wyf yn cofio hefyd am y dull y trosglwyddodd hi'r newydd imi. 'Wyt ti'n gwybod bod Davy ni yn rhoi pishyn chwech i'r bois am ddala broga iddo fe? Wedi hynny, mae e'n 'u hagor nhw a'u pinio mâs yn fflat ar astell, ac mae e'n treio dangos ac expleno i fi y tebygrwydd rhwng calon fach y broga a 'nghalon i.' Gallaf ddodi ar gof na chreodd hyn fawr o ddiddordeb mewn pethau meddygol yn ei chwaer, a theg dweud, er bod ganddi lawer o ddoniau eraill, na wnâi hi fyth feddyges.

Llwyddodd David yn yr arholiadau pen blwyddyn, y 1st MB a'r 2nd MB, ac yn y blaen. Roedd yna lawer profiad yn dod i'w ran yn awr, a gwelodd ddioddef mawr, dewrder, a llawenydd hefyd – yn gyffredinol, dyna sut le yw ysbyty. Bu'n dyst i ambell wellhad oedd bron yn wyrthiol, ac yr oedd yn ymfalchïo ei fod yn un o'r rhai oedd wedi dewis rhoi rhan helaeth o'u bywyd i gynnig gobaith i'r diobaith, gwellhad i'r claf, a chysur i'r digalon.

Yn ystod ei ymweliadau â chlwb Cymru Llundain, fe gwrddodd a chwympodd mewn cariad â Joyce, athrawes yn ysgol Southgate. Roedd yn ferch i'r Parchg Huw Davies, cyn-weinidog Aberduar, capel y Bedyddwyr yn Llanybydder. Roedd David a Joyce yn ffrindiau agos, nid dim ond yn gariadon.

Y Parchg William Huw Davies a Mrs Eunice Davies, Llanybydder, gyda'u merch, Joyce, a'i phriod, David Enoch, yng Nghaerfyrddin, ar achlysur priodas Beryl, chwaer Joyce.

Erbyn hyn roedd David yn agosáu at ddiwedd ei hyfforddiant meddygol yn St Thomas. Roedd y pwysau gwaith nawr yn aruthrol, ac yr oedd yn ofynnol iddo fynd i ddelio gyda'r gwahanol gleifion yn eu cartrefi, a hefyd i fod yn bresennol adeg genedigaethau. Bu hyn o gymorth i ddegau o fabanod ddod i'r byd a thynnu eu hanadl cyntaf o dan ei law. Un o'r troeon cynharaf y bu gofyn am ei gymorth adeg genedigaeth oedd yn ei gartref ei hun pan gafodd y gath lond cwtsh o gathod bach. Hyfforddiant da!

Yn ystod ei flwyddyn olaf fel myfyriwr priododd â'i gariad Joyce yn y capel yn Llanybydder, gyda'i thad yn gweinyddu. Cefais innau'r fraint o fod yn was priodas. Rhaid dweud bod y briodas yn dipyn o achlysur i minnau hefyd, oherwydd dyma'r tro cyntaf yn fy mywyd i mi wisgo cot a chwt a *box hat*. Edrychai'r lluniau'n llawer gwell nag yr oeddwn i'n teimlo!

Daeth ei amser myfyrio i ben yn 1954. Roedd ei holl ymdrechion a'i hunanaberth wedi dwyn ffrwyth ac yr oedd yn deilwng o dderbyn yr anrhydedd o gael ei gydnabod fel y Dr Morgan David Enoch.

* * * * *

Gwaetha'r modd, yr oedd iechyd ei dad yn dirywio'n fawr erbyn hyn. Roedd blynyddoedd o weithio dan y ddaear fel glöwr wedi dinistrio ei fywyd. Roedd y pris a dalwyd ganddo ef yn uchel, a'r hyn a dalwyd yn iawndal iddo yn fach ofnadwy, ond roedd y parch gan y perchnogion yn llai fyth. Pa faint bynnag maint yr iawndal, mae'n wir na ellid fod wedi prynu hanner anadl; ond fe allasai fod yn dipyn o gymorth i leihau pryderon ariannol y dyfodol. Am fod nifer helaeth o ddynion y pentref yn dioddef gan y clefyd niwmoconiosis ac yn ddibynnol ar ocsigen i anadlu ac i wella rhyw fymryn ar ansawdd eu bywydau, roedd y cyflenwad ocsigen yn cael ei ymestyn hyd yr eithaf, ac roedd yn rhaid bod yn drefnus wrth ei rannu. Roedd hyn yn creu tipyn o anhawster a gofid i'r sawl oedd yn nyrsio eu hanwyliaid, oherwydd oni fyddai digon o ocsigen ar gael i bawb yr oedd arnynt ei eisiau, byddai'n rhaid mynd â'r claf i ysbyty dros dro. Nid oedd ei dad, er gwaeled ei gyflwr, am fynd i ysbyty, ac yn ei eiriau torcalonnus ef ei hun: 'Why is there any need for me to go to a hospital when I've got a son, a doctor?' Dyma a barodd i David benderfynu dychwelyd i'r ardal i gyflawni ei flwyddyn ofynnol fel meddyg tŷ, yn ysbyty cyffredinol Llanelli (1954).

Er nad oedd modd gwneud llawer o safbwynt meddygol, yr oedd presenoldeb David o gymorth mawr i'w deulu yn ystod yr amser trist hwn, yn ogystal â bod yn gyfrwng esmwythâd ysbrydol a bodlonrwydd i'w dad. Rhyddhawyd ei annwyl dad oddi wrth ei ymdrech galed i fyw ac ymadawodd yn dawel o ofal a chariad ei deulu yn 1955.

10.

Meddyg mewn Ysbytai yn Llanelli a Chaerfyrddin, a Dechrau Ymddiddori mewn Seiciatreg

Bu ei gyfnod fel meddyg tŷ yn Llanelli yn brysur. Gweithiai oriau hir ac yr oedd yr alwad amdano'n barhaol, ddydd a nos. Serch hynny, roedd yn rhoi llawer o fodlonrwydd iddo, am fod y gwaith yn cynnwys amryw o agweddau gwahanol ar feddygaeth.

Yn ychwanegol, cafodd y fraint o fod dan ofal y diweddar Ddoctor John Davies, llawfeddyg enwog a galluog, a gŵr o argyhoeddiadau Cristnogol cadarn. Arferai'r dyn hwn benlinio mewn gweddi i ofyn am fendith Duw i arwain ei law cyn dechrau triniaeth lawfeddygol. Yr oedd gan y Dr Davies ffydd ac ymddiriedaeth hollol yn y meddyg ieuanc oedd dan ei adain, ac yr oedd David yn hapus ac yn fodlon iawn gyda'i ddiddordeb a'i gymorth.

Un a fu'n ddiolchgar iawn am bresenoldeb a medrusrwydd David yn yr ysbyty oedd Mr Idris Griffiths, cerddor ac arweinydd adnabyddus ym myd y corau a chymanfaoedd canu, oherwydd bu David yn gwbl gyfrifol am achub ei fywyd.

Yr oedd diddordeb David yng nghangen seiciatryddol meddygaeth wedi ei ddeffro beth amser ynghynt gan William Sargeant, un o seiciatryddion blaenllaw'r byd, a fu'n bennaeth yr adran seiciatryddol yn Ysbyty St Thomas. Hwn a barodd iddo sylweddoli pwysigrwydd yr elfen hon o waith meddygol, gwaith addas iawn i un fel David a oedd yn Gristion cyflawn. Cyfle da i briodi crefydd a gwaith ymarferol.

Sylweddolodd fod dilyn y llwybr hwn yn fodd i gylchynu holl agweddau meddygaeth, oherwydd ei fod yn gofyn am ymrwymiad arbennig. Rhaid bod yn hoff o'r ddynolryw a hefyd yr oedd yna ehangder o waith academaidd i'w gyflawni. Cyfle gwych i ymroi i ymchwil academaidd. Felly, ar ôl pwyso a mesur, dewisodd ddilyn y llwybr hwn er mwyn arbenigo yn y maes. Gwnaeth y paratoad ar gyfer rhan gyntaf y Diploma of Psychiatric Medicine (DPM) drwy gyfrwng cwrs gohebol, a bu'n llwyddiannus ar ei ymgais gyntaf.

Ymadawodd ag Ysbyty Llanelli ar ddiwedd y cyfnod penodedig a dechreuodd ar ei yrfa yn y maes seiciatryddol yn Ysbyty Dewi Sant, Caerfyrddin, yn Nhachwedd

1955. Roedd Ysbyty Dewi Sant yn enwog trwy dde Cymru yn y maes neilltuol hwn o feddygaeth, ac roedd yn lle a alluogodd iddo osod sylfaen gadarn ar gyfer ei ddyfodol o dan arweiniad yr arolygwr, Dr Sidney Davies, a'r arbenigwyr Dr John Ford a Dr McGill. Pwysig iawn oedd amser ei ddyfodiad i Ysbyty Dewi Sant, oherwydd dyma'r adeg yn y pumdegau pan ddaeth cyffuriau gwrth-seicotig i'r amlwg.

Felly, cafodd ragarweiniad i oes gyfnewidiol ym myd triniaeth yn y maes hwn. Gwelodd effeithiolrwydd y datblygiadau hyn yn eu cyfnod dechreuol. Yma hefyd y gwelodd wawr y tawelyddion. Dyma'r adeg, tua 1958, y defnyddiwyd y cyffuriau hyn ar gleifion am y tro cyntaf. Felly, cafodd y fraint o ymwneud â'r gwaith arloesol hwn yn ystod yr amser mwyaf chwyldroadol a phwysig erioed ym maes meddygaeth seiciatryddol. Lle gynt bu cymaint o anobaith ac ansicrwydd, daeth gobaith mawr am y dyfodol trwy gyfrwng y cyffuriau newydd hyn. Calondid oedd gweld y rhain yn prysuro amser gwellhad, a hefyd yn cael llawer gwell rheolaeth ar ambell agwedd ar nam ar y meddwl ac iselder ysbryd.

Bu ei fywyd yn brysur dros y ddwy flynedd y bu yn Ysbyty Dewi Sant. Yn y cyfamser roedd ei ddiddordeb wedi tyfu'n fwy ac yn fwy wrth iddo sylweddoli bod y dyfodol yn cynnwys posibiliadau diddiwedd i roi cymorth ac esmwythâd i rai yr oedd ansawdd eu bywyd wedi'i ddinistrio, naill ai gan bwysau bywyd neu drwy anffawd enetig.

Roedd yn falch ei fod wedi penderfynu aros yn yr ardal, yn agos i'w deulu, oherwydd bu'n nerth ac yn gymorth i'w fam dros y cyfnod hwn wrth iddi hiraethu ar ôl marwolaeth ei phriod. Roedd hwn yn gysur mawr i'w chwaer hefyd, am ei bod wedi ymgartrefu bellach yn Chippenham, Wiltshire, gyda'i phriod a'i phlentyn. Nid oedd hi'n hawdd teithio adref yn aml yr adeg honno i roi tro ar anwyliaid, pa faint bynnag oedd y chwant a'r pryder. Ond fel yr âi amser rhagddo, ac yn sgil bywyd yn agor y glwyd i borfa well, a mwy neu lai'n dodi gorfodaeth ar un i ddewis y cam nesaf i'w gymryd, bu'n anodd iawn i David gyflwyno'r newydd trist i'w fam ei fod wedi penderfynu mynd yn ôl i Lundain er mwyn ei ddyfodol meddygol. Tipyn o ergyd iddi, ond, fel yr awgrymwyd yn gynt, yr oedd hi'n gymeriad cryf yn y gwraidd. Yn wir, roedd ei balchder yn drech na'r un teimlad arall, oherwydd ei bod fel mam yn meddwl llawer mwy am les a dyfodol ei mab nag am ei sefyllfa hi ei hun. Felly aeth David i Lundain unwaith eto i barhau gyda'i yrfa.

11.

O Gaerfyrddin i Lundain, ac Ymchwilio Ymhellach ym Myd y Corff a'r Meddwl

Awgrymodd y Dr Eurfyl Jones a'r meddygon eraill yn Ysbyty Dewi Sant y dylai droedio'r llwybr hwn a mynd i Lundain, gan ddweud nad oeddent hwy yn medru dysgu ychwaneg iddo. Roedd David yn dra diolchgar am yr hyn a ddysgodd yn Ysbyty Dewi Sant gan Eurfyl Jones ac eraill, ond rhaid oedd symud yn ôl i Lundain oherwydd dyna ganolfan meddygaeth, ac yn enwedig seiciatreg, ar y pryd.

Y cyfle cyntaf a ddaeth i'w ran oedd safle yn Ysbyty Prifysgol Llundain (UCH) fel Cofrestrydd Meddygol. Penderfynodd geisio am y swydd hon ac fe'i dewiswyd yn un o'r rhestr fer. Pan gyrhaeddodd yr ystafell aros yno, cyn mynd i mewn i'r cyfweliad, gwelodd bapur ar y bwrdd yng nghanol yr ystafell ac arno enwau'r panel cyfweld a hefyd enwau'r ymgeiswyr. Sylwodd fod dau o'r chwech eisoes yn gweithio yn Ysbyty'r Brifysgol, a meddyliodd mai ychydig o siawns oedd ganddo i gael ei ddewis. Ar y pryd daeth meddyg ifanc arall i eistedd wrth ei ochr. Dyma pryd y daeth i gysylltiad â'r Dr Imlach o Birmingham am y tro cyntaf, ac yntau i ddod yn ddiweddarach yn seiciatrydd blaenllaw a hefyd yn ffrind iddo. Er syndod, daeth yr ysgrifenyddes allan i'r ystafell a galw enw David fel yr ymgeisydd llwyddiannus. Wedi iddo gael cynnig y swydd dychwelodd i'r ystafell, ac yno yr oedd y Dr Imlach yn aros o hyd i'w longyfarch. Dyma ddechreuad y cyfeillgarwch oedd i barhau ac i gryfhau pan aeth David yn ôl i weithio fel Ymgynghorydd yn Amwythig yn ddiweddarach.

Roedd yr amser a dreuliodd David yn Ysbyty'r Brifysgol yn un o'r penodau hapusaf yn ei fywyd proffesiynol. Ar frig yr adran roedd y Dr Roger Tredgold – dyn tal o gorff a fu'n cleddyfa yn y chwaraeon Olympaidd, ac iddo dad enwocach. Ysgrifennodd hwnnw, Alfred Tredgold, lyfr clasurol ar ddiffyg meddyliol sydd yn para'n llyfr pwysig yn y maes. Ar yr un pryd, roedd y Dr Desmond Pond yn Ymgynghorydd yn Ysbyty'r Brifysgol, a hefyd yn ddarlithydd yn yr Athrofa Seiciatryddol. Yno, yr un modd, roedd y Dr Kenneth Soddy yn seiciatrydd i blant.

Wrth ddychwelyd adref y diwrnod hapus hwnnw, meddyliodd David ynddo'i hun y byddai'n rhaid iddo weithio'n galed am ryw chwe mis ac yna gofyn am amser a chyfle i ddilyn cwrs yn yr Athrofa Seiciatryddol oedd yn Maudesley. Ond ymhen rhyw wythnos cafodd lythyr oddi wrth y Dr Pond yn dweud ei fod wedi meddwl am y sefyllfa ac yn tybio y buasai David yn siŵr o fod am ddilyn cwrs yn yr Athrofa. Roedd ef ei hunan wedi dod o hyd i le i David ar y cwrs, ac wedi gofyn i'r Dr Tredgold am amser cyfaddas iddo ymbresenoli. Nid anghofiodd David y gymwynas hon fyth, ond aros am gyfle i dalu'n ôl i Desmond Pond. Yn wir, flynyddoedd wedyn, pan oedd yn aelod o Lys Coleg Brenhinol y Seiciatryddion, daeth yn adeg i benodi llywydd newydd. Y bore hwnnw, wele Desmond Pond yn dweud wrth David fod Cadeirydd y Grŵp Seiciatryddion Plant am ei gynnig, ac yn gofyn i David a fyddai ef yn fodlon eilio'r cynnig. Trodd David ato a dweud ei fod wedi aros am ychydig flynyddoedd i dalu'n ôl am y gymwynas a wnaeth ef pan ymunodd ag Ysbyty'r Brifysgol am y tro cyntaf.

Fel yr awgrymais, cafodd amser hyfryd dros ben yn Ysbyty'r Brifysgol, yng nghanol pobl hyfryd. Neilltuodd y Dr Pond ddwy awr yn gyfan gwbl iddo am chwe mis i'w ddysgu. Wedi i'r Dr Enoch archwilio'r claf yn fanwl, câi'r meddyg ifanc gyfle wedyn i ateb cwestiynau arbenigol y Dr Pond.

Tra bu yn Ysbyty Prifysgol Llundain cyflawnodd ddiploma ôl-radd yn ei faes (1958), ac yn 1960 enillodd Fedal Gaskell a Medal Efydd Coleg Brenhinol y Seiciatryddion: y cyntaf o ganlyniad i arholiad a'r ail o ganlyniad i draethawd ymchwil. Dyma'r gwobrau academaidd uchaf ym myd seiciatreg glinigol. Braidd byth yr enillir y ddwy wobr gan yr un person yn yr un flwyddyn. Tra yn UCH cafodd David gyfle hefyd i ddechrau ar gwrs yn y Tavistock Clinic, o dan gyfarwyddyd y Dr Rycroft, seicdreiddiwr blaenllaw, a chael cyfle i ddysgu seicotherapi dwfn, wedi ei seilio ar seicdreiddiad clasurol. Fe'i hyfforddwyd yn drwyadl mewn seicotherapi'r unigolyn, a hefyd cafodd y fraint a'r cyfle i ddysgu trin grwpiau. Bu'r ddwy flynedd yma o werth mawr iddo yn ei waith clinigol ar hyd y blynyddoedd, ac adlewyrchir hyn yng nghyfrol y Dr Enoch ei hun *Healing the Hurt Mind* (1983), lle y dengys yr angen nid yn unig i ddelio â'r cleifion gyda chyffuriau, ond hefyd gyda chymorth seicotherapi.

Yn yr un modd, tra yn Ysbyty'r Brifysgol, cafodd gyfle i ddysgu myfyrwyr israddedig y coleg. Yn eu plith roedd Jonathan Miller, a ddaeth yn enwog fel darlledwr, cyfarwyddwr operâu a dramâu, yn ogystal â bod yn feddyg. Roedd yntau'n fab i Emmanuel Miller, seiciatrydd o fri, a seicotherapydd a ysgrifennodd lawer. Hoffai David yr agwedd hon ar ei waith, a pharhaodd i ddysgu eraill trwy gydol gweddill ei yrfa. Parha rhai o'r myfyrwyr i ysgrifennu ato a'i ffonio o bob cwr o'r byd. Yn wir, ar rai adegau, er eu bod nawr yn ymgynghorwyr eu hunain, maent yn ffonio i ofyn am gynhorthwy. Dywed rhai o'r myfyrwyr mai agwedd garismataidd David tuag at ei destun a wnaeth iddynt hwythau ddilyn cyrsiau i fod yn seiciatryddion eu hunain. Cafodd ef ei hun bleser mawr o weld llwyddiant cynifer o'i fyfyrwyr sydd nawr mewn safleoedd pwysig ym myd meddygaeth a seiciatreg.

12.

Uwch-gofrestrydd Seiciatryddol yn Ysbyty Prifysgol Llundain ac Ysbyty Runwell

Yn union fel pob pâr ifanc arall oedd yn dechrau ar fywyd priodasol, roedd yn bwysig iddynt sefydlu eu cartref eu hunain. Golygai hyn, wrth gwrs, fod yn rhaid prynu tŷ. Roedd angen, felly, dod o hyd i le addas a threfnu morgais. Ni feddyliodd David na'i briod y byddai unrhyw anhawster yn eu rhwystro rhag cael clust dderbyniol i'w cais. Roeddent yn hollol hyderus i drefnu cyfarfyddiad gyda rheolwr un o fanciau Llundain i drafod y mater, gan wir obeithio bod yn llwyddiannus, oherwydd roedd rhagolygon David Enoch yn ddisglair dros ben. Nawr, ni wn am bron neb sydd wedi bod yn anghwrtais nac yn dramgwyddus i David erioed, oherwydd fod ei bersonoliaeth yn peri i chi ailfeddwl am wneud hynny; ond dyma un person, y rheolwr banc, oedd yn dra gwahanol. Rwy'n siŵr y gallwn ddychmygu'r olygfa yn swyddfa foethus y dyn hwn. David a Joyce wedi'u gwisgo fel pinnau mewn papur, ac yn eistedd y tu arall i'r bwrdd, wyneb yn wyneb gyda'r eicon hwn. Esboniodd David am ei yrfa feddygol yn y gorffennol, a'i fod wedi'i benodi'n Uwch-gofrestrydd yn un o ysbytai blaenllaw Essex, a bod y dyfodol yn ddisglair iddo.

Dyma chwi'r dyn hwn yn ei gadair ledr yn eu hwynebu, wedi'i wisgo yn ei drywsus du rhesennog, cot ddu, crys gwyn a choler mor stiff â'i ben, ac yn ymateb gyda diystyrwch hollol. Dyn a ŵyr beth oedd y gair 'Registrar' yn ei olygu iddo, ond yn ôl ei ymddygiad nid oedd yn golygu mwy na phetai David yn cofrestru enwau plant ysgol yn y bore er mwyn cadarnhau eu presenoldeb. Dyma beth oedd esiampl gyflawn o ddyn wedi'i eni gyda llwy arian yn ei geg, ac wedi'i fagu o dan adain ffafriol hen oruchwyliaeth sydd erbyn hyn, gobeithio, wedi hen ddiflannu. Aelod o hen garfan aruchel, wedi cael swydd, mae'n dra phosibl, o achos ei gefndir teuluol, yn sicr nid oherwydd ei allu, ei weledigaeth na'i gwrteisi. Gwrthododd eu cais am forgais heb fawr ffwdan.

Yr oedd y ddau wedi'u syfrdanu gan ei ymddygiad, a'u syfrdanu'n fwy gan ei benderfyniad. Digon digalon oeddent wrth ymadael o'r cyfweliad – profiad annisgwyl ac anhygoel. Os bu yna feddyliau tywyll ac amheus wedi'u magu yn

David am unrhyw un erioed, dyma'r un a gafodd y fraint! Fel y dywedodd David wrthyf mewn dull oedd yn hollol estron i'w gymeriad, 'Weles i ddim shwd dwpsyn erioed'. Er eu bod erbyn hyn yn teimlo dipyn yn isel, doedd yna'r un dewis arall ond cymodi gyda'r sefyllfa a throi eu sylw at ddewis pellach i gael benthyciad arian i gyflawni eu breuddwyd.

Yn y diwedd bu llwyddiant, oherwydd derbyniwyd eu cais am forgais gan un o ganghennau'r banc yng Nghymru. Buont yn ffodus i ddod o hyd i dŷ oedd yn addas i'w gofynion mewn ardal foethus rhwng Brentwood a Billericay yn Swydd Essex. Teimlai David, serch hynny, ei fod wedi cael ei fychanu a'i ddarostwng gan y profiad, a thaerodd na fyddai byth yn achosi'r fath ymdeimlad i neb a ddeuai i gysylltiad ag ef.

Ychydig ar ôl symud i'r cartref newydd gofynnodd David i mi a fyddwn yn fodlon rhoi cymorth iddo i osod patio yng nghefn y tŷ. Roeddwn yn falch fy mod mewn sefyllfa i gytuno. Hyd yn hyn doeddwn i ddim wedi bod yn y rhan hon o Loegr, a rhaid cyfaddef fod yr ardal yn un hyfryd, ac fe fwynheais yn fawr iawn. Gosodwyd y patio o'r diwedd a phlannwyd gwinwydden Rwsia ger y gwaith coed oedd o'i amgylch. Fel yr aeth amser heibio, mae'n debyg fod y creadur hwn wedi tyfu a thyfu, ac rwy'n falch nad fi fu'n rhaid aros yno i gadw'r peth o dan reolaeth!

Rhai o staff Ysbyty Runwell, Llundain, 1959. Rhes flaen, o'r chwith: Dr Ralf Ström-Olsen, Arolygwr; Chwaer Hŷn; Dr David Enoch, Uwch Gofrestrydd yn Ysbyty Runwell ac Ysbyty Prifysgol Llundain. Rhes ôl, o'r chwith: Dr Neale; Dr Sasi Mahapatra, Uwch Swyddog Tŷ.

Yn 1961, tra buont yn byw yma, ganwyd iddynt fab – Dafydd Huw, a channwyll eu llygaid.

Yn 1959 roedd David wedi'i benodi'n Uwch-gofrestrydd yn Ysbyty Brenhinol Llundain ac Ysbyty Runwell. Penodiad deublyg oedd hwn i un o ysbytai meddygol blaenllaw Llundain, a hefyd i'r ysbyty mwyaf modern i gleifion y meddwl oedd yn bod. Dechreuodd yn Runwell, a'r Arolygwr yno oedd y Dr Ralf-Ström-Olsen, mab i berchennog llongau Olsen. Dyn braf yr olwg a hefyd mawr ei ddealltwriaeth a'i allu. Bu'n Ddirprwy Arolygwr Ysbyty'r Eglwys Newydd, Caerdydd, ac oddi yno dringodd i fod yn Arolygwr yr ysbyty modern hwn yn Essex. Dyma gawr o ddyn, ac yn ŵr blaenllaw yn ei faes; yn wir, yr oedd yn arloeswr. Roedd yr ysbyty ei hun yn unigryw. Roedd wedi'i adeiladu fel *villas* oedd i fod yn arbennig ar gyfer gwahanol fathau o gleifion. Deuai cleifion yno o Lundain ac Essex. Roedd safon y gwaith clinigol yn arbennig, ac ynghyd â hyn roedd safon y dysgu'n ardderchog. Hefyd roedd pwyslais ar waith ymchwil, a thros ugain o feddygon, seicolegwyr ac eraill yn gweithio yn yr ysbyty, yn bennaf fel ymchwilwyr. Roedd cyfarfodydd arbennig gyda'r nos yn ystod tymhorau academaidd, a phobl o bob cwr o'r byd yn dod i rannu canlyniadau'u gwaith ymchwil. Ar yr un pryd roedd yr *home brew* – y meddygon oedd ar staff yr ysbyty – yn darlithio yn y cyfarfodydd hyn hefyd.

Dyma oedd dechrau ymchwil dwysach ym mywyd David. Dyma, er enghraifft, pryd y daeth o hyd i syndromau anghyffredin am y tro cyntaf, a'r cyntaf i gyd oedd Syndrom Capgras. Y Dr Ström-Olsen a gyflwynodd yr afiechyd hwn iddo. O ganlyniad i'w ymchwil dwfn i'r syndrom, fe ysgrifennodd David draethawd ymchwil ar y pwnc, a enillodd iddo Fedal Efydd Ymchwil Coleg Brenhinol y Seiciatryddion. Dyma oedd ffynhonnell yr hyn oedd i ddod yn llif o ymchwil a chyhoeddiadau ac, yn y diwedd, yn llyfr enwog ar syndromau seiciatryddol anghyffredin: *Uncommon Psychiatric Syndromes* (1967). Mae'n llyfr meddygol swmpus, clasurol, a bu'r Dr Pollit o Ysbyty St Thomas yn ddigon caredig i ddweud y byddai hwn yn fuan yn cael ei gydnabod yn glasur – ac felly y bu. Ychydig a feddyliai David ar y pryd y byddai'r llyfr yn gyhoeddiad mor chwyldroadol, oherwydd cynnwys rhai o'r penodau, megis y penodau ar Syndrom Munchausen; Syndrom de Clérambault (sydd wrth wraidd 'stelcio'); Syndrom Othello (cenfigen, sydd er enghraifft wrth wraidd ymddygiad O J Simpson, a welwyd ar y sgrin fach gan filiynau o bobl); a'r Syndrom Capgras ei hun, a ddaeth i'r amlwg yn gyhoeddus yn ddiweddar. [*Nodyn gan RG*: y mae pumed argraffiad y gyfrol hon yn cael ei baratoi ar hyn o bryd.]

Er bod David yn awr mewn sefyllfa i gael swydd flaenllaw yn Llundain, fe ddewisodd ef a Joyce ddychwelyd i'r gorllewin ac yn nes at Gymru. Onid i Gymru'n gyfan gwbl, eto fel y dywedodd yn ei gyfweliad yn Birmingham, i ddod yn agos at Gymru a medru anadlu awyr iach Cymru yn Amwythig.

13.

O Lundain i Amwythig: Prif Ymgynghorydd Seiciatryddol Ysbyty Brenhinol Salop, Shelton, a Pharhau i Ledaenu Neges Efengyl Gobaith a Chysur

'Nac ewch i le'r arwain y llwybr.
Yn hytrach ewch lle nad oes llwybr,
a gadewch eich ôl.'

Ar Chwefror y cyntaf 1962 penodwyd David Enoch yn Ymgynghorydd Seiciatryddol yn ysbyty'r Royal Salop Infirmary, Amwythig, ac yn Diwtor Clinigol ym Mhrifysgol Birmingham. Symudodd ef a'r teulu, felly, i ardal newydd. Yr oedd yn amser prysur iawn yn ei fywyd, ac yr oedd yna alwadau di-baid arno, nid dim ond yn ei swydd fel pennaeth yr adran yn yr ysbyty, ond hefyd am ei wasanaeth fel Cristion. Roedd galwadau arno i draethu a phregethu drwy Gymru gyfan. Erys yr uchelfannau canlynol yn ei gof:

- Cynhadledd ddiwinyddol yng Ngholeg y Bedyddwyr, Bangor, o dan nawdd Adran Ddiwinyddol Urdd Graddedigion Prifysgol Cymru. Darlithio ar y testun: 'Rhyddid'. Y llywydd oedd y Parchedig Brifathro T Ellis Jones, Coleg y Bedyddwyr.

- Annerch ar y testun: 'Dod i Oed', yng nghyfarfod cyhoeddus Cymdeithasfa Pwllheli. Y Parchg T B Jones, Chwilog, yn llywyddu.

- Gwahoddiad gan y Parchg J B Williams Richards i bregethu yng nghyfarfodydd Cyfundeb Annibynwyr Cymraeg Lerpwl, yng nghapel Annibynwyr Saesneg Swan Lane, Amwythig.

- Annerch Mudiad Chwiorydd Bedyddwyr Cymru yng Nghastell-nedd. Y testun y dewisodd draethu arno oedd 'Bûm Glaf'. Mae cof iddo roi atebion gwych i'r cwestiynau a ofynnwyd wedi'i araith, megis: 'Beth mae cysegru llygad, clust, traed a dwylo, meddwl a thafod, arian ac amser, yn ei olygu ym mywyd Cristion?' Dangosodd yn wirfoddol ei fod yn wir yn gwybod sut i gysegru hyn oll, heb ddal dim yn ôl na chyfrif dim yn aberth er mwyn Iesu Grist ei

Arglwydd. Fel yr ysgrifennwyd yng nghylchgrawn *Seren Cymru* ar y pryd, bu gwrando arno'n brofiad cofiadwy iawn i'r gynulleidfa. Gosodwyd y cyfan mewn cyd-destun gan y gohebydd Sadie Rees, Glanaman, wrth ddweud taw swm a sylwedd y cyfan oedd – yng ngeiriau emyn y Parchg Richard Jones, Llanfrothen (1773 – 1833):

> F'enaid gwan, sefydla d'olwg
> Ar yr Iesu'n unig nod,
> Nid oes arall dâl i'w geisio
> Nac i bwyso arno'n bod …
> Câr yr hwn a ddichon wared,
> Ac ymddiried ynddo Ef,
> Cred ac edrych i'r addewid
> Am drysorau rhad y nef.

- Bu'n annerch ar 'Gymhellion Cenhadu' yng nghapel Soar, Dyffryn Nantlle, yng nghyfarfod Undeb Annibynwyr Cymraeg y cylch.

- Hefyd bu'n annerch ar y testun 'Llefara, Arglwydd', yng nghymanfa Gymraeg yr Eglwys Fethodistaidd, Horeb, Llanrwst.

Credaf, fy hunan, fod y dyfyniad byr canlynol yn addas i ddisgrifio David: 'Mae bywyd a chrefydd yn un, onidê nid yw'r naill na'r llall yn ddim' (George McDonald).

Bu'n brysur hefyd yn ymateb i alwadau o fyd y teledu a'r radio, pryd y cyfrannai fel arbenigwr yn ei faes. Yng nghwmni Ginette Spanier, Cyfarwyddwraig Balmain yn Paris, bu'n westai sawl gwaith ar *Let's Face Facts* – rhaglen oedd yn trafod pynciau a chwestiynau ar faterion Cristnogol a ofynnwyd gan wylwyr teledu. Yn dilyn yn ddiweddarach roedd rhaglen *The Summing Up*, lle'r oedd yng nghwmni Jan Howarth a Michael Fogarty yn trafod materion cyfoes. Roedd sawl rhaglen arall gan y BBC a HTV. Un o'r rhain oedd *Clinig neu Gapel*. Fe wnaeth ddwy raglen hanner awr hefyd, gyda Robin Williams mewn cyfres lle bu gweinidog o Gymru, caplan o'r llynges, y Dr Martyn Lloyd-Jones ac Esgob Llandaf yn ymddangos. Yr un modd, cymerodd ran mewn rhaglen gyda Kate Roberts ar iselder ysbryd, ac yntau'n cael y fraint o ymgomio â hi a dadansoddi ei llyfr *Tywyll Heno*. Cyfrannodd yn rheolaidd i raglenni radio a theledu, megis *Heddiw*. Un o'r rhain fu dadl gyda Gwilym O Roberts, oedd yn ganlyniad i erthyglau'r olaf yn *Y Cymro*. Roedd y ddadl yn o ffyrnig, nes achosi, pan ailddarlledwyd y rhaglen ar y Sul, i'r cyhoeddwr ddweud: 'I wrando ar ddau lew yn rhuo!' Ond roedd cyfeillgarwch eithaf agos rhyngddynt, a'r ddau yn parchu ei gilydd.

Rhaglen deledu ITV, 'Insight', tua 1960 (?) Cyflwynydd: Robin Williams.

Rhaglen deledu HTV Cymru, 'Cymorth', tua diwedd y 1960au(?). David Enoch, ar y chwith; y Parchg Cynwil Williams, Cyflwynydd, yn y canol.

Yr adeg yma hefyd pregethodd ar Radio Cymru yn Oedfa'r Bore o'r Capel Mawr, Rhosllannerchrugog, ar y testun 'Bûm glaf', gan bwysleisio'r geiriau: 'Yn gymaint ag y gwnaethoch i un o'r rhai bychain hyn, i mi y gwnaethoch'. Dyma, efallai, gyfrinach ei fywyd.

Hwn oedd y cyfnod pan oedd clinig y seiciatrydd yn llawn a nifer o gapeli ac eglwysi bron yn wag. Credai David ei bod hi'n bwysig, ac yn angenrheidiol, trafod cyfrifoldeb yr eglwys mewn cyfnod o newid. Erbyn hyn roedd ei enw yn adnabyddus trwy Gymru a hefyd yn rhannau helaeth o Loegr.

Mae'n rhyfedd inni sut y medrai drefnu ei fywyd gyda'r holl brysurdeb, ac o ba le yr oedd yn cael y nerth i gyflawni ei addewidion. Yr wyf wedi meddwl llawer am hyn, a dod i'r farn ei fod yn dderbyniwr cymorth a bendith yr Un a ymddiriedodd yn llwyr ynddo.

Ni fu'n hir nes i'r teulu ymgyfarwyddo gyda'u hamgylchiadau newydd ac ymgartrefu yn hwylus yn Amwythig. Roedd eu cartref newydd rhywfaint y tu allan i'r dref, mewn ardal o'r enw Bayston Hill. Roedd y tŷ'n foethus iawn, ac yn sefyll mewn llecyn tawel, ac yr oedd yna olygfa brydferth ac eang o'i amgylch. Roedd yna ddigonedd o dir gyda'r tŷ, wedi cael ei drefnu â chryn dipyn o ddychymyg. Yn y cefn roedd yna gornel fechan atyniadol iawn – y 'Dell', fel yr oeddent yn ei galw. Roedd hwn yn lle addas iawn i'r teulu, ac yn baradwys fach i Dafydd eu mab. Yr oedd yna ddigon o le a rhyddid iddo ei fwynhau ei hunan yn chwarae pêl-droed ac ati. Rhaid nodi nad Dafydd yn unig oedd yn mwynhau: yr oedd David, y tad, hefyd yn ei elfen yn manteisio ar bob cyfle i ymlacio a chwarae'r un mor frwdfrydig.

Mynychai Dafydd ysgol enwog Kingsland Grange. Roedd yr ysgol yn ddigon agos i'w gartref fel na fu'n rhaid iddo letya yno, fel y mwyafrif, ac yr oedd yn gallu dychwelyd i'w gartref ar ddiwedd y dydd. Tebyg fod hyn wedi bod yn beth da yn y diwedd, oherwydd yr oedd yn haws sicrhau agosrwydd y teulu. Heblaw am hyn, efallai y byddai wedi dieithrio rhywfaint oddi wrth ei rieni. Diolch nad felly y bu. Bu Dafydd yn ddisgybl disglair yn yr ysgol, a'r canlyniad oedd iddo gael mynediad i Ysgol Birkenhead ac yn ddiweddarach i Brifysgol Rhydychen, lle bu'n astudio'r Gyfraith. Addysgwyd ef hefyd yn Gray's Inn. Wedi hynny bu'n gweithio fel bargyfreithiwr yn Bridewell Chambers, Llundain.

[*Nodyn gan RG*: Fe'i galwyd i'r Bar yn 1985. Yn 2004 fe'i penodwyd yn Farnwr rhan-amser. Yn 2005 fe'i gwnaed yn Gofiadur (*Recorder*). Yna, yn 2008, fe'i dyrchafwyd yn Gwnsler y Frenhines (QC).]

Dafydd Huw Enoch (g. 1961), gyda'i dad, wedi iddo gael ei ddyrchafu
yn Gwnsler y Frenhines yn 2008.

Roedd cyfrifoldeb swydd newydd David Enoch yn gofyn am lawer o
ymrwymiad, oherwydd fod pwysau'r gwaith clinigol, yn ogystal â rheoli'r Adran, ar
ei ysgwyddau. Un o'r pethau oedd yn flaenoriaeth iddo oedd dewis tîm o gefnogwyr
da, oherwydd yn ei absenoldeb roedd yn bwysig ei fod yn gallu ymddiried yn llwyr
ynddynt. Gan ei fod ef ei hunan bob amser wedi rhoi ymrwymiad llwyr, roedd ei
safonau'n uchel, ac roedd yn disgwyl ymrwymiad tebyg gan ei staff. Rheolai'r Adran

yn ddiysgog ac yn deg, ac roedd yn barod bob amser i roi cyngor neu gymorth i'r meddygon oedd o dan ei ofal. Ar y cyfan roedd popeth yn hwylus, heblaw am ambell ddigwyddiad annisgwyl neu anghyffredin. Cafodd ambell siom, ond llawer iawn o lwyddiant, fel y mae yn gyffredin ym mhob ysbyty.

Pe bai rhywbeth annisgwyl neu gymhleth yn codi yn yr Adran pan nad oedd ef yn bresennol, yr oedd yn hanfodol fod yr un ar ddyletswydd yn gwbl ddibynadwy, oherwydd gallai canlyniadau camfarniad fod yn erchyll. Ni fu'n rhaid iddo geryddu ei dîm yn aml, nac unrhyw aelod o'r tîm. Ambell dro, fodd bynnag, bu'n rhaid iddo wneud hynny er mwyn lles cyffredinol, yn ogystal â chadw rheolaeth a disgyblaeth. Un o'r enghreifftiau mwyaf difrifol o hyn oedd yr amser pan ddychwelodd David i'w gartref un tro am dipyn o seibiant wedi sicrhau bod yr Adran yn dawel a sefydlog. Gadawodd y cyfan yng ngofal un o'r Cofrestryddion. Yr oedd wedi pwysleisio i'r gŵr hwn i'w alw os oedd ganddo unrhyw amheuaeth, neu bryder, am gyflwr rhywun, neu pe digwyddai achos brys nad oedd yn sicr sut i ddelio ag ef. Gwaetha'r modd, daeth galwad frys i David ddychwelyd ar unwaith i'r ysbyty am y bu digwyddiad difrifol yn y cyfamser. Ar ôl cyrraedd yr ysbyty roedd yn amlwg fod yna dipyn o banig, ac roedd yn glir nad oedd neb yn siŵr sut oedd delio gyda'r mater. Felly'r cam cyntaf oedd dod ynghyd gyda'r meddyg a oedd ar ofalaeth i gael adroddiad am y digwyddiad; ond nid oedd sôn amdano. Felly bu'n rhaid i David ymdrin â'r mater o'r bôn, fel petai, heb ddim un math o wybodaeth o flaen llaw.

Daeth i'r amlwg yn nes ymlaen fod y meddyg wedi manteisio ar y ffaith fod y cyfan yn dawel yn yr ysbyty ac wedi dewis mynd i'r dre i wneud tamed o siopa. I David roedd y math yma o ymddygiad yn hollol annerbyniol. Edrychai arno'n drosedd anfaddeuol. Rhoddodd y trwsiad mwyaf erchyll i'r meddyg dwl, a gwnaeth yn glir iddo na fyddai ganddo fyth ymddiriedaeth ynddo mwyach, a'i fod wedi'i siomi'i hunan, ei gyd-weithwyr, yr ysbyty, ac, yn bennaf oll, yr un oedd wedi dangos y fath ffydd ynddo. Gwelai David y drosedd mor ddifrifol fel nad oedd yn teimlo y byddai'n iawn iddo gadw'r meddyg yn un o'i dîm. Dyna fe; mae ambell gamgymeriad nad yw'n achosi llawer o lanast, ond, fel dysgu hedfan awyren, mae yna rai na ellir eu gwneud unwaith heb i'r cyfan gwympo'n deilchion.

Parhau yr oedd y galwadau arno i bregethu ar hyd a lled Cymru, mewn cyrddau blynyddol ac ati. Er bod yna dipyn o bwysau arno, anodd iawn oedd gwrthod cais o'r galon. Ar y llaw arall, nid oedd yn bosibl iddo fod ym mhob man. Teg dweud taw'r hyn a allodd, efe a'i gwnaeth. Nodweddiadol iawn ydyw na fu erioed ganddo unrhyw bryder o ba enwad y deuai'r alwad iddo gyflwyno'r neges, oherwydd roedd ffiniau ei gred yn eang. Nid oedd yna wahaniaeth chwaith os oedd y capel yn fach, neu'n fawr ac yn enwog. Yr un oedd y paratoi a'r datgan iddynt oll.

Diddorol iawn oedd y cwestiwn o dalu treuliau, neu dalu am ei bresenoldeb. Nid – noder hyn – am fod y neges byth ar werth. Ond (a bod yn deg ac yn ymarferol) nid oedd ei amser, na chwaith y teithio (a allai fod ambell dro i lecyn anodd ei gyrraedd yng nghefn gwlad) yn elfennau y gellid eu diystyru. Yn aml, rhaid oedd aros dros nos oherwydd pellter y daith. Roedd hyn yn iawn lle'r oedd yna gapel mawr a chynulleidfa niferus, heb lawer o bwysau ariannol, na llawer o drafferth dod o hyd i lety. Nid felly, fodd bynnag, mewn llawer man lle'r oedd yn anodd ac yn frwydr i gadw drysau'r lle cysegredig ar agor. Yn wir, buasai llawer mwy wedi'u gorfodi i dderbyn y gwaethaf heblaw am aberth carfan brin o ffyddloniaid oedd yn brwydro'n galed yn erbyn cau.

Cofia am lawer tro iddo bregethu ac arwain y gwasanaeth mewn lle o'r fath, ac ar ddiwedd dydd cael cynnig amlen blaen o law rhyw flaenor swil, crynedig, ac yn lwcus os oedd yr amlen yn cynnwys pum punt am ddiwrnod o bregethu a milltiroedd o deithio. Does yna ddim tâl sylfaenol nac isafswm yn bodoli yn y llefydd hyn. Fel y dywed David o hyd, does yna ddim gwahaniaeth yn y byd – y peth pwysig ydyw bod neges wedi ei throsglwyddo. Rhaid pwysleisio na wnaeth fyth, dros ei holl flynyddoedd o wasanaeth, ddefnyddio dim a dderbyniodd fel tâl i'w ddibenion ef ei hunan. Yn hytrach, mae'n rhoi'r cyfan mewn cronfa arbennig a sefydlodd er mwyn dosbarthu cymorth i achos neu elusen a gyfrifa'n deilwng.

Priodol hefyd nodi bod David a'i briod, Joyce, wedi ysgwyddo'r cyfrifoldeb o drefnu addysg a chymorth cyffredinol i eneth briod o'r trydydd byd, sef Indira o'r India. Maent wedi cadw golwg ar ei chynnydd a'i budd. Pob hwyl a bendith iddi i lwyddo yn erbyn yr holl anfanteision y ganwyd hi iddynt.

14.

Porsche, y Cerbyd Cyflym; Boxer, y Ci Direidus; a 'Bois y Ddraig Goch'

Roedd yna adegau diddorol a digri iawn hefyd yn cydredeg gyda'r difrifol ym mywyd y meddyg ymroddedig. Roedd yn hoff iawn o'r modur Porsche y bu'n berchen arno am gyfnod sylweddol. Yr oeddwn yn cael fy syfrdanu wrth wrando arno'n disgrifio gallu'r peiriant hwn. Tebyg fod y modur yn gynt na'r gwynt ac yn glynu wrth y ffordd fel gelen. Gwefreiddiol oedd bod yn feistr ar hwn, ac nid oedd dim yn fwy hoff gan David a'i wraig na rhoi dipyn o benrhyddid i'r modur ar heol agored – ond gofalu'r un pryd rhag torri rheolau'r ffordd fawr!

Yr oedd ganddynt hefyd gi oedd yn hoff o'r Porsche. Boxer oedd hwn, ac yr oedd yn annwyl iawn gan y teulu, fel y mae pawb o'i gydnabod yn gwybod. Ci gweddol drwm a chryf, braidd yn hurt ac yn anodd, os nad yn amhosibl, ei ddisgyblu'n hollol, ond serch hynny'n annwyl a chariadus iawn. Cefais lawer o sbri yn gwrando ar David yn disgrifio campau anghredadwy'r cymeriad hwn. Byddai mynd allan am dro yn y modur yng nghwmni'r ci yn gallu bod yn dipyn o antur. Un tro, roedd David a'i wraig wedi dewis mynd i'r dre yn y modur i wneud tamed o siopa. Fel arfer, roedd y ci yn y sêt gefn, yn dawel ac yn ei fwynhau'i hun yn cynllunio pa weithred ddifyr i'w gwneud pan ddeuai'r cyfle.

Nid hir fu'n rhaid aros. Yr oeddent wedi gorffen siopa, dychwelyd i'r modur a gosod y bagiau ar y sêt gefn – o fewn cyrraedd y ci. Yn hollol ddifeddwl, dyma ddechrau eu taith tuag adre. Heblaw am y nwyddau angenrheidiol arferol, roeddent wedi prynu bwlb trydan. Dadlwythwyd y nwyddau wedi cyrraedd y tŷ, ond yn rhyfedd doedd dim golwg o'r bwlb yn unman. Wedi edrych yn fanylach daeth yn amlwg beth oedd wedi digwydd. Yr oedd cynllun cyfrwys y ci wedi dwyn ffrwyth – yr oedd yr anifail rhyfedd wedi'i fwyta! A'r peth mwyaf syfrdanol oedd na fu iddo ddioddef yr un gronyn o effaith niweidiol!

Dro arall cafodd y ci hoff, yn absenoldeb byr David a'i wraig, wledd o sbri yn chwarae gyda blwch o Persil yr oedd wedi llwyddo i ddod o hyd iddo yn y modur. Rhwygodd y blwch mewn chwinciad a chwalu'r powdwr golchi ar hyd y lle! Rhaid nawr oedd mynd â'r modur i garej i gael ei lanhau'n iawn. Dyma nhw yn cael sgwrs gyda rhyw ddyn oedd yn arbenigwr yn y math hwn o lanast. 'Dim problem', meddai'r dyn hwnnw, 'fyddwn ni fawr o amser yn cael gwared â'r llanast o gefn y modur.' Dyma fe'n penderfynu taw'r peth gorau i'w wneud oedd sugno'r powdr allan gan ddefnyddio'r offeryn priodol. Ac felly paratôdd y peiriant, rhoi'r bibell i mewn, a throi'r switsh ymlaen. Dyna i chwi olygfa, roedd y dyn pwysig a deallus hwn wedi gwneud camsyniad bach, gan osod y bibell yn nhwll y 'chwythu' yn lle'r 'sugno'!

Prydferth iawn oedd y canlyniad i bob un oedd yn agos – heblaw i David, ei wraig a'r dyn glanhau! Os oedd yna fan yn y modur lle nad oedd yna Bersil, mae'n gyfrinach hyd heddiw! Roedd y gawod eira o Bersil wedi'i ddosbarthu drwy'r modur. Nid oedd yna grac, agen na thwll heb fod ynddynt lenwad o bowdr golchi! Efallai mai gwell gadael yr esboniad am y modd y daeth y cyfan yn ôl i normalrwydd. Digon yw dweud i David ddod yn berchen ar fodur oedd yn eithriadol o lân y tu fewn, ac ar gi oedd yn eithriadol o lân y tu fewn a thu fas. Yn ail, ac yn hollbwysig, ni fu i David ddefnyddio'r un gair y byddai naw deg y cant ohonom wedi ei ystyried yn bwrpasol i ddisgrifio'r digwyddiad, y dyn pwysig na'r ci!

Pwy a ŵyr a fu'r atodiad deiet yna yr oedd y ci mor hoff ohono'n gyfraniad at ei nerth? Nid oedd yna ddim yn codi mwy o hwyl arno na chael David mewn sefyllfa anffafriol, fel ei gefn ato, a chymryd mantais ar y cyfle i redeg yn gyflym yn syth at ei goesau a'i hyrddio i lawr i'r llawr. Yr oedd fel rhyw Scott Gibbs y byd cŵn! Mynd i mewn i dacl yn galed – a lawr â chi! Roedd hyn yn gallu rhoi tipyn o ddolur, a rhaid oedd bod yn ofalus. Mae'r hen gi yn dawel ers blynyddoedd.

Parhau y mae diddordeb fy mrawd yng nghyfraith yn y gêm rygbi; mwynha fynd i wylio gornest ar raddfa leol, neu genedlaethol. Gan ei fod wedi chwarae llawer yn y gorffennol, mae ganddo dipyn o werthfawrogiad o fân bwyntiau'r gêm. Yr oedd yn ffrind mawr i John Gwilliam, cyn-gapten tîm rhyngwladol Cymru, oedd yn digwydd bod yn brifathro yn Amwythig. Mae David a minnau wedi dewis llawer tîm da i gynrychioli Cymru yn y gorffennol ac y mae wedi bod yn syndod inni paham na ddewiswyd yr un rhai gan yr arbenigwyr yn y fangre dawedog yng Nghaerdydd. Anodd anghofio'r saithdegau a'r chwaraewyr cadarn, dawnus. Ond dyna ni, dadlau a chymharu, dyna beth sy'n rhoi ias ar y cyfan a chadw diddordeb yn fyw. Er yr holl gytuno ac anghytuno, ar ddiwedd y dydd does fawr o wahaniaeth pwy sydd yn y garfan, na chwaith ym mha le fydd yr ornest, 'bois y ddraig goch' fyddwn ni am byth.

15.

Gofal a Mawr Gydymdeimlad; Ymchwilio, Addysgu a Chyhoeddi Cyfraniadau Seiciatryddol Cyfoethog

Yr oedd David yn gadarn ei gred fod urddas dyn yn hanfodol bwysig. Nid oedd yna ddim yn codi mwy o lid arno na darganfod bod unigolyn yn derbyn llai o barch na fyddai'n deilwng iddo. Yn y gangen hon o feddygaeth teimla fod hyn yn gwbl angenrheidiol. Yn Ysbyty Shelton yr oedd yn cymryd camau mawrion i orchfygu amarch at glefydau meddyliol. Roedd y maes yn datblygu ac yn newid yn gyson. Prin iawn oedd cyfleusterau hyfforddiant ac addysg o fewn yr ysbyty, yn ogystal â'r holl sir. Yr oedd y fath sefyllfa'n hollol annerbyniol, ac yn peri llawer o bryder iddo, yn enwedig am ddyfodol y meddygon iau. Dymunai i bawb oedd yn gysylltiedig â'r gwaith feddu ar yr wybodaeth ddiweddaraf, a thrwy hynny sicrhau, cyn belled ag oedd yn bosibl, fod pob dioddefydd yn derbyn y driniaeth orau oedd ar gael ar y pryd.

Yr oedd yn Diwtor Clinigol Ôl-radd ym Mhrifysgol Birmingham, lle bu'n darlithio i feddygon iau er mwyn iddynt baratoi at gymwysterau uwch. Trefnodd hefyd Ddiwrnodau Addysgu – rhywbeth oedd yn hollol newydd yr adeg honno. Dyddiau oedd y rhain wedi'u penodi er mwyn rhoi cyfle i bob un yn y maes seiciatryddol gael hyfforddiant pellach a chael gwybodaeth am y datblygiadau diweddaraf, er mwyn dod â rhagoriaeth i driniaeth clefydau meddyliol. Cofir amdano drwy'r sir, gyda mawr barch ac edmygedd, fel yr arloeswr a ysgydwodd i'r gwreiddiau yr hen ddulliau ac aildrefnu'r natur sefydlog a fodolai yn y gyfundrefn cyn ei ddod. Fel yr ysgrifennodd Shirley Tart yn y *Shropshire Star*: 'Dr Enoch leaves behind him a state of affairs so much better than he found them, and a system that is geared to steady future progress, that has paved the way well for others who will come.' Dewisodd orffen ei yrfa yn Ysbyty Shelton yn Amwythig yn 1974, wedi gyrfa ddisglair o ddeuddeg mlynedd. Colled Swydd Amwythig oedd ennill Ysbyty Brenhinol Lerpwl.

FIFTH EDITION

UNCOMMON PSYCHIATRIC SYNDROMES

David Enoch, Basant K. Puri and Hadrian Ball

5ed argraffiad cyfrol a ystyrir yn un o glasuron y byd meddygol. Cyfieithwyd i nifer o ieithoedd. (Routledge, 2021. Argraffiad cyntaf: cyhoeddwyd gan John Wright and Sons,1967.)

Yn ystod ei amser yn Amwythig bu'n gyd-awdur cyfrol y cyfeiriwyd ati eisoes, *Uncommon Psychiatric Syndromes*, a diddorol yw sut y daeth y llyfr hwn i fodolaeth. Er nad gwaith ymchwil oedd prif bwyslais Ysbyty Shelton, mae'n bwysig cadw mewn cof fod David Enoch wedi parhau i ymchwilio ym maes meddygaeth seiciatryddol. Drwy ei swydd fel Tiwtor Clinigol yn Birmingham, fe gwrddodd â'r Athro William Trethowan, ac, yn y man, daeth yn ffrind mawr iddo. Bu farw'r Athro yn 1995, a chyfeiriwyd at David yn y coffâd iddo ym mhapur newydd *The Times* ar y pryd.

Er mwyn cael cefndir cyhoeddi'r llyfr yn eglur y mae angen cyfeirio at ambell ffaith sydd wedi cael bras sylw'n gynharach. Rhaid mynd yn ôl i'r adeg pan oedd David o dan ofal y Dr Ström-Olsen yn Ysbyty Runwell. Dyma pryd y gofynnodd y Dr Ström-Olsen iddo edrych i mewn i 'ffenomen y dwbl', neu'r 'Syndrom Capgras'. Wedi iddo gasglu nifer o achosion, eu hadolygu a gwerthuso eu gwahaniaethau diagnosis a seicopatholeg, cyflwynwyd y cyfan mewn traethawd ymchwil. Fel y nodwyd eisoes, enillodd y traethawd fedal ymchwil a gwobr y Coleg Seiciatryddol (1960). Yn yr un flwyddyn enillodd Fedal Gaskell. Ar y pryd, y rhain oedd y ddwy fedal flaenaf a'r wobr academaidd glinigol uchaf ym Mhrydain.

Ar ôl i'r papur gael ei gyhoeddi yn *Acta Psychiatrica Scandinavica* (1963), daeth David i adnabod y golygydd yn dda, a bu yna berthynas ffrwythlon rhyngddynt. Yr oedd David hefyd wedi crynhoi enghreifftiau o syndromau prin eraill. Yn wir, roeddent yn brin iawn yr adeg honno, megis Syndrom Tourette, Syndrom Othello, ac eraill. Yr oedd ei ddiddordeb yn y math hwn o waith yn cynyddu, ac yr oedd wedi bod yn brysur yn paratoi nifer o benodau. Roedd y Dr John Barker o Amwythig eisoes wedi ysgrifennu traethawd ar Syndrom Munchausen, ac roedd yr Athro Trethowan wedi gwneud yn union yr un peth ar Syndrom Couvade. Y canlyniad oedd i'r tri gwaith gael eu huno i wneud llyfr.

Yna bu trafodaeth rhwng y tri awdur ynglŷn â beth oedd y ffordd fwyaf pwrpasol i gael y llyfr yn barod i'w gyhoeddi. Meddwl cyntaf David oedd y byddai'n well iddo ef olygu'r llyfr, ond penderfynwyd y buasai'n well ei gyhoeddi yn enw'r tri, er bod y rhan helaethaf o'r penodau wedi'u hysgrifennu gan David. Bu rhaid iddo nawr gwrdd ag uwch-oruchwyliwr y cwmni cyhoeddiadau meddygol John Wright & Co., Bryste. Roedd mater y costau yn bennaf ym meddwl David ar ddechrau'r siarad, ond, er mawr syndod a llawer o ryddhad iddo, ni wnaethpwyd unrhyw gyfeiriad at y costau. Yn wir, derbyniodd y goruchwyliwr y cyfan gyda brwdfrydedd. Roedd yn hoff ofnadwy o'r holl syniad.

Dyna sut y daeth y llyfr i fodolaeth. Yr oedd yr adolygiad yn *The Lancet* (fel pob adolygiad arall) yn canmol y llyfr yn fawr: 'It is a slim volume of essays which makes essential reading for all doctors.' Nid oedd yna'r un bwriad i'r llyfr fod yn un chwyldroadol, dim ond yn llawlyfr meddygol yn delio â chyflyrau prin a phwysig. Erbyn yr ail argraffiad roedd cynnydd yn nifer y penodau – tair pennod yn ychwaneg, gan gynnwys un ar Syndrom 'Folie à deux'. Erbyn y trydydd argraffiad yn 1991, roedd dwy bennod arall wedi'u hychwanegu.

Yn y cyfamser sylweddolwyd nad oedd rhai o'r syndromau mor brin ag y tybiwyd i ddechrau. Yn wir, roedd yna ambell un wedi dod yn enwog yn ogystal â bod yn destun trafodaeth gyhoeddus. Daeth Syndrom Munchausen yn enwog a blaenllaw oherwydd y sylw i achosion megis y nyrs Beverley Allitt a oedd yn dioddef gan y cyflwr. Erbyn hyn roedd yn rhaid ehangu'r golwg ar y mater a defnyddio'r term 'Munchausen trwy ddirprwy'. Mae hyn yn golygu bod mamau, yn arbennig, yn niweidio eu plant yn gorfforol, a hynny'n fwriadol, er mwyn cael sylw neu gydymdeimlad. Mae yna lifeiriant o achosion o'r fath wedi dod yn gyfarwydd i'r cyhoedd trwy'r papurau dyddiol a chyfryngau eraill. Y mae David yn arbenigwr byd-enwog yn y maes hwn, ac y mae yna alwadau diderfyn arno i roi ei farn ac i sylwebu ar y materion hyn mewn cyfweliadau a rhaglenni dogfennol ar y radio a'r teledu.

Mae'r llyfr yn ymdrin hefyd â Syndrom de Clérambault. Cyflwr yw hwn lle mae menyw'n credu bod yna rywun o statws uwch yn ei charu, er nad oes dim sail i'r peth. Mae tua 50% o dorsythwyr yn dioddef gan y clefyd hwn. Dylid eu cydnabod yn bobl sâl, ac y mae'n ddyletswydd eu trin gan gadw hynny mewn cof. Yn deillio o hyn, mae David wedi ysgrifennu'n eang ar y cyflwr, ac y mae'n derbyn galwadau lawer o'r Unol Daleithiau ac Awstralia yn gofyn am ei sylwadau. Yr oedd llwyddiant y gyfrol y tu hwnt i bob disgwyliad, a'r canlyniad fu iddi werthu miloedd ar filoedd o gopïau: cyfrol boblogaidd, ysgolheigaidd ac arloesol a dynnodd sylw at lawer cyflwr pwysig sy'n bodoli yn ein cymdeithas gyfoes.

Pwysig iawn i'r Dr David Enoch hefyd oedd delio â salwch meddwl ymysg yr oedrannus. Sylwodd fod y rhan hon o'r boblogaeth yn haeddu mwy o barch. Felly arweiniodd garfan o arbenigwyr i dynnu sylw arbennig at y pwnc. Cysylltodd gyda'r Dr Whitehead a Mrs Barbara Robb, dau oedd wedi ymddiddori llawer yng nghyflwr yr henoed mewn ysbytai seiciatrig. Canlyniad y cydweithio hwn fu ffurfio'r grŵp pwyso AEGIS, darlithio drwy'r wlad a gwneud amryw o raglenni teledu.

Hefyd cafodd llyfr, *Sans Everything* (1967) ('heb bopeth'), a olygwyd gan Mrs Barbara Robb ac a gyhoeddwyd gan Thomas Nelson & Sons, ddylanwad mawr drwy'r wlad. David ysgrifennodd y bennod olaf yn y llyfr hwn, o dan y teitl 'Ready for the Scrapheap'. Ynddi yr oedd wedi cyfeirio at y Gweinidog Iechyd ar y pryd, Mr Enoch Powell. Bu hyn yn gyfrwng i'r ddau ddechrau cyfathrebu, ac, yn wir, pan oedd ar ymweliad ag Amwythig, gofynnodd Mr Powell yn unswydd am gwrdd â David er mwyn sgwrsio am oedran ym maes iechyd meddwl. Y canlyniad fu i David gael gwahoddiad gan yr Ysgrifennydd Gwladol i fynd i'r Weinyddiaeth i drafod Adran 29 Deddf Iechyd Meddwl 1959. Yr oedd David a Mr John Barker wedi gwneud llawer o waith ymchwil yn y maes ac yr oeddent yn medru dangos yn glir, yn *The Lancet*, fod yna gamddefnyddio ar ran o'r ddeddf.

Felly y bu iddynt fynd i gyfarfod yn y Swyddfa Iechyd i drafod y mater. Mae'n hynod fod un o bobl flaenllaw'r gwasanaeth gwladol wedi gofyn iddynt, wrth ymadael â'r cyfarfod: 'Sut deimlad yw bod â mwy o wybodaeth am iechyd meddwl nag unrhyw un arall?' Y mae'n nodweddiadol, er mai ar yr ymylon, bron, yr oeddent yn gwneud y math hwn o ymchwil, eu bod wedi llwyddo i fod yn ddigon effeithiol i gael y fraint o'u galw gan yr Ysgrifennydd Gwladol i gyflwyno'r ffeithiau a'r hanes am yr hyn roeddent wedi'i ddarganfod.

Yr oedd y blynyddoedd hyn yn rhai toreithiog iawn yng ngyrfa'r Dr David Enoch. Gwahoddwyd ef i eistedd ar bwyllgorau penodiadau ymgynghorwyr seiciatryddol, yn ogystal â staff y Brifysgol. Oherwydd natur uchel y pwyllgorau, roedd yn ddigon amharod i siarad llawer, ond roedd yr Athro Trethowan yn awyddus iddo roi ei farn. Dywedodd wrth yr Athro ei fod fel aelod newydd bob amser tamed yn betrus. Ateb yr Athro iddo oedd: 'Rwyf wedi dy wahodd di yma'n unswydd er mwyn i ti gael cyfle i ddatgan dy farn.' Yr oedd yn gwerthfawrogi'r ymddiriedaeth ynddo'n fawr iawn.

Gwaetha'r modd, yn cydredeg gydag uchelfannau mae yna ambell iselfan – dyna batrwm bywyd. Yr oedd yn gofidio'n fawr oherwydd fod iechyd ei fam annwyl wedi dirywio yn dilyn trawiad trwm ar y galon. Er ei bod wedi goroesi'r digwyddiad, gadawyd effeithiau lawer arni, a bu angen gofal cyson arni am weddill ei hoes. Roedd yn ffodus iawn fod ei chwaer a'i theulu wedi dychwelyd i fyw i'r hen gynefin erbyn hyn. Daeth agosrwydd a chariad y teulu i'r amlwg unwaith eto, felly bu'n llawer haws cyflawni'r hyn oedd yn angenrheidiol er lles eu mam. David oedd yn cadw llygad broffesiynol ar gyflwr ei fam o safbwynt meddygol, a Yolande, ei chwaer, yn gofalu am yr hyn yr oedd ei angen yn ymarferol o ddydd i ddydd.

A bod yn deg, rhaid dweud bod eu mam, drwy'r cyfan, yn gwneud ei gorau i fod mor annibynnol â phosibl. Nid oedd erioed wedi bod yn un i fagu problem; ond fel yr âi amser heibio, cynyddu yn anesgorol [anadferadwy, anochel] oedd y gwendidau, ac roedd arni angen mwy o ofal. Cofia Yolande gyda thristwch am y diwrnod y dywedodd ei mam wrthi'n sydyn: 'The Lord has not answered my prayers.' A Yolande yn gofyn iddi: 'Why do you say that, Mam?' Meddai hithau: 'Why has He not taken me?'

Daeth ateb i'r weddi cyn bo hir, wrth i'w henaid lithro yn dawel oddi wrthi ym mreichiau ei merch yn 1986. Nid oes unrhyw amheuaeth fod yr ymrwymiad cariadus a roddwyd gan David a Yolande i'w mam yn un o'r prif resymau iddi gael estyniad o fywyd am bron ugain mlynedd wedi'r trawiad.

Digon diflas oedd y dasg y bu'n rhaid iddynt ei chyflawni yn dilyn eu colled. Nid hawdd codi awydd i rannu hoff drysorau eu mam a ffarwelio â'r cartref, a bu llawer o ddagrau wrth iddynt orfod gwasgaru'r pethau oedd yn dwyn ar gof amserau hyfryd y gorffennol.

16.

O Amwythig i Lerpwl a'r Ysbyty Brenhinol: Ymgynghorydd Seiciatryddol Awdurdod Iechyd Rhanbarthol Glannau Mersi, a Darlithio yn Ysbyty'r Brifysgol

Yn 1974 penodwyd David yn Ymgynghorydd Seiciatryddol gan Awdurdod Iechyd Rhanbarthol Glannau Mersi, felly rhaid oedd i'r teulu symud i fyw i Lerpwl. Dyma ddinas oedd yn esiampl nodweddiadol o ble'r oedd problemau cymdeithasol mawrion, oherwydd maint a thrawstoriad y boblogaeth.

Ysbyty Brenhinol Prifysgol Lerpwl. Penodwyd Dr David Enoch yn Ymgynghorydd Seiciatryddol yn 1974. Wedi ymddeol, yn 1987, fe'i gwnaed yn Ymgynghorydd Seiciatryddol Emeritws.

Nid oes yna ddosbarth cymdeithasol neilltuol sy'n fwy tueddol i ddioddef gan broblemau seiciatryddol – gallant ddod i ran y cyfoethog, y tlawd, y gwan a'r cryf.

Yn wir, maent yn cyffwrdd ag unigolion dros holl sbectrwm bywyd. Pwysig, gan hynny, oedd iddo gydweithio gyda nifer o wasanaethau yn y gymuned, megis y gwasanaethau cymdeithasol, pwyllgorau addysg, yr heddlu, a sefydliadau Cristnogol. Felly, trwy natur ei swydd yr oedd mewn cysylltiad cyson gyda nifer o drigolion proffesiynol a blaenllaw'r ddinas. Diddorol iddo ddod yn gyfeillgar iawn gydag Esgob Anglicanaidd Lerpwl, y Gwir Barchedig David Sheppard. Bu'r Esgob yn adnabyddus iawn i lawer am ei lewder ar y maes criced, oherwydd bu'n aelod o dîm prawf Lloegr, ac yn ei amser yn fatiwr o'r radd flaenaf. Bu'r ddau yn cydweithio ac yn trin problemau ysbrydol a chymdeithasol a godai o bryd i'w gilydd. Er bod yna faterion difrifol yn hawlio'u trafod, tebyg fod yna ymgom fach wedi digwydd ambell waith, hefyd, am y gêm oedd o ddiddordeb i'r ddau.

Cafodd David y fraint o siarad yn yr eglwys gadeiriol lawer tro. Yr oedd yn ymgynghorwr i nifer o bobl enwog a blaenllaw – sêr y byd adloniant, aelodau o'r Llywodraeth, a gwladweinyddion. Hynod fod llawer ohonynt yn dioddef gan niwrosis obsesiynol, cyflwr sy'n fwyaf cyffredin ymysg y rheiny y mae ganddynt ddeallusrwydd uwchlaw'r cyffredin. Yr oedd hyn yn baradocs, oherwydd yr oedd ganddynt fath o fewnwelediad i'w problemau eu hunain. Perthyn llawer o ddynion blaenllaw ein gwlad i'r dosbarth hwn. Llawenydd a boddhad mawr iddo oedd ei fod wedi cael rhan allweddol yn eu gwellhad.

Yr oedd dod o hyd i le addas i fyw yn y ddinas ar lannau Mersi yn dipyn o broblem. O'r diwedd, gwelsant dŷ mawr a digon o dir o'i amgylch. Yr oedd yn amlwg fod yna lawer o bosibiliadau mewn lle o'r fath, oherwydd yr oedd yn y tŷ nifer o ystafelloedd helaeth. Dyma, felly, ei brynu. Defnyddiwyd ef hefyd yn ganolfan i weithgarwch Eglwys St Mary's, ac fel man cyfleus i groesawu ymwelwyr a chleifion o bell ac agos.

Wedi rhai blynyddoedd, fodd bynnag, daeth yn amlwg fod y lle erbyn hynny'n llawer mwy nag yr oedd arnynt ei eisiau fel teulu. Roedd galwadau mynych, hefyd, i wasanaethu oddi cartref; felly, rhoddwyd y tŷ a'r tir ar y farchnad i'w gwerthu. Nid hawdd oedd gwerthu lle o'r fath, oherwydd yr oedd, mwy neu lai, yn nosbarth y 'farchnad arbennig'. Yn ffodus, prynwyd y tŷ a'r tir gan gwmni o adeiladwyr. Mae'n debyg iddynt ddatblygu'r cyfan i fod yn fflatiau moethus. Aeth David a'r teulu i fyw i Gilgwri, yr ochr arall i Fersi. Roedd yn rhaid iddo deithio trwy dwnnel enwog Mersi nawr er mwyn cyrraedd ei waith, ond ni fu hyn yn llawer o ofid iddo, oherwydd roedd y cartref newydd yn ddigon canolog iddo allu cyflawni ei ddyletswyddau heb lawer o drafferth.

Rhaid cofio ei fod yn parhau i ddarlithio a phregethu drwy'r wlad. Yr oedd yna alwadau arno i fod yn bresennol mewn seminarau oherwydd ei arbenigedd mewn gwaith cyhoeddus. Bu hefyd yn pregethu yn eglwysi cadeiriol Newcastle a Chaerwrangon. Fel yn Amwythig, yr oedd ei bryder am ddiffyg a phrinder yr hyfforddiant oedd ar gael i weithwyr cymdeithasol yn parhau, ac, fel ynghynt, gweithiodd yn gyson i sefydlu'r safonau addysg oedd yn ei olwg ef yn angenrheidiol. Yn ogystal â bod yn Ymgynghorwr yn yr Ysbyty Brenhinol, yr oedd hefyd yn darlithio ym mhrifysgol y ddinas. Dyma oedd patrwm ei fywyd am weddill ei yrfa yn Lerpwl, yn wir, hyd nes iddo ymddeol o'i waith llawn-amser yn 1987. Tra bu yno yr oedd wedi ennill parch aruthrol drwy'r gymuned, ac roedd yr Awdurdod Iechyd yng Nglannau Mersi'n flin iawn fod amser ei ymddeoliad wedi cyrraedd. Gwerth nodi hefyd fod yr uned seiciatryddol yn Ysbyty Brenhinol Lerpwl wedi ei henwi'n David Enoch Unit ar ei ôl, yn deyrnged iddo. Ychydig cyn ymddeol yr oedd wedi prynu tŷ yng Nghaerdydd, er am beth amser wedi hynny (1987–91) bu'n teithio i Lerpwl fel Ymgynghorydd i Fwrdd Iechyd Glannau Mersi i gynnal clinig ddwywaith yr wythnos.

* * * * *

Yn ddiau bu'r Dr David Enoch yn arwr yn y byd meddygol, yn arloeswr nodedig, ac yn Gristion cyflawn. Y mae pawb a fu'n cydweithio ag ef ac wedi ymwneud ag ef mewn unrhyw faes yn dystion i'w allu, ei ymrwymiad a'i ymroddiad, yn ogystal â'i barodrwydd bob amser i roi cyngor a chymorth pryd bynnag yr oedd gofyn amdanynt. Gwerth nodi rhai o'r pethau a ysgrifennwyd amdano fel teyrngedau iddo ar ei ymddeoliad:

> **Esgob Lerpwl, a'r cricedwr enwog, y Gwir Barchedig David Sheppard**: 'I am very thankful for so much that you have given over so many years with such willingness.'

> **Y Dr T J Barclay**, FRCP, Deon Addysg Feddygol Ôl-radd, Prifysgol Lerpwl: 'Thank you for your major contribution to training in your speciality and in the wider context of graduate education. The advances in higher and professional training in Merseyside owe so much to your efforts. There are throughout the world many Consultant Psychiatrists who spent their formative years in the speciality under your guidance, and whose practice has been greatly influenced by you. No other Regional Adviser was more receptive to innovations in training and postgraduate education.'

> **Mental Health Review Tribunal**, Lerpwl: 'He is an exceptional medical member with outstanding credentials as one of the country's leading authorities in Psychiatry.'

[Yr Athro] Malcolm MacCulloch, MOH [Medical Officer of Health], Ontario: 'It has been rare for Liverpool to have rounded physicians who contributed fully and equally to teaching, research, clinical work, administration and writing, all of which you have done in more than full measure. Your leaving Liverpool is for us the end of an era and one in which a renaissance has occurred.'

[Dyma'r union eiriau sydd ar y goflech yn Ysbyty Brenhinol Lerpwl.]

1987

TO MARK HIS EXCEPTIONAL SERVICES

TO PSYCHIATRY IN THE MERSEY REGION

THIS UNIT WAS NAMED

ON HIS RETIREMENT FROM THE RLH

THE
DR. M. DAVID ENOCH UNIT

17.

Meddyg y Galon Glwyfus: O Lerpwl i Gaerdydd a Chyhoeddi Dwy Gyfrol Arloesol

Roedd yn hyfryd iawn dychwelyd i fyw i Gymru yn 1987 ar ôl yr holl flynyddoedd. Yr oedd ei gartref newydd yn ddim ond rhyw dafliad carreg o Eglwys Gadeiriol Llandaf. Lle bendigedig ydoedd, yn edrych dros lawnt yr eglwys. Yr oedd hefyd yn ddigon agos at stiwdio'r BBC yn Llandaf. Roedd hyn yn dipyn o fantais, oherwydd yn dilyn ei ymddeoliad roedd y galwadau arno o'r cyfryngau yn cynyddu. Fel y gŵyr y mwyafrif, mae'r teledu a'r papurau newydd wedi dod â rhyw, trais, llofruddiaeth a chamymddwyn yn gyffredinol i mewn i'n cartrefi. Yn wir, oni fyddwn yn ofalus, y mae perygl fod y gweithredoedd a fu gynt yn hollol annerbyniol yn dod, trwy ymgyfarwyddo â nhw, yn weithredoedd cyffredin. Er bod digwyddiadau o'r fath yn niferus, mae'r holl sylw iddynt yn tynnu gorchudd dros y nifer o weithredoedd da sy'n cael eu cyflawni.

Mae rhai'n barod iawn i farnu arbenigwyr megis y Dr David Enoch sy'n trafod pynciau fel rhyw yn hollol agored, gan eu cyhuddo o wneud y peth yn fath o obsesiwn ganddynt. Ond, fel y dywed ef ei hun, rhaid edrych ar ryw yn y persbectif iawn. Nwyd pwysig ydyw, yn enwedig yn yr ifanc, a gwêl lawer o fai ar rieni, athrawon a'r Eglwys am osgoi popeth sy'n ymwneud â'r pwnc. Mae seiciatryddion, meddai, yn cael eu cyhuddo o weld rhyw ym mhob man; ond, fel y cyfeiriodd David droeon, y ffaith yw ei fod ym mhob man. Nid gwneud eilun o'r broblem, fel y mae rhai yn tybio, ond pwysleisio na ddylasai fod yn dabŵ. Mae'n dweud yn berffaith glir fod yn rhaid dod â'r nwyd hon o dan reolaeth, oherwydd os parheir i drafod y peth yn agored, fe gymerir mantais gan bobl fusnes amheus a llwyddiannus i ragori arno o gysgodion y gwter, fel y mae'n amlwg iawn yn y dyddiau hyn. Rhaid cydnabod y cnawd a'i hawl, meddai. Dyna'r cam cyntaf tuag at reolaeth a chymryd cam pellach tuag at gysegru'r nwydau.

Daeth David yn gyfeillgar gyda Deon Diwinyddiaeth Prifysgol Cymru ar y pryd, y Prifathro Dafydd Dafis, a thrwyddo cafodd wahoddiad i siarad yn Narlithiau Coffa Steven Griffiths, yng Ngholeg y Bedyddwyr, Caerdydd, 1981. Manteisiodd ar y cyfle

HEALING THE HURT MIND

CHRISTIAN FAITH AND PSYCHIATRY

Dr DAVID ENOCH

Un o gyfrolau enwocaf yr awdur. Cafwyd un argraffiad ar ddeg eisoes. Cyhoeddwyd gan Hodder & Stoughton, 1983.

THE *Care* SERIES

MARY MOATE & Dr DAVID ENOCH

Schizophrenia:
Voices in the Dark

*Hope for
Those Who Care*

Cyfrol ar y cyd rhwng Mary Moate a David Enoch. (Kingsway Publications, 1990.)

i ddwyn rhai o'i hoff destunau at ei gilydd, sef ffydd, gras a seiciatreg. Yr oedd yna fwy o wrandawyr yn y cyfarfodydd nag a fu ers blynyddoedd, ac yr oedd yr achlysur yn llwyddiannus iawn. Daeth yn amlwg fod ei areithiau wedi cael argraff fawr ar y gynulleidfa, gan gynnwys Dafydd Dafis ei hun. Y canlyniad fu i'r Prifathro roi tipyn o bwysau arno i gyhoeddi'r cyfan mewn llyfr. Felly ysgrifennodd gyfrol o dan y teitl *Healing the Hurt Mind*, a gyhoeddwyd gan Hodder & Stoughton (1983).

Mae'r llyfr yn ymdrin â hanes a thriniaeth salwch meddyliol dros y blynyddoedd, a'r gwahanol ffurfiau o'r afiechyd. Mae'n dangos nad yw iachâd byth yn gyflawn heb dderbyn gras a ffydd, er mwyn dod yn gyfanrwydd ysbrydol. Roedd yr ymateb i'r cyhoeddiad yn fyd-eang, a daeth llythyron a galwadau ffôn di-rif o'r Unol Daleithiau, Awstralia a llawer man arall. Yr oedd yn cael galwadau o Awstralia yn oriau mân y bore! Daeth llawer o lythyron ato oddi wrth unigolion preifat a myfyrwyr proffesiynol yn gofyn am gyfarwyddyd yn eu gyrfa, yn ogystal ag unigolion llai ffodus yn disgwyl am gysur a diddanwch yn eu bywyd, ac y mae'r galwadau am ei gymorth a'i wasanaeth yn parhau. Erbyn hyn, mae'r llyfr yn ei 11eg argraffiad ac wedi gwerthu miloedd o gopïau.

Cyhoeddwyd hefyd gyfrol bwysig arall o'r enw *Schizophrenia: Voices in the Dark* (1990), gan Kingsway Publications, yn rhan o'r gyfres 'Care'. Yn y gyfrol hon y mae'n gyd-awdur gyda Mary Moate, sy'n adrodd hanes y tostrwydd ar ei mab, mewn disgrifiad torcalonnus o'r dioddef mawr a ddaeth i'w ran, ac i ran yr un oedd yn gofalu amdano. Dyma sylw'r Dr Gaius Davies am y llyfr arbennig hwn: 'A mother's moving account and an expert's commentary makes this a book of special worth.'

18.

Colli Priod Hoff

Wrth ysgrifennu hanes y Dr David Enoch, ni ellir diystyru cyfraniad pwysig ei briod, Joyce. Yr oedd yn berson deallus ac yr oedd yn bersonoliaeth liwgar. Bu yna berthynas agos rhyngddynt drwy eu bywyd priodasol. Yn ogystal â bod yn wraig, roedd hi hefyd yn gymar. Bu wastad yn gefnogol, yn gymorth mawr ac yn nerth iddo. Yr unig ffordd i ddisgrifio ei chyfraniad at les y teulu yn gyffredinol yw – amhrisiadwy. Gallai David ymddiried ynddi'n llwyr. Roedd hyn yn bwysig, yn enwedig os oedd galwad arno i fynd i ffwrdd am rai dyddiau. Roedd ei diddordeb yn ei waith a'r profiad oedd wedi tyfu dros y blynyddoedd yn ei galluogi i wahaniaethu pa alwad iddo oedd yn bwysig neu beidio, ac yr oedd ei synnwyr canfyddiad craff yn ddefnyddiol iawn droeon.

Joyce Enoch, yng nghartref David a hithau: 28 Cathedral Green, Llandaf, Caerdydd: 1989.

Hoffai drefnu blodau, ac yr oedd yn dipyn o gamster ar waith llaw. Roedd effeithiau'r ddawn hon i'w gweld yn amlwg yn ei chartref. Dyma hefyd un oedd yn gwybod sut i wisgo, oherwydd yr oedd ganddi ddawn anghyffredin wrth ddewis dillad, a'r dewis yn amlwg yn gweddu. Roedd yr olwg arni bob amser yn atyniadol iawn. Mae'n bwysig nodi, ymhellach, ei bod yn gallu ymgomio'n ddeallus ar unrhyw lefel. Roedd yr eglwys yn rhan hanfodol o'i bywyd, ac yr oedd wedi derbyn Iesu fel ei Gwaredwr personol.

Yn fuan ar ôl ymgartrefu yng Nghaerdydd dechreuodd iechyd Joyce achosi rhywfaint o bryder. Fel roedd amser yn mynd rhagddo, doedd yna fawr o wellhad yn ei chyflwr. Yr oedd yn derbyn y gofal meddygol gorau oedd ar gael, wynebodd y salwch yn ddewr, a dioddefodd yn dawel bob math o arbrofion a thriniaethau oedd yn cael eu hystyried yn angenrheidiol. Yn anffodus, er yr holl ofal a chariad, colli'r frwydr fu ei hanes, a bu farw ar yr 8fed o Ionawr 1993.

Bu colli mam a gwraig gariadus yn ergyd ofnadwy i Dafydd, y mab, a David. Roeddent yn gwybod yn iawn fod y bwlch a adawyd ar ei hôl yn mynd i fod yn amhosibl ei lenwi. Yr oedd y digwyddiad yn fath o ddiweddglo ar gyfnod ym mywyd David, ac ni wnaiff fyth anghofio amdano tra bydd fyw.

Ond dyna fe, beth bynnag fo maint y rhwystrau a dyfnder y tywyllwch ar y pryd, rhaid casglu nerth a chadw gobaith, er mor anodd codi unrhyw frwdfrydedd. Credaf taw yn y dyddiau cyntaf yn dilyn ei alar oedd y tro cyntaf iddo ofyn y cwestiwn: 'Pam fi, Dduw?' Diolch na fu'r amau'n ddim mwy nag eiliadau diflanedig yn ei feddwl. Roedd y sylfaen yn rhy gadarn i'r adeilad gwympo.

19.

Diwrnod i'r Brenin: o Rydaman i Aberaeron; o Aberaeron i Geinewydd

Fel ag y byddech yn disgwyl, roedd ei ysbryd wedi darostwng cryn dipyn yn dilyn marwolaeth ei briod, ac yr oedd ei ddyfodol yn peri llawer o bryder i'w chwaer, Yolande, a minnau. Sut y byddai'n ymdopi ar ei ben ei hun? Wedi'r cwbl, nid oedd yn union fel Antony Worrall Thompson yn y gegin! Felly, roeddwn yn falch ein bod yn byw yn weddol agos ato ac yn gallu bod yn gymorth iddo pan fo eisiau. Pwyll oedd yn bwysig yr adeg yma – cam bychan ar y tro, o ddydd i ddydd ac o wythnos i wythnos. Rhaid bod yn ofalus mewn sefyllfa o'r fath, oherwydd y mae'n rhwydd, ac efallai yn demtasiwn, i or-wneud. Er cystal y bwriad, gall gormod o ymyrraeth fod yn negyddol ei effaith. Rhaid parchu annibyniaeth yr unigolyn bob amser.

Felly, yn araf, daeth ambell belydr o oleuni drwy'r cymylau, ac nid oedd y dyfodol i'w weld mor noethlwm. Yn raddol cododd ei ysbryd ac ymgryfhaodd o damed i damed. Ailgyneuwyd ei ddiddordeb yn gyffredinol, nes dod yn ôl yn agos at normalrwydd. Clwyd arall wedi ei goresgyn, diolch am hynny.

Treuliodd lawer o amser gyda'i chwaer a minnau yn ein cartref yn Rhydaman, a phleser mawr oedd cael ei gwmni. Yr hyn oedd yn flaenllaw gyda ni oedd cadw awyrgylch ysgafn cyn belled â phosibl, oherwydd yr oeddwn yn teimlo ei fod wedi bod yng nghanol digon o bethau difrifol a thrwm yn y gorffennol. Gorau oll, felly, oedd manteisio ar yr hyn yr oeddem ni'n ei wybod o brofiad amdano, yn arbennig rhai o'r pethau yr oedd yn hoff ohonynt – danteithion melys, bwyd da, a chael ei yrru o amgylch mewn modur. Felly, bob dydd o ŵyl dyna fyddai'r drefn gennym pan fyddai David gyda ni. Dechrau gyda brecwast da – 'English', wrth gwrs, am nad oedd bob amser yn gyfleus cael hyd i damed o fara lawr i baratoi un Cymreig iddo! Hanner awr, felly, heb feddwl am golesterol, dim ond dedwyddyd hollol. Rhaid cael tanwydd ar gyfer y pleserau a fyddai'n ein hwynebu am weddill y dydd.

Nid wyf mewn unrhyw ffordd yn bwriadu bod yn anghwrtais i'm gwraig wrth ddatguddio bod paratoi'r brecwast, fynychaf, yn fy nwylo i. Yr oeddwn yn hollol ymwybodol o sut i gael David allan o'i wely yn y bore. Syml iawn – nid oedd eisiau dim mwy na gadael drws y gegin ar agor er mwyn rhoi rhyddid i arogleuon ffrio bacwn ddianc yn ysgafn ac yn anweledig drwy'r lle! Meddyg neu beidio, roeddwn yn ei drechu bob tro. Pan fyddai'n eistedd wrth y bwrdd ac yn edrych ar yr hyn oedd o'i flaen, fwy neu lai bob dydd, dywedai wrthyf: 'Clyw, ddylen ni ddim bwyta hyn bob dydd, ti'n gwybod'. A minnau'n lleddfu ei ffug-ofid trwy ymateb: 'Dere, ma tamed bach o beth rwyt ti'n ei ffansïo'n gwneud byd o les iti.' Nid wyf yn meddwl imi orfod ailadrodd fyth.

Rwy'n cofio'n hynod am un bore pan ganodd y ffôn bron yn union ar ôl i mi godi. Atebais, a chlywed rhyw lais yn gofyn a oedd y tanwydd pedair seren arferol yn barod. Wel, dim ond hanner awr wedi saith oedd hi. Cefais fy nal yn deg ac yn hollol ddiarwybod. Yr hyn yr oedd wedi'i wneud oedd fy ffonio o'i wely yn fy nghartref ar y ffôn symudol. David gafodd y pwynt a'r chwerthin y bore hwnnw, ond yr oeddwn i'n teimlo tipyn o hunan falchder oherwydd fy mod i'n gallu ei wastrodi'n llwyr, yn y bore o leiaf. Roedd yn amlwg fod yr ymarfer dros y boreau cynt wedi dwyn ffrwyth. Ardderchog!

Mae yna un diwrnod arall sy'n destun siarad yn aml gyda ni – y diwrnod yr oeddwn wedi penderfynu mynd i Aberaeron am *spin* fach. Roedd yn ddiwrnod heulog, ac yn ddelfrydol i deithio drwy'r wlad. Doeddem ni ddim wedi bod ar yr heol am fwy na rhyw dair milltir, cyn belled â phentref Llandybïe, pan benderfynodd fy nghar nad oedd yn bwriadu mynd gam ymhellach, ac roedd y creadur wedi llwyddo i dorri cebl y cydiwr er mwyn gwneud yn siŵr o hynny. Rhywfaint o banig a siomedigaeth am ychydig, a phawb yn meddwl mai dyna oedd diwedd y diwrnod. Rwy'n siŵr nad yw'r angel gwarcheidiol fyth ymhell o ysgwydd David, oherwydd ymhen ychydig o amser yr oedd garej lleol wedi cytuno i atgyweirio'r car ar unwaith. Yr oeddem ar ein ffordd eto'n fuan. Cawsom fwynhad yn teithio drwy'r wlad brydferth nes cyrraedd Aberaeron o'r diwedd. Y pethau pwysicaf yn gyntaf; felly, ar ôl parcio aethom yn syth i gael pysgod a sglodion. Wedyn crwydro'n hamddenol a mwynhau'r siopau a'r harbwr bychan. Rhaid oedd galw yng nghiosg y Cwch Gwenyn i brofi twlpyn da o hufen iâ mêl. Roeddem yn mwynhau ac yn cael llawer o hwyl yn rhoi'r bai ar yr awyr iach am y chwant diderfyn oedd arnom i fwyta. Amhosibl gadael Aberaeron heb roi galwad fach arall i ddau gaffi a chael te a *gateau* siocled yn y ddau! Rhaid cyfaddef fod David a mi wedi bod yn dipyn o lythynnod y prynhawn hwnnw, er mawr gywilydd inni! Ond rhyw fath o *fling* fach ddiniwed ydoedd, ar derfyn y dydd. Roedd y ffaith ein bod ni'n dau yn teimlo fel dau lyffant tew ar ôl dychwelyd i'r modur yn cadarnhau'r hyn roedd Yolande ym meddwl ohonom.

O'r chwith: Malcolm a Yolande Rees, yng nghwmni David, ei brawd, ar un o draethau Sir Benfro yn 1993.

I gloi'r diwrnod roedd David yn awyddus i alw yng Ngheinewydd, oherwydd pan oedd yn ieuanc arferai fynd yno ar wyliau'r haf gyda'i dad a'i fam. Nid oedd wedi bod yno ers blynyddoedd lawer. Cododd dipyn o hiraeth arnom wrth gerdded i lawr i drwyn yr harbwr, lle bu canu yn y cymanfaoedd awyr agored a gynhaliwyd yno yn y dyddiau a fu. Mae'n dda dweud na chawsom ni ddim un briwsionyn i'w fwyta yno!

20.

Y Toronto Blessing a Llyn Brianne; 'Ffydd, Gobaith a Chariad', a Llywydd y Gymdeithas Efengylu

Hyfryd gweld fy mrawd yng nghyfraith eto wedi cael adnewyddiad nerth ac egni. Bu'r cyfnewidiad yn ei fywyd yn ysbardun iddo ymafael yn ei waith gyda'r hen frwdfrydedd. Am nad oedd ganddo nawr y cyfrifoldeb o swydd lawn-amser, roedd yn rhydd i wneud beth bynnag a fynnai. Doedd yna ddim prinder o alwadau amdano oddi wrth y cyfryngau, y maes meddygol, na sefydliadau Cristnogol. Roedd gwylwyr y rhaglen *Heno* ar S4C yn gyfarwydd iawn â'i weld. Hoffai fod ar raglen fel hon, oherwydd roedd yn gyfle i sylwebu ar faterion llosg y dydd, a hefyd yn gyfle i ddod â mewnwelediad i faes seiciatreg i'r cyhoedd. Y gwir yw, y mae yna hyd heddiw dipyn o ddrwgdybiaeth a chamddealltwriaeth am iechyd meddwl yn gyffredinol.

Yn 1995 derbyniodd wahoddiad i fynd i Ganada i'r Toronto Blessing. Mwynhaodd ei ymweliad yn fawr, ac yr oedd yn brofiad anhygoel. Pan oedd yn y rhan honno o'r wlad manteisiodd ar y cyfle i ymweld â dinasoedd Montréal a Québec ac amryw o olygfeydd enwog dwyrain Canada. Gwelodd ysblander Rhaeadr Niagara, a rhyfeddu at y cyfan oll, ac yntau ar fwrdd y *Maid of the Mist*, y llong arbennig sy'n cludo teithwyr yn agos iawn at droed y rhaeadr enwog.

Doeddwn i ddim wedi clywed am y Toronto Blessing erioed hyd nes i David sôn amdano, ond daeth profiad rhyfedd i'm rhan yn dilyn dychweliad David o'r gynhadledd. Er mai yn anuniongyrchol yn unig y mae'r stori yn ymwneud â'm brawd yng nghyfraith, rwy'n gobeithio y caf faddeuant am ei hadrodd. Yr oedd fy ngwraig a minnau wedi dewis mynd am dro yn y car un prynhawn dydd Sadwrn i fyny i Lyn Brianne. Ar ôl aros am dipyn yn edrych dros y llyn, a mwynhau'r olygfa, bu inni benderfynu gyrru o amgylch y llyn, trwy Abergwesyn ac allan i Dregaron. Taith brydferth dros ben yw hi, ond mae gyrru ar y ffordd droellog a chul yn anodd ac yn beryglus mewn mannau. Felly, rhaid bod yn weddol ofalus. Wrth ddringo i fan uchaf y daith, fe ddaethom y tu ôl i gerbyd arall oedd yn mynd yn araf ofnadwy, ac yr wyf yn cofio dweud wrth fy ngwraig: 'Rwy'n credu bod hwn sy y tu blaen i ni'n nerfus iawn. Pan gawn ni le i'w basio, mi a' i heibio, ac mi arhoswn yn nes ymlaen.' Ac felly y bu. Dyma'r car oedd y tu ôl inni yntau'n aros.

Daeth gŵr a gwraig allan o'r car a dechrau siarad â ni. Roeddent ar wyliau yng Nghymru ac wedi dod o Ohio yn yr Unol Daleithiau. Mawr oedd eu canmoliaeth am Gymru ac i'r olygfa oedd o'u hamgylch ar y pryd. Wrth wrando arno, yr oedd llais yn dweud wrthyf fod yna rywbeth allan o'r cyffredin yn y gŵr, ei ffordd o siarad a'i holl ymddygiad. Daeth yn glir o'r diwedd ei fod yn weinidog yn un o eglwysi mawr Ohio. Cofiais am y Toronto Blessing, ac yr oeddwn yn meddwl wrth fy hunan y byddwn yn dangos i hwn fy mod i'n gwybod rhywbeth am fywyd Cristnogol yr ochr draw i'r Iwerydd. Felly mi wnes grybwyll y Toronto Blessing wrtho. Gallwn fod wedi ei fwrw i lawr gyda phluen. 'Sut ydych chi'n gwybod am hwnnw?' holodd. Eglurais iddo. Dywedodd y bu ef yno ar yr un adeg â David. Cyd-ddigwyddiad? Cyfaddefodd ei fod yn nerfus, ac nad oedd wedi gweld plismon yn unman ar y daith. Derbyniodd y cynnig i'm dilyn hyd at Dregaron. Penderfynais beidio â gofyn iddo a oedd yn ffansïo cael un bach i dorri syched yn Nhregaron, a gyrru wedyn er mwyn iddo gwrdd â phlismon Cymraeg!

[*Nodyn gan RG*: Ym maes crefydd, fel y gwelsom eisoes, derbyniodd David Enoch freintiau lawer. Yn Ebrill 1989, er enghraifft, cafodd wahoddiad i fod yn rhan o ymgyrch 'Tell Wales', Luis Palau, yr Efengylydd byd-enwog, o Bortland, Oregon, UDA (genedigol o'r Ariannin, 1934), a bu'n pregethu yn Eglwys y Bedyddwyr, Heol Woodville, Caerdydd. Ei destun oedd yr adnod: 'Paratowch ffordd yr Arglwydd yn yr anialwch ...' (Eseia 40:3)]

Yn 1997, yn dilyn penderfyniad unfrydol pwyllgor Corff Llywodraethol y Gymdeithas Efengylu (The Evangelisation Society, TES), derbyniodd David wahoddiad i fod yn Llywydd. Sefydlwyd ef i'r swydd yn ystod eu cynhadledd wanwyn yn Northampton. Yr oedd yn teimlo'n ostyngedig ac yn ddiolchgar am yr anrhydedd. Yr oeddwn yn bresennol yn ystod ei araith agoriadol, ac yr wyf yn dyst i araith berthnasol, gref. Fel y dywedodd, rhaid gweithio'n gyson ac ymladd y frwydr ym mhob man. Nid oes llawer o werth mewn eistedd yn gysurus yn ein cylch bach ein hunain i wrando ar y neges, onid ydym yn barod i weithredu. Roedd yr araith wedi achosi i lawer o bobl feddwl yn ddyfnach am eu cyfraniad, ac yr wyf yn sicr fod yna un neu ddau yn y gynulleidfa yn weddol anghyffyrddus wrth wrando arni. Treuliwn hanner ein hamser yn *meddwl* am ffydd, gobaith a chariad, yn lle *credu'n* gryf mewn ffydd, gobaith a chariad, ac yna gweithredu.

David Enoch yn pregethu yn Eglwys y Bedyddwyr, Heol Woodville, Caerdydd, Ebrill 1989, fel rhan o ymgyrch 'Tell Wales', Luis Palau, yr Efengylydd byd-enwog o Bortland, Oregan, UDA.

21.

Cymwynasau Lu a Chariad ar Waith

Fel un enghraifft o gymwynasau lu'r Dr David Enoch, rhoddodd ei wasanaeth fel meddyg yn ddi-dâl i Gymdeithas Genhadol De America (SAMS), a bu o gymorth mawr iddynt. Yr oedd ei barodrwydd i fod wrth law i weithredu profion meddygol ar aelodau o'r gymdeithas a oedd gartref dros dro o wledydd tramor yn golygu llawer iddynt, ac afraid dweud, roeddent yn ddiolchgar iawn am ei ddiddordeb yn eu gwaith. Yn yr un modd, rhoddodd Ysgrifennydd Cyffredinol y Gymdeithas, yr Esgob Bill Flagg, ganmoliaeth bersonol hael iddo am ei gymorth.

[Yn ystod 1991–2013] bu'n cydweithio'n rhan amser gyda deintydd arbennig yn Ysbyty'r Brifysgol, Caerdydd, yn ystyried problemau seicolegol sy'n gysylltiedig â deintyddiaeth. Wedi ymddeol, bu galw cyson amdano hefyd i roi ei farn ar faterion cyfreithiol yn ymwneud â damweiniau, straen, ac achosion o boeni rhywiol, yn ogystal ag annhegwch i unigolion yn gyffredinol. Y mae'n un o'r arbenigwyr sy'n rhoi tystiolaeth feddygol, felly bu galwad arno'n aml i fod yn bresennol mewn llysoedd barn. Anodd iawn yw cael y gorau arno wrth ei groesholi – mae nifer y llwyddiannau yn dyst i hyn. Nid yn aml y bydd rhywun yn trechu'r lluoedd arfog mewn achosion o gam-drin, ond y mae wedi bod yn allweddol mewn ennill iawndal a hygrededd i lawer oedd yn cael eu cyhuddo o fod yn dweud celwydd am eu cyflwr. Bu, er enghraifft, yn flaenllaw yn ennill achos enwog yn erbyn y Llynges i un o'r merched oedd yn eu gwasanaeth ac a oedd wedi cwyno'n enfawr am ei thriniaeth.

Y mae David erbyn hyn [1996] wedi ailbriodi ag Anne Ratcliffe Bellamy. Bu hi'n ddirprwy brifathrawes Ysgol Gynradd Trealaw, y Rhondda, ac yna'n brifathrawes Ysgol Darren Las, Aberpennar. Cwrddodd ag Anne yn ystod ei ymwneud â'r eglwys. Mae eu diddordebau cyffredin, yn enwedig mewn gwaith Cristnogol, yn sylfaen gadarn i'w partneriaeth, ac y maent yn byw'n hapus yng Nghaerdydd.

Hyfryd hefyd yw nodi i David allu adnewyddu ei berthynas agos gyda'i hen ffrind Heulwyn Davies, fferyllydd a gŵr busnes o Gasnewydd, wedi i amgylchiadau bywyd eu gwahanu am rai blynyddoedd. [*Nodyn gan RG*: bu Heulwyn farw yn 2013.]

Drwy ei fywyd y mae'r Dr David Enoch wedi pwysleisio grym seiciatreg, a'r hyn y gellir ei gyflawni drwyddi. Ond y mae'n cyfaddef ac yn cydnabod bod yna

Anne Radcliffe Bellamy a David Enoch, yng ngwesty De Courceys Manor, Pen-tyrch, ar ddydd eu priodas, 30 Gorffennaf 1996.

ffin i'w gallu, ac er mwyn cael gwellhad cyflawn rhaid hefyd yn ei farn ef ystyried ffactorau ysbrydol, megis gweddi, yr Efengyl a chymorth cymdeithasol. Y mae'n arbenigwr mewn seiciatryddiaeth ac yn gredwr cryf ym mhwysigrwydd y wedd ysbrydol. Cred yn wirioneddol mai gweddi bersonol a defosiwn yw'r unig ffordd i wneud neges yr Efengyl yn eiddo i ni ein hunain, a sicrhau bod y neges hon yn brofiad byw inni. Profi ffydd o lygad y ffynnon, dyna'r nod, a thrwy hynny bod yn gyfryngau i arwain eraill at y ffydd ryfeddol hon. Yr angen mawr yw am wacáu ein henaid o'r hunan a chael gwared hefyd o'n rhagfarnau.

Dim ond o wneud hyn, a thrwy weddi, y mae modd inni wir adnabod ein hunain a thyfu i fod yn efengylwyr Duw. Boed inni ddarganfod ein gwacter o'r newydd ac ymfalchïo yn ein gwasanaeth dwyfol. Fel y dywedodd David Enoch, y mae'r Deyrnas yn fyw ac yn weithredol yn y byd. Y mae'r darganfyddiad hwn yn ailgynnau tân gobaith ynom o weld y Deyrnas yn ffynnu, a ninnau'n cael ein hannog o'r newydd i gyhoeddi'r Efengyl gydag adnewyddiad o gryfder ac eiddgarwch. Cofiwn eiriau Lange: 'Cristnogaeth yw datguddiad mawr y gyfrinach fawr.'

I gloi, mi hoffwn roi ar gof y modd y mae ysgrifennu hanes fy mrawd yng nghyfraith wedi cael dylanwad ar fy rhagolwg i yn bersonol. Yr wyf yn ffyddiog fod yr hanes yn dangos yn glir nad pethau anffasiynol, anniddorol, na chwaith amherthnasol i'r byd modern yw ffydd, gobaith a chariad.

Rwy'n sicr fod ei fywyd yn esiampl ddisglair i ni oll o'r ffordd i briodi llwyddiant, siom a mwynhad, ac ar yr un pryd i gadw cred Gristnogol yng nghanol y cyfan, fel angor. Y mae, yn ddiau, yn gyfrifoldeb arnom fel unigolion i ddewis y ffordd y dymunwn ei throedio, oherwydd pa mor uchel bynnag y byddwn yn dringo ysgol llwyddiant, a pha mor eang bynnag ein gorwelion, y ni sydd yn y canol. Y mae'r cyfan yn treiddio oddi wrthym ni, yn y pen draw. Ar ddiwedd y dydd byddwn yn hollol annibynnol ac ar ein pennau ein hunain yn yr arholiad olaf. Felly, mae'r paratoad a wnawn yn bwysig i ni oll fel unigolion. Ond nid oes yna ddim unrhyw bwysau na gorfodaeth. Yr ydym yn hollol rydd i droedio'r llwybr y dewiswn ei gerdded, ond rhaid agor ein llygaid a'n calonnau os am gael mynediad i'r wir ffordd sydd wedi'i harwyddbostio'n glir dros y canrifoedd.

Dr Morgan David Enoch yn 80 mlwydd oed, 23 Ionawr 2006. Llun: Ffotograffiaeth
Richard Dutkowski, Nelson.

Rhan 3
Atodiadau

gan Robin Gwyndaf

Atodiad 1

Dr M David Enoch MRCS, FRCPsych, DPM, MEWI
Prif Swyddi ac Anrhydeddau

Ymgynghorydd Seiciatryddol:	Grŵp Ysbytai Amwythig
Prif Ddarlithydd Clinigol:	Prifysgol Birmingham
Prif Ymgynghorydd Seiciatryddol:	Ysbyty Brenhinol Prifysgol Lerpwl ac Awdurdod Rhanbarthol Glannau Mersi
Prif Ddarlithydd Clinigol:	Prifysgol Lerpwl
Cadeirydd Pwyllgor Ymgynghorol y Graddedigion:	Awdurdod Rhanbarthol Glannau Mersi
Ymgynghorydd Seiciatryddol Emeritws:	Ysbyty Brenhinol Prifysgol Lerpwl

Coleg Brenhinol y Seiciatryddion, Llundain

Enillydd Medal Gaskell a Medal Efydd (ymchwil a gwobr) y Coleg (1960)

Cymrawd, ac aelod o'r Cyngor: 20 mlynedd

Aelod o Lys yr Etholwyr (pwyllgor uchaf y Colegau Brenhinol): 8 mlynedd

Aelod o'r Pwyllgor Addysg: 25 mlynedd

Ysgrifennydd Adran y Canolbarth, y Coleg Brenhinol

Cadeirydd Adran y Gogledd-orllewin, y Coleg Brenhinol

Y Gymdeithas Efengylu

Llywydd: 1997. Bellach yn Noddwr

Atodiad 2
Detholiad o Gyhoeddiadau
M David Enoch

A. Llyfrau

Uncommon Psychiatric Syndromes. Arg. 1af gan Butterworth-Heinemann, Llundain, 1967. 4ydd arg. gan Hodder Arnold, Llundain, 2001. Y 5ed arg. wedi'i gyhoeddi gan Routledge ddechrau 2021. Cafwyd cyfraniadau i'r argraffiadau cyntaf gan yr Athro Syr William Trethowan (1917-95) ac i'r 4ydd argraffiad gan Dr Hadrian Ball. Hefyd i'r 5ed arg. cafwyd cyfraniadau gan yr Athro Basant K Puri, ac eto gan Dr Hadrian Hall. Cyhoeddwyd argraffiad Siapanaeg yn 1982, ac argraffiad mewn Twrceg yn 2013.

The Organisation of Psychogeriatrics. Ipswich Society of Clinical Psychiatrists (SCP), 1971.

Healing the Hurt Mind: Christian Faith and Clinical Psychiatry. Arg. 1af 1983. 4ydd arg. Hodder & Stoughton, Llundain, 1989. 11eg arg., Gwasg Pen-y-groes, 1997.

Schizophrenia: Voices in the Dark. Cyd-awdur: Mary Moate. Cyfres 'Care', Kingsway Publications, Eastbourne, 1990.

Psychiatric Disorders in Dental Practice. Cyd-awdur: Robert Jagger. Butterworth-Heinemann, Llundain, 1994. Cyhoeddwyd argraffiad Siapanaeg yn 1996.

I Want a Christian Psychiatrist: Finding a Path Back to Spiritual and Mental Wholeness. Monarch Books, Rhydychen, 2006.

Y Deg Gorchymyn ac Erthyglau Eraill [yn cynnwys nifer o erthyglau seiciatryddol]. Cyhoeddiadau'r Gair, Chwilog, Pwllheli, 2014. (Casgliad yw'r gyfrol hon, yn bennaf, o erthyglau a gyhoeddwyd gyntaf yn Y Pedair Tudalen Gydenwadol.)

Yn y wasg: *Enoch's Walk. 95 Not Out: Journey of a Psychiatrist*. Y Lolfa [2021]

B. Erthyglau mewn cylchgronau a llyfrau (detholiad)

(Cyfanswm cyhoeddiadau printiedig, yn cynnwys llythyrau: tua 200.)

'**The Capgras Syndrome**', *Acta Psychiatrica Scandinavica*, cyf. 39, tt. 437-62. Seiliedig ar ei draethawd a enillodd iddo Fedal Efydd a Gwobr y Gymdeithas Frenhinol Feddygol a Seicolegol (The Royal Medico-Psychological Association, 1962.)

'**Rhyddid Seicolegol**', *Diwinyddiaeth*, cyf. 17, 1966, tt. 21–9.

'**Afterword: Ready for the Scrapheap**', yn Barbara Robb, *Sans Everything: A Case to Answer.* Cyhoeddwyd ar ran AEGIS, gan Thomas Nelson, Llundain, 1967, tt. 136-40.

[*Nodyn gan RG*] Ymgyrchydd diflino dros hawliau a gofal teg i'r henoed oedd Barbara Robb (1912-76). Yn 1965 sefydlodd AEGIS (Aid for the Elderly in Government Institutions). Ym mytholeg gwlad Groeg, tarian yn cael ei chario gan Athena a Zeus oedd *aegis*. Datblygodd y gair yn ddelwedd o 'ddiogelwch'. Ystyr y geiriau '*sans everything*' yw 'heb ddim byd'. Defnyddiwyd hwy gan Shakespeare yn ei ddrama, *As You Like It*, 1600, Act iv, Golygfa vii. Yn yr araith adnabyddus a draddodwyd gan Jaques, ac sy'n agor â'r llinellau: 'All the world's a stage', cyfeirir at hynt a helynt dyn o febyd i fedd, a'r araith yn cloi â'r llinellau a ganlyn:

> … Last scene of all
> That ends this strange eventful history
> Is second childishness and mere oblivion:
> Sans teeth, sans eyes, sans taste, sans everything.

'**Cymhellion Cenhadaeth Crist**', pregeth a draddodwyd yn Undeb Annibynwyr Dyffryn Nantlle, Pen-y-groes, Arfon, 10-13 Mehefin 1968. Cyhoeddwyd yn *Y Tyst*, 8 Awst 1968, tt. 7, 10.

'**Psychiatric Syndromes**' yn *U H Notes on Psychiatry*, gol. R F Tredgold a H W Wolff, Coleg Prifysgol Llundain, Gerald Duckworth, Llundain, 1970, adran 4, tt. 39-126.

'**Tywyll Heno a'r Seiciatryddion**' [nofel Kate Roberts], *Barn*, rhif 96, Hydref, 1970, tt. 10-11.

'**Whose Double: The Psychopathology of the Delusional Misidentification Syndromes, Especially the Capgras Syndrome**' yn *The Delusional Misidentification Syndromes*, gol. G N Christodoulou, Karger Publishers, Basel, Yswistir, 1986, tt. 22-9.

'**Hysteria, Malingering, Pseudologia Fantastica, Ganser Syndrome, Prison Psychosis, and Münchausen's Syndrome**', yn *Bluglass & Bowden: The Principles and Practice of Forensic Psychiatry*, goln. Robert Bluglass & Paul Bowden, Churchill Livingstone, Caeredin, 1990, tt. 805-18.

'**Health: Spotting the Royal Stalkers**', *BBC Online Network*, 9 Mehefin 1999.

'**Less Common Disorders**', yn *The Mind. A User's Guide*, gol. ymgynghorol, Raj Persaud, Bantam Press, Llundain, 2007, tt. 138-48.

'**Llythyr Agored at Llion Wigley**', *Y Faner Newydd*, rhif 65, Hydref 2013, tt. 8-9. (Ymateb i erthygl Llion Wigley, 'Proffwyd Empathi' [Gwilym O Roberts], *Y Faner Newydd*, rhif 64, Haf 2013, tt. 42-3.)

'**Y Dyfroedd Tawel**', *Y Pedair Tudalen Gydenwadol*, cyfres o bum erthygl, un y mis, rhwng 23 Chwefror a 29 Mehefin 2018.

'**The Still Waters**', *The Bell*, cylchgrawn yr Eglwys Gadeiriol, Llandaf, cyfres o bum erthygl, 2017-18.

C. Llythyrau

Cyhoeddwyd nifer o lythyrau mewn cyfnodolion a phapurau newyddion, megis *The British Journal of Psychiatry* (BJPsych), *The Lancet, The Guardian* a'r *Times*.

Atodiad 3

Teyrngedau

Cyhoeddwyd eisoes ym mhortread Malcolm T Rees (pennod 16), deyrngedau i David Enoch yn diolch iddo yn arbennig am ei gyfraniad cyfoethog fel Prif Ymgynghorydd Seiciatryddol Ysbyty Brenhinol Prifysgol Lerpwl. Enwau'r cyfeillion hyn oedd:

Y Gwir Barchedig Esgob David Sheppard;

Dr T J Barclay;

Malcolm MacCulloch, MOH, Ontario;

Cynhwyswyd hefyd yn rhan gyntaf y gyfrol deyrngedau:

Shirley Tart, *Shropshire Star*;

Dr Gamal Hammad, Ysbytai Charing Cross a Hammersmith, Llundain;

Chris Cartwright, Eglwysi Pentecostal Elim;

Ymddiriedolaeth Wellcome.

* * * * *

Dr Roxanne Keynejad, Llundain

Dyma yn awr ddyfyniadau yn gyntaf o erthygl eithriadol werthfawr Roxanne Keynejad: 'Profile: Morgan David Enoch', a gyhoeddwyd yn *The British Journal of Psychiatry*, cyf. 39 (3), Mehefin 2015, tt. 145–7. Hyd y gwn i, dyma un o'r portreadau gorau yn Saesneg o'r Dr Enoch, a dyna paham rwy'n dyfynnu mor helaeth o'r erthygl, gan ddiolch amdani:

> '... a lifelong dedication to evidence-based improvement in clinical practice. ... To this day, Dr Enoch receives telephone calls from readers of *Uncommon Psychiatric Syndromes* from around the world; he remains fascinated by delusional disorders. "I'd like to know more about emotions. How can feelings affect thought? Psychodynamics remains important. This book has been lived." Although he never met Ian McEwan, who referenced the text in *Enduring Love*, Dr Enoch "approved" of the novel ...

It was at Shelton Hospital [Shrewsbury] that Dr Enoch introduced regular teaching, therapeutic communities and care in the community. He recalls meeting Enoch Powell, then expounding de-institutionalisation as minister of health. He worked with Barbara Robb on a national campaign for elderly care in hospitals … He remembers "feeling encouraged" at the time by the *Sunday Times*' article series on care in the community by Marjorie Wallace, who later founded the mental health charity SANE, with telling photographs, by Lord Snowdon.

Dr Enoch was later head-hunted to take on the new post of consultant psychiatrist and senior clinical lecturer at the new Royal Liverpool University Hospital, later including beds at Rainhill Mental Hospital. He is still remembered as a dynamic and enthusiastic teacher, as evidenced by Dr Gamal Hammad's description of him as a "charismatic guru, a wonderful mentor and a visionary".'

Yn rhan olaf yr erthygl cynhwysodd Dr Roxanne Keynejad nifer o ddyfyniadau o eiddo'r meddyg o Ben-y-groes, geiriau sy'n fynegiant cryno ac ardderchog iawn o athroniaeth ei fywyd: y fendith fawr a ddaeth i'w ran o gael ymwneud â maes mor hanfodol bwysig ag iechyd meddwl; her y dyfodol, a'i weledigaeth yntau wedi treulio oes gyfan o wasanaeth fel meddyg seiciatryddol.

'He always enjoyed encouraging the next generation of psychiatrists and made a point of involving students and nurses in ward rounds. … Above all, Dr Enoch strove to teach and practise psychiatry as a holistic discipline, examining each and every patient: "I liked psychiatry because it deals with the whole person: their body, mind and spirit. … A good psychiatrist is prepared to listen, know their stuff and gather it all together into a diagnostic formulation. It doesn't mean you have all the answers, but the diagnosis is the first step to management and treatment. …

[Psychiatry] is a new frontier of medicine … We know so little about the human brain: the heart is a pump, but you love with the hypothalamus. We thought that scans would give us clear-cut answers, but they have not. What is consciousness? I have thirty books on it, but no one can say where, how, what. It is remarkable what can arise from the unconscious. I thought that fMRI [functional MRI] would locate jealousy, De Clérembault, because those syndromes are so specific: monomanias with one delusion. The fact we cannot locate them suggests that the brain's connections hold the answers. But can this brain really have the capacity to understand itself?"

The speciality remains compelling for Dr Enoch, even after more than 50 years; he continues to advocate keeping psychiatric wards within medical hospitals: "Psychiatry is the most intriguing of all specialities; you deal with the whole person. You must be a first-class physician: I have picked up lung cancer, brain tumours, pernicious anaemia, cardiac lesions, thyrotoxicosis. We are physicians of psychological medicine. Recalcitrant cases not medically understood are referred to us. You listen and discover things other doctors miss.

Patients come to you broken psychologically and emotionally, intent on suicide, and get better. Is there anything more helpful in society than to heal pain: physical and psychological? Psychiatric illness is an illness like any other: treatable and curable despite what even doctors may think. You need maturity to choose something so difficult, though. You will need hope, positivity and graciousness." …

Dr Enoch remains active, lecturing at Cardiff University Medical School until recently. … He reflects that: "I have been greatly blessed. I am very grateful for a very exciting life; it's still exciting. I have enjoyed psychiatry's riches in helping people in great depth."

When we last met, Dr Enoch was looking forward to meeting recipients of the Royal College of Psychiatrists' Pathfinder Fellowships, considering the next generation with excitment – and a little envy: "this is going to be the century of the brain". Above all, it is the pursuit of learning which he most fervently advocates for us all: "I spent 65 years in the game, to realise how little I know. I would love to be starting again, with the knowledge I have now." His wife [Anne] adds, "He is as enthusiastic today as when he was twenty". All exposed to this enthusiasm, may count themselves truly fortunate. His last piece of advice? "Gather your materials from everywhere, but be your own architect." '

Dr David Enoch yng nghwmni myfyrwyr meddygol a enillodd gymrodoriaethau Coleg Brenhinol y Seiciatryddion, Llundain ('Pathfinder Fellowships'), 2012. Llun drwy garedigrwydd Coleg Brenhinol y Seiciatryddion.

Dr Llion Wigley, Caerdydd

Yn ei gyfrol, *Yr Anymwybod Cymreig: Freud, Dirfodaeth a'r Seice Cenedlaethol* (Gwasg Prifysgol Cymru, 2019), neilltuodd Dr Llion Wigley un bennod dreiddgar dan y pennawd '*Tywyll Heno*' (cyfeiriad, afraid dweud, at nofel Kate Roberts). Yn rhan olaf y bennod, wrth ymdrin yn benodol â'r nofel, ychwanegodd y sylw a ganlyn:

'Cyfeiriodd y seiciatrydd David Enoch at waith [R D] Laing yn un o'r erthyglau mwyaf goleuedig ar y nofel yn 1970. Dywed, yn dilyn cyfrol ddiweddaraf Laing, *The Politics of Experience*, fod:

'ychydig o seiciatryddion dadleuol … yn awgrymu fod y seicotig yn gweld ymhellach na'r dyn normal. Yn wir, cawn y geiriau trawiadol ar dudalen deg o *Tywyll Heno* hefyd drwy enau Gruff: "Rhaid i chi fod yn wallgof i weld yn iawn." (*'Tywyll Heno* a'r Seiciatryddion', *Barn*, rhif 96, Hydref, 1970, tt. 10–11.)'

* * * * *

Cyfrolau David Enoch (Dyfyniadau oddi ar gloriau'r llyfrau)

Uncommon Psychiatric Syndromes
(Hodder and Arnold, 4ydd arg., 2001) [Argraffiad cyntaf, 1967.]

'*Uncommon Psychiatric Syndromes* presents an up to date definitive account of eleven unusual but important clinical disorders that have significant legal and social implications. For each syndrome the historical background and present day understanding are given and the worldwide literature is reviewed. Each account gives the principal features of the condition, its causation and underlying psychopathology, illustrative cases and notes on diagnosis and treatment. The syndromes include:

- De Clérambault's syndrome, associated with stalking.

- The Othello syndrome (morbid jealousy).

- Munchausen's syndrome (simulated but plausible illness).

- Possession states.

The fourth edition of this classic and unique text has been fully updated to include the latest information regarding causation and treatment, and especially the significance of neurodiagnostic findings. In addition, forensic aspects are now highlighted. All psychiatrists, clinical psychologists, and allied mental health workers will find this an essential volume for reference as well as a fascinating "read".'

Uncommon Psychiatric Syndromes: Fifth Edition
(Routledge, 2021)

'This book explores the historical background to, and present-day understanding of, a number of unusual psychiatric disorders. This fully revised new edition contains a new chapter on a range of recently emerging conditions, as well as updated literature and a collection of new and updated cases.

Since the publication of the fourth edition [2001], there have been many developments in the field of psychiatry, including changes in the *Diagnostic and*

Statistical Manual of Mental Disorders (DSM-5) and the advancement of neuroimaging and related research, which have been incorporated into the fifth edition. In this now classic text, each chapter covers an individual disorder in detail, using several case studies gathered by the authors themselves to illustrate and exemplify the disorders discussed. …

Uncommon Psychiatric Syndromes, Fifth Edition, is essential reading for psychiatrists, clinical psychologists, psychiatric nurses, psychiatric social workers, social workers and other mental health professionals. It will also be of interest to graduate students in the fields of psychiatry and psychology, as well as those enrolled in psychiatry resident courses.

Dr David Enoch … is an internationally acknowledged authority and pioneer of uncommon syndromes, the title of his best-selling book. …'

Healing the Hurt Mind. Christian Faith and Clinical Psychiatry

(Arg. 1af, Hodder and Stoughton, 1983. Argraffiad 1997 gan Ipswich Book Company. Sawl argraffiad wedi hynny. Dyfynnir isod o argraffiad a gyhoeddwyd gan Wasg Pen-y-groes, sir Gaerfyrddin)

'Dr Enoch … explores the many aspects of mental illness and psychiatric disorders. He discusses the medical treatments and cures, from Victorian incarceration to brain surgery, electric shock treatment, and the development of new "wonder drugs".

Dr Enoch in particular examines the psychiatrist's primary treatment today – the "talking cures" – and this leads him naturally to consider Jesus' example as 'Wonderful Counsellor'. He outlines the course he has developed for training counsellors in the local church '

Christian Bookseller: 'A brilliant discussion of the need for the co-operation of clinical psychiatry and Christian faith in the complete healing of a person.'

Health and Healing: 'Dr Enoch writes confidently from a background of real knowledge.'

I Want a Christian Psychiatrist. Finding a Path Back to Spiritual and Mental Wholeness

(Monarch Books, 2006)

Y Parchg Stephen Gaukroger: 'I have tremendous admiration and respect for Dr David Enoch. His long study of the interface between mental and spiritual makes him an excellent guide in this tricky area. His book provides a most lucid resource for those who minister to the many who struggle with ailments of mind, body and spirit.'

Lord Carlile of Berriew: 'David Enoch speaks of modern psychiatry with originality and power. His is an original voice, important and to be listened to. This book deserves a wide audience.'

Y Parchg Roy Jenkins: 'If this book convinces one person that God loves them whatever the state of their mental health, it will have performed a great service. If it also helps churches deal more intelligently with those who suffer, so much the better. I hope it will do both.'

Y Deg Gorchymyn ac Erthyglau Eraill
(Cyhoeddiadau'r Gair, 2014)

Y Parchg Ddr D Ben Rees (mewn adolygiad, yn *Y Pedair Tudalen Gydenwadol*, 12 Medi 2014, t. 3.): 'Cyfrol i'n hysbrydoli … Dyma newyddiaduraeth odidog yn ein hiaith ar faterion sy'n haeddu ystyriaeth ddwys yn ein cylchoedd trafod ac yn ein Dosbarthiadau Beiblaidd. … Derbyniais gysur a gobaith, goleuni a gwirionedd yn y casgliad o ysgrifau sydd yn trafod yn loyw berthnasedd y Ffydd heddiw.'

Enoch's Walk. 95 Not Out: Journey of a Psychiatrist
(Gwasg y Lolfa, 2021)

Alison Carson: '*Enoch's Walk* is the latest and most personal endeavour of ninety-five-year-old Christian psychiatrist, David Enoch … affectionately known as "Enoch the Uncommon". … [A] fascinating autobiography …

Having been on the forefront of societal, religious and medical changes, there is not much David has not witnessed, making this account a valuable first-hand contribution to twentieth century history as well as a candid story of one man's journey through life.'

Mynegai

1. **Personau** 208
2. **Lleoedd** 216
3. **Llyfrau a Chylchgronau** 216
4. **Cerddi** 219
5. **Pynciau (amryw)** 220

1. Personau

(Gweler hefyd y rhestr o Gyfeillion a Noddwyr yng nghefn y gyfrol.)

Alan Llwyd, englyn i Wynford Ellis Owen, 62
Amanwy, gw. David Griffiths
ap Dafydd, Dr Dyfrig, a'r teulu, 18, 52

Bamber, Helen, sylfaenydd y Sefydliad Meddygol, 29-30

Dafis, Rhys, englyn i Wynford Ellis Owen, 62
Dalai Lama, y, 73
Davies, Y Parchg Aled, Chwilog, Cyfarwyddwr Cyhoeddiadau'r Gair, 23
Davies, Y Parchg Ddr Dafydd G, cyn-Brifathro Coleg y Bedyddwyr, Caerdydd, 10, 180-1
Davies, Dr Edward, Cerrigydrudion, 31-4
Davies, Eleri, Cymdeithas y Cymod, 21
Davies, Eunice, a'r Parchg William Huw Davies, cyn-weinidog Aberduar, Eglwys y Bedyddwyr, Llanybydder; rhieni Joyce, priod David Enoch, 152
Davies, Dr Gaius, seiciatrydd, 183
Davies, Heulwyn, Tŷ-croes, ger Rhydaman, fferyllydd a chyfaill oes David Enoch, 133, 192
Davies, Dr Ifor H Davies, Cerrigydrudion, 31-5
Davies, Megan, Y Tabernacl, Caerdydd, 77-8
Davies, Dr Rosina, 19, 36-7
Davies, Roy, a'r teulu, Cerrigydrudion, 19, 32
Davies, Sarah Jayne, Y Gymdeithas Seiciatregol Gymreig, 21
Davies, Y Parchg T J, englyn gan R Gwyndaf, 114

Davies, Dr Tom (Thomas Gruffydd Davies), seiciatrydd a hanesydd meddygaeth, 35-7

Dymott, Fred, Prif Oruchwyliwr Gardd Hafal, Amgueddfa Werin Cymru, 106-10

Dymott, Mandy, Caerdydd, 19, 108

Edwards, Alun R, cyn-Brif Lyfrgellydd Dyfed, 59

Edwards, Elwyn, englyn: [Galar], 39

Edwards, Dr Huw, Caerdydd, seiciatrydd, 19, 53-5

Elfed-Owens, Dr Prydwen, awdur *Na Ad Fi'n Angof* (2020), 48-9

Elias, y proffwyd, yn isel ei ysbryd yn yr anialwch, ac angel yn dod ato i'w gynorthwyo (1 Bren. 19: 1-8), 39-41

Enoch, Dafydd Huw, mab Joyce a David Enoch; g. 1961; astudio'r Gyfraith yn Rhydychen; 2005: Cofiadur (*Recorder*); 2008: Cwnsler y Frenhines, 164

Enoch, Joyce, Llanybydder, priod David Enoch, merch Eunice a'r Parchg William Huw Davies, 152, 184-5

Enoch, Maria, mam David Enoch, 120-21, 125, 131, 174-5

Enoch, Morgan David

Rhan 1 y gyfrol

Cyflwyno'r gyfrol iddo, 5; diolch iddo, 9; traddodi Darlith Goffa Edwin Stephen Griffiths, a chyhoeddi'r gyfrol *Healing the Hurt Mind* (1983), 9-10; Malcolm T Rees, ei frawd yng nghyfraith, yn ysgrifennu portread ohono, 10-12; cyhoeddi nifer o lyfrau meddygol gwerthfawr, 99; y cwlwm annatod rhwng y corff, y meddwl, yr ysbryd, yr enaid a'r galon, 98-103; y ddolen rhwng Cristnogaeth a meddygaeth, 102-06; cyfeillion a chydweithwyr yn diolch iddo, 110-11; Ymddiriedolaeth Wellcome yn ei anrhydeddu: ei ddewis yn un o saith person i fod yn 'wynebau y Gwasanaeth Iechyd: 1948-2018', 112-13

Rhan 2 y gyfrol

Geni: 23 Ionawr 1926, 'Cartref', Heol Waterloo, Pen-y-groes, Sir Gaerfyrddin, 120; rhieni: Maria Davies a Tommy Enoch, 120-21; ei chwaer: Yolande, 120-21; Ysgol y Cyngor, Pen-y-groes, 123; Capel yr Annibynwyr ('Capel Sgwâr'), Pen-y-groes, 122-6; chwaraeon a difyrion aelwyd, 127-9; diddordeb cerddorol, 131; yr 'Aman Valley County School', 132-4, 137-9; pregethu yn 16 mlwydd oed yng Nghapel Llwynyronnen, Trap, 135-6; ymuno â'r Fyddin yn ddeunaw oed, Tachwedd 1944 (Gwersyll Milwrol Park Hall, Croesoswallt, 139-42); ei anfon yn filwr i'r India, 143-9; yn Razmak, ar y ffin ag Affganistan, 143-4; i Academi Filwrol yn Dehra Dun, tua 100 milltir i'r gogledd o Delhi, 144-6; ei ddyrchafu yn Lefftenant ac yn gyfrifol am gatrawd o Siciaid, 146-8; dychwelyd o'r India i Ben-y-groes, 150; dilyn Cwrs Brys yng Ngholeg Technegol Abertawe a'i dderbyn i astudio meddygaeth yn Ysbyty Guy's St Bartholomew a St Thomas, Llundain, a graddio yn feddyg, 1954, 150-3; priodi Joyce, Llanybydder, 153; 'meddyg tŷ' yn Ysbyty Cyffredinol Llanelli (1954), 153; dilyn cwrs mewn meddygaeth seiciatrig, 154; Tachwedd 1955: meddyg am ddwy flynedd ym maes seiciatreg yn Ysbyty Dewi Sant, Caerfyrddin, 154; 1955: marwolaeth ei dad (niwmoconiosis), 153; ei benodi yn Gofrestrydd Meddygol ym Mhrifysgol Llundain, 157; 1958: cyflawni diploma mewn seiciatryddiaeth, 157; 1959: ei benodi yn Uwch-gofrestrydd yn Ysbyty Brenhinol Llundain, ac Ysbyty Runwell, a chael cyfle i ddarlithio i fyfyrwyr israddedig Prifysgol Llundain, 157, 159-60; 1960: ennill Medal Gaskell a Medal Efydd Coleg Brenhinol y Seiciatryddion, 157 (yn ddiweddarach daeth hefyd yn Gymrawd o'r Coleg Brenhinol ac i gyflawni nifer o swyddi. Gw. Atodiad 1, t. 197); 1961: geni ei fab, Dafydd Huw, Cwnsler y Frenhines, 160, 164; 1962: penodi Dr Enoch yn Ymgynghorydd Seiciatryddol yn Ysbyty'r Royal Infirmary, Ysbyty Shelton, Amwythig, ac yn Diwtor Clinigol a Phrif Ddarlithydd ym Mhrifysgol Birmingham, 161, 165-6, 170; parhau â'i weithgarwch yn pregethu, annerch a darlledu, 161-2, 166-7; Joyce a David Enoch yn talu am addysg Indira, merch o'r India, 167; eu cerbyd Porsche, a 'Boxer', y ci, 168-9; diddordeb David mewn rygbi, 169; 1967: cyhoeddi un o glasuron y byd meddygol: *Uncommon Psychiatric Syndromes* (cyhoeddwyd y 5ed argraffiad ddechrau 2021), 170-3; yn 1967 hefyd, cyhoeddi *Sans Everything*, golygwyd gan Barbara Robb (David Enoch yn awdur y bennod olaf: 'Afterword: Ready for the Scrapheap'), 173; afiechyd Maria Enoch, ei fam (ond bu fyw hyd 1986), 174-5; 1974: ei benodi yn Ymgynghorydd Seiciatryddol yn Ysbyty Brenhinol Lerpwl (Awdurdod Iechyd Rhanbarthol Glannau Mersi), ac yn Ddarlithydd yn Ysbyty'r Brifysgol, 176-8; ymddeol yn 1987, a theyrnged cyfeillion a chydweithwyr; yr un flwyddyn ei benodi yn Ymgynghorydd Seiciatryddol Emeritws, a galw'r Uned Seiciatryddol yn Ysbyty Lerpwl: 'The Dr M. David Enoch Unit', 178-9; cyhoeddi ei gyfrol enwog, *Healing the Hurt Mind. Christian Faith and Psychiatry* (1983), 180-1, 183; 1987: symud i fyw i Landaf, Caerdydd, 180; cyhoeddi cyfrol ar y cyd â Mary Moate, *Schizophrenia: Voices in the Dark: Hope for Those Who Care*, 182-3; 1993: marw Joyce, ei briod, 184-5; cwmni Yolande, ei chwaer, a Malcolm T Rees, ei frawd yng nghyfraith (ymweld â Rhydaman, Aberaeron a Cheinewydd), 186-8; pregethu fel rhan o ymgyrch 'Tell Wales', Luis Palau (1989), 190-1; ei ethol yn Llywydd y Gymdeithas Efengylu (Brydeinig, 1997), 191; 1991-2013: cydweithio gyda Robert Jagger, deintydd o Ysbyty'r Brifysgol, Caerdydd, a chyd-awdur y gyfrol *Psychiatric Disorders in Dental Practice* (1994), 192; 1996: ailbriodi gydag Anne Ratcliffe Bellamy, 192-3; David Enoch yn 80 mlwydd oed: llun gan Richard Dutkowski, Nelson, 195

Rhan 3 y gyfrol

Prif swyddi ac anrhydeddau Dr David Enoch (Atodiad 1), 197; Rhestr cyhoeddiadau David Enoch: llyfrau, erthyglau a llythyrau (Atodiad 2), 198-200; teyrngedau (Atodiad 3), yn cynnwys teyrnged gynhwysfawr Dr Roxanne Keynejad (cyhoeddwyd yn y *British Journal of Psychiatry*, cyf. 39(3), Meh. 2015, 201-03; cyfeiriad gan Dr Keynejad at Dr Enoch yn cyfarfod â myfyrwyr a enillodd gymrodoriaethau Coleg Brenhinol y Seiciatryddion, 'Pathfinder Fellowships', (2012), 203

Enoch, Tommy, tad David Enoch, 120-21, 125; aelod o Fand Arian yr Emlyn, 130; yn dioddef o glefyd niwmoconiosis; bu farw yn 1955, 153

Evans, Elwyn: englyn [Pryder], 17

Evans, Pamela, Treforys, sefydlydd Heddwch Mala : Peace Mala, 19, 69-74

Evans, Rhian, Caerfyrddin, Gwasanaeth i'r Deillion, 19, 59-60

Farr, Tommy, y bocsiwr, 199

Francis, Y Pab, 73

Freud, Sigmund, 36, 58

Gough, Jill, Glynarthen, 19, 26, 93, 94

Griffiths, David, 'Amanwy', Gofalwr Ysgol Ramadeg Rhydaman, 132

Griffiths, Derek, Dinas Powys, arlunydd; darlun o Gapel y Tabernacl, Caerdydd, 19, 74

Griffiths, Edwin Stephen, Darlithoedd Coffa, 9, 180-3

Griffiths, Dr Rhidian, Aberystwyth, Cymdeithas Emynau Cymru, 21

Guto Harri, 19, 58

'Gwen, o Dre-lai', Caerdydd, yn ei thlodi a'i thrueni, 83-5

Gwilym, Mari, Caernarfon, merch Gwilym O Roberts, y seiciatrydd, 19, 31

Gwyndaf, Eleri, Caerdydd, 5, 23, 77, 82

Gwyndaf, Llyr, Caerdydd, 5, 22

Gwyndaf, Nia Eleri, Aberystwyth, 5

Gwyndaf, Robin

Diddordeb mewn hawliau dynol a lles cymdeithas, 24-9; Cymdeithas y Cymod, 25; Cristnogion yn Erbyn Poenydio, 25-9; Amnest Rhyngwladol, 25; y Sefydliad Meddygol, 25; digartrefedd, 25; CND Cymru (Ymgyrch Diarfogi Niwclear), 25; Ymgyrch yn Erbyn y Fasnach Arfau, 25; Cynghrair Rhoi Terfyn ar Ryfel, 25; Heddwch Mala : Peace Mala, 25, 69-74; Academi Heddwch Cymru, 25; awdur *Ai Ceidwad fy Mrawd Ydwyf Fi? Carcharorion Cydwybod ac Ymgyrch*

Cristnogion yn Erbyn Poenydio (1991), a *Rhyfel a Heddwch a Sancteiddrwydd Bywyd* (2008), 26; ymddiddori mewn meddygaeth, seicoleg, seiciatryddiaeth a chymdeithaseg, 30-31; pennill i gofio James W Goddard, Cerrigydrudion, brawd yng nghyfraith hoff, 41; englyn i Rhian Evans, Caerfyrddin, 60; ymweld gyda Dosbarth Ysgol Sul Ieuenctid Eglwys y Tabernacl, Caerdydd, â Chartref Gofal Jane Hodge, Tre Rhingyll, Bro Morgannwg, 75-6; ymweld â ward i'r ifanc yn Ysbyty Tre-lai, Caerdydd, 76; ymweld â Chanolfan Byddin yr Iachawdwriaeth yng Nghaerdydd, 76; gyda Megan Davies, Caerdydd, ac Eleri Gwyndaf, a chefnogaeth aelodau a chyfeillion Eglwys y Tabernacl, sefydlu'r arfer o roi te i'r digartref yn festri'r capel ar brynhawn Sul, 77-81; Terry Hutchinson, un o'r digartref, a cherdd i'w gyfarch, 78-80; estyn cymorth i wraig a ddaeth i'r Tabernacl un noson yng nghanol ei gofid mawr, 81-2; gydag Eleri, gofalu am ddau berson digartref: Johnny O'Sullivan a Johnny Roderick, 82-3; cwmni 'Gwen o Dre-lai' yn ei thlodi a'i thrueni, 83-5; cynorthwyo mam a'i merch o Gaerdydd (eu teulu ar ffo o Viet-nam), 85-7; ymweld â Hiroshima, 92-3; gwrthwynebu Llywodraeth Prydain yn rhoi'r flaenoriaeth i wario ar arfau a militariaeth, 92-7; gyda Bruce Kent, yr ymgyrchydd heddwch, yn y Senedd yng Nghaerdydd, 94; Gardd Hafal ar dir Amgueddfa Werin Cymru, Sain Ffagan, a chyfarch Fred Dymott, y Goruchwyliwr, ar gân, 109; dau englyn o waith RG yn deyrnged i David Enoch, 113-14; cerdd RG: 'A welsoch chwi Iesu?', 114. Gw. hefyd fraich dde y siaced lwch (bywgraffiad byr).

Gwynne, Eifion (1974-2016), Aberystwyth, 5

Gwynne, Idris Pari, Aberystwyth, 5

Gwynne, Mabli Eleri, Aberystwyth, 5

Gwynne, Modlen Haf, Aberystwyth, 5

Hardy, Carol, Stafell Fyw, Caerdydd, 19, 62-3

Harries, Jane, Cymdeithas y Cymod, 21

Hughes, Marian Beech, Bow Street, 22

Hughes, Robert Owen, 'Elfyn', Blaenau Ffestiniog: englyn: 'Er y curo a'r corwynt ...', clawr ôl y gyfrol.

Hughes, Vaughan, *Barn*, 19, 53

Huws, Dr Dafydd, seiciatrydd, 56-7

Huws, Howard, Bangor, 22

Huws, Rhian, Caerffili, 19, 56-7

Huxtable, John, 151

Iago, Garmon, Adran Athroniaeth Cymdeithas Cyn-fyfyrwyr, Prifysgol Cymru, 21

Ieuan Wyn, englyn 'Myfyrdodau'r Gofalwyr', 48-9

Irene, Awel, Cymdeithas y Cymod, 21

James, Yr Athro E Wyn, 19

James, Y Parchg L Berian, Capel yr Annibynwyr, Pen-y-groes: gweinidog Dr David Enoch, 122

Jenkins, Elizabeth, Caerdydd, Cristnogion yn Erbyn Poenydio, 27

Jenkins, Y Parchg Roy, Caerdydd, Cristnogion yn Erbyn Poenydio, 27-8, 206

Jim Parc Nest, englyn 'Gofal Anhunanol', 48

Job, Steffan, Y Mudiad Efengylaidd, 21

John, Y Parchg Denzil, 74-5

Johnson, Boris, 67

Johnston, Yr Athro Dafydd, 19, 53

Jones, Arwel, Cyngor Llyfrau Cymru, 20

Jones, Catherine Zeta, 41

Jones, Dr Dafydd Alun, seiciatrydd, 52-3

Jones, Dr Ernest, 36

Jones, Dr Ernest John Eurfyl, seiciatrydd, 53-4, 156

Jones, Dr Harri Pritchard, 58-9

Jones, Yr Athro John Gwynfor, 75

Jones, John Penry, Y Foel, Dyffryn Banw, Maldwyn, cwpled [Heddwch], 14

Jones, Lenna Pritchard, Caerdydd, 19, 58

Jones, Y Parchg Pryderi Llwyd, cwpled: ['iechyd, nid bomiau'], 97

Jones, R H (Robert Henry Jones), cerdd 'Rhanna dy Bethau Gorau', 115-16

Jones, Richard, Argraffwyr Cambrian : Cambrian Printers, Pontllan-fraith, Gwent, 22

Jones, Y Parchg Richard, Llanfrothen: emyn: 'F'enaid gwan sefydla d'olwg…', 162

Jones, T Gwynn, 100

Jones, Trefor, Gellïoedd, Llangwm, hir a thoddaid i'r Dr Ifor H Davies, Cerrigydrudion, 34

Jung, Carl Gustav, 53, 101

Keats, y bardd, 106

Kent, Bruce, ymgyrchydd heddwch; Sefydlydd a Chadeirydd 'Movement for the Abolition of War' (MAW), 94

Keynejad, Dr Roxanne, teyrnged i Dr David Enoch, 201-3

Krause, Helgard, Cyngor Llyfrau Cymru, 45

Lewis, Joe, y bocsiwr, 129

Lewis, Saunders, 58

Lloyd-Jones, Dr Martyn, 151, 162

Lloyd-Williams, Yr Athro Mari, Y Waen, ger Llanelwy (Capel Waengoleugoed a Phrifysgol Lerpwl), 6, 19, 49-51

Llwyd, Morgan, 100, 103

Maelor, Esyllt, 46-7

Mayer, Hans, un o oroeswyr Auschwitz, 30

Miller, Dr Jonathan, meddyg, darlledwr a cherddor, 157

Mills, Ray, un o'r garddwyr yng Ngardd Hafal, Amgueddfa Werin Cymru, 107

Morgan, Y Gwir Barchg Dr Barry, cyn-Archesgob Cymru, 73

Morgan, Y Farwnes Eluned, 67

Obama, Barack, 42

O'Sullivan, Johnny, a Johnny Roderick, dau berson digartref y bu Eleri a Robin Gwyndaf yn gofalu amdanynt, 82-3

Owen, Gerallt Lloyd, llinell o englyn [Galar], 39

Owen, Iris, Caerfyrddin, 59

Owen, Karen, cerdd: 'Capel y Waen' [Gofal Dydd, Waengoleugoed], 51

Owen, Wynford Ellis, Stafell Fyw, Caerdydd, 19, 60-3

Palau, Luis, yr Efengylydd, 190-1

Piech, Paul Peter (1920-96), crefftwr ac ymgyrchydd dros heddwch; mab i rieni o'r Wcráin; bu farw ym Mhorthcawl, 26

Pilger, John, newyddiadurwr, 67

Plumpton, Jon, 93

Powell, Enoch (Gweinidog Iechyd), 173-4

Preece, Moelwyn Daniel, Caerdydd, englyn gan RG, 113

Recorde, Robert (1510-58), a'r arwydd 'hafal', 106

Rees, Y Parchg Ddr D Ben, Lerpwl, 104, 206

Rees, Malcolm T Rees (1928-2001), brawd yng nghyfraith David Enoch; cyflwyno'r gyfrol iddo, 5; cyfeirio at ei bortread o David Enoch, 10-12; lluniau ohono, 11-12; testun ei bortread o David Enoch (wedi'i olygu gan RG), 119-194. Gw. hefyd fraich dde y siaced lwch (bywgraffiad byr).

Rees, Paul, Rhydaman, mab Malcolm T Rees, brawd yng nghyfraith David Enoch, 11-12, 18

Rees, Yolande (1930-2007), chwaer David Enoch, 5, 12 (llun), 120-1, 186-90

Reynolds, Idris, englyn i'r 'Stafell Fyw', Caerdydd, 61

Roberts, Anne, Rhuthun, merch Dr Ifor H Davies, Cerrigydrudion, 19, 34-5

Roberts, Dr Catherine, Llundain, merch Dr Iwan Roberts, Sheffield, a gorwyres i'r Dr Ifor H Davies, Cerrigydrudion, 35

Roberts, Gwilym O, seiciatrydd, 30-1, 162, 200

Roberts, Dr Iwan, Sheffield, mab Anne Roberts, Rhuthun, ac ŵyr i'r Dr Ifor H Davies, Cerrigydrudion, 19, 34

Roderick, Johnny, a Johnny O'Sullivan, dau berson digartref y bu Eleri a Robin Gwyndaf yn gofalu amdanynt, 82-3

Ruskin, John, 106

Rhun Dafydd, Cadeirydd Cymdeithas y Cymod yng Nghymru, 15, 19

Sargeant, William, seiciatrydd, Ysbyty St Thomas, 154

Sebera, Anke, Caerdydd, 5

Sheppard, Y Gwir Barchg David, Esgob Anglicanaidd Lerpwl, cyfaill i David Enoch, 177, 178

Soper, Donald, 151

'Terry' (Terry Hutchinson, 1939-2005), un o'r digartref yng Nghaerdydd, 78-81

Tibbott, Delwyn, Caerdydd, 22

Tillich, Paul, 106

Tomos, Angharad, 50

Trethowan, Yr Athro Syr William, 172, 174

Tutu, Archesgob Desmond, 14, 73

van Dyke, Henry, America, awdur y gerdd 'Time Is', 116-18

Wallace, Neil, Llanbedr-y-fro, Bro Morgannwg, dylunydd, 4, 22

Weatherhead, Leslie, 151

Wigley, Dr Llion, Caerdydd, 20, 30, 47, 200, 203

Wilkinson, Malan, awdur *Rhyddhau'r Cranc*, 47

Williams, Alwena, Cefnddwysarn, 20, 33

Williams, Dr Catrin Elis, Bangor, Y Gymdeithas Feddygol, 21

Williams, Y Parchg Cynwil, Caerdydd, 163

Williams, Dr Donald, Abertawe, seiciatrydd, 20, 35, 36, 55-6

Williams, Howard, Clynnog Fawr, 22

Williams, Hywel, Caerdydd, 22

Williams, Kirsty, 46

Williams, Menai, Cyngor Llyfrau Cymru, 20

Williams, Y Parchg Raymond (1928-1990), Caerdydd, 77

Williams, Dr Rowan, cyn-Archesgob Caergaint, 73

2. Lleoedd

Auschwitz, 30

Blaendulais, 35

Cerrigydrudion, 31-4

Chernobyl, Wcráin, 95

Dinbych, 52

Hiroshima, Siapan, 92-3

Llyn Brianne, 189-90

Llyn Llech Owain, 105-6

Mynydd Gorddu, ger Bont-goch, Ceredigion, a'r fferm wynt, 57

Pen-y-groes, Sir Gaerfyrddin, 120-6, 130-1

Sudan (newyn), 97

Tre-lech, Sir Gaerfyrddin, 36

Tre Rhingyll, Bro Morgannwg, 76

Uwchaled, 31-4

Yemen (a rhan y Deyrnas Gyfunol yn y rhyfel a'r dioddefaint), 14-15

Ynys y Barri, 125

3. Llyfrau a Chylchgronau

a. Llyfrau David Enoch (yn nhrefn eu cyhoeddi)

(Am ragor o fanylion am y llyfrau, gw. Atodiad 2, tt. 198-200, ac Atodiad 3, tt. 204-06. Am ddetholiad o erthyglau David Enoch, gw. Atodiad 2, tt. 199-200.)

Uncommon Psychiatric Syndromes (1967; 5ed argraffiad, 2021), 12, 99, 160, 170-3, 204-5

Sans Everything: A Case to Answer, gol. Barbara Robb (1967). David Enoch yw awdur y bennod olaf: 'Afterword: Ready for the Scrapheap', 173

The Organisation of Psychogeriatrics (1971), 99

Healing the Hurt Mind: Christian Faith and Clinical Psychiatry (1983), 10, 104, 205

Schizophrenia: Voices in the Dark. Hope for those who Care. Cyd-awdur: Mary Moate (1990), 99

Psychiatric Disorders in Dental Practice. Cyd-awdur: Robert Jagger (1994), 99

I Want a Christian Psychiatrist: Finding a Path Back to Spiritual and Mental Wholeness (2006), 99, 102-03

Y Deg Gorchymyn Heddiw ac Erthyglau Eraill (Cyhoeddiadau'r Gair, 2014), 40, 42, 49, 99, 103-05, 206

Enoch's Walk. 95 Not Out: Journey of a Psychiatrist (Y Lolfa [2021]), 13, 206

b.   Llyfrau a Chylchgronau (amryw)

(Am wybodaeth bellach parthed awduron/golygyddion, gw. Mynegai 1: Personau.)

Acta Neuropathologica, 56

Acta Psychiatrica Scandinavica, 199

Ai Ceidwad fy Mrawd Ydwyf Fi? Carcharorion Cydwybod ac Ymgyrch Cristnogion yn Erbyn Poenydio, Robin Gwyndaf (cyhoeddwyd gan yr awdur ar ran Cymdeithas Heddwch y Bedyddwyr, 1991), 26, 27

Amddifad Gri. Cyfrol Deyrnged i Gwilym O Roberts, Elinor Lloyd Owen, gol. (Y Lolfa, 1975), 30

Barn, yn cynnwys, er enghraifft, gyfeiriad at ysgrifau coffa i feddygon a seiciatryddion, 36, 52, 56, 57, 59

Break a Body, Save a Soul. Christians and Torture in the world after 9/11, Roy Jenkins (2006), 28

British Journal of Psychiatry, The, 201

Cennad, cylchgrawn Y Gymdeithas Feddygol, 35

Cerddi Dafydd Huws (2012), 57

Cylch Cyflawn [cyfrol o ysgrifau], Huw Edwards (Gwasg Gee, 1994)

Cymro, Y, yn cynnwys erthyglau Gwilym O Roberts, 31-2

Darnau'n Disgyn i'w Lle, Harri Pritchard Jones (2014), 58-9

Dryllio'r Holl Gadwynau. Casgliad o ysgrifau Gwilym O Roberts, Elinor Lloyd Owen, gol. (Y Lolfa, 1976), 30

Eglwys y Tabernacl Caerdydd. Dathlu 200 Mlynedd, gol. John Gwynfor Jones a Denzil Ieuan John (2013), 74-5

Estyn Llaw, Carol Hardy a'r Stafell Fyw, Caerdydd (2014), 62

Faner Newydd, Y, 30

Galar a Fi. Profiadau ingol o fyw gyda galar. Golygydd: Esyllt Maelor (Y Lolfa, 2017), 46-7

How the Wisdom of the Ages is Reflected in Many World Faiths, Pam Evans (The Blavatsky Trust, 2020), 11

Llawlyfr Cymorth Cyntaf, Edward Davies (1987), 33

Llyfr y Tri Aderyn, Morgan Llwyd (1653)

Modern Man in Search of a Soul, fersiwn Saesneg o *Seelenprobleme der Gegenwart*, Carl Gustav Jung (1931), 101

Moddion o Fag y Meddyg: Agweddau ar Hanes Meddygaeth, Edward Davies (Gwasg y Bwthyn, 2005), 32-3

Na Ad Fi'n Angof: Byw â Dementia, Prydwen Elfed-Owens (Gwasg y Bwthyn, 2020), 48-9

No Room to Live: A Journey from Addiction to Recovery, Wynford Ellis Owen (2010), 61

O'r Llechi i'r Cerrig: Atgofion Meddyg Cefn Gwlad, Edward Davies (Gwasg y Bwthyn, 2014), 32

Papur Llafar y Deillion, 60

Pedair Tudalen Gydenwadol, Y, 104, 105-6

Pryfyn yn yr Afal, Y, Huw Edwards (Gwasg Gee, 1981), 55

Raslas Bach a Mawr, Wynford Ellis Owen (2004), 61

Rhyddhau'r Cranc, Malan Wilkinson (Y Lolfa, 2018), 47

Rhyfel a Heddwch a Sancteiddrwydd Bywyd, Robin Gwyndaf (cyhoeddwyd gan yr awdur, ar ran Cymdeithas Heddwch y Bedyddwyr, 2008), 27, 65, 95, 96

Salmau, dyfyniadau, 39

Seelenprobleme der Gegenwart ('y dyn cyfoes yn chwilio am enaid'), Carl Gustav Jung (1931). Gw. hefyd y fersiwn Saesneg: *Modern Man in Search of a Soul* (1933), 101

Sharing the Light. Walking for World Peace with the Celtic Saints of Gower, Pam Evans (Heddwch Mala: Peace Mala, 2012), 69

Siarad Cyfrolau: Speaking Volumes, Rhian Evans (Llyfrau Llafar Cymru, 2021), 60

Stori Capel Waengoleugoed: Sul, Gŵyl a Gwaith, Mari Lloyd-Williams (Cyhoeddiadau Modern Cymreig, 2015), 49, 51

The Final Surrender: Time to Abolish War, gol. Bruce Kent (1998), 94

The Road to Love: How to Avoid the Neurotic Pattern, Gwilym O Roberts (1950), 30

To Stand by the Sick Bed: Towards a History of Medical Practice in Swansea, Tom Davies (2020), 36

Tywyll Heno, Kate Roberts (Gwasg Gee, 1962), 162, 199, 203

When the Dalai Lama Came to Tea: A Story for Children, Pam Evans (Amazon, 2019), 73

Wynebu Bywyd: Ysgrifau ar Rai Problemau Seicolegol a Chymdeithasol, Huw Edwards (Gwasg Gee, 1979), 55

Yr Anymwybod Cymreig. Freud, Dirfodaeth a'r Seice Cenedlaethol, Llion Wigley (Gwasg Prifysgol Cymru, 2019), 47

4. Cerddi

(Am fanylion pellach parthed teitl/testun y cerddi, gw. Mynegai 1: Personau.)

Alan Llwyd, 62

Cân y Crynwyr, 5

Dafis, Rhys, 62

Edwards, Elwyn, 39

Evans, Elwyn, 17

Gwyndaf, Robin, 41, 60, 78-80, 113, 114
Hen bennill telyn, 38-9
Hughes, Robert Owen, 'Elfyn', clawr ôl y gyfrol
Ieuan Wyn, 49
Jim Parc Nest, 48
Jones, John Penry, Y Foel, Dyffryn Banw, Maldwyn, 14
Jones, Pryderi Llwyd, 97
Jones, R H (Robert Henry Jones), Pentrellyncymer, 115-16
Jones, Y Parchg Richard, Llanfrothen, 162
Jones, Trefor, Gellïoedd, Llangwm, 34
Owen, Gerallt Lloyd, 39
Owen, Karen, 51
Reynolds, Idris, 61
van Dyke, Henry, America, 116-18

5. Pynciau (amryw)

Academi Heddwch Cymru, 25
Adferiad: Recovery (Stafell Fyw, Caerdydd), 20, 61
Amgueddfa Werin Cymru, gw. Sain Ffagan, Amgueddfa Werin Cymru
Amnest Rhyngwladol, 25
Annibyniaeth i Gymru, 95
Anorecsia Nerfol, 57
arfau rhyfel, arfau niwclear a militariaeth, 14-16, 67, 92-7

Band Arian yr Emlyn, Pen-y-groes, 130-1
Bugeiliaid y Stryd : Street Pastors, Caerdydd, 91
Byddin yr Iachawdwriaeth, 20, 76, 88

Cais, 43, 52, 61, 62, 66
cancr, 50-1, 92
Capel yr Annibynwyr ('Capel Sgwâr'), Pen-y-groes, 122-6, 134-5
Cartref Gofal Jane Hodge, Tre Rhingyll, Bro Morgannwg, 76
Cenhedloedd Unedig, Y, 25, 93-4
CND Cymru: Ymgyrch Diarfogi Niwclear: Campaign for Nuclear Disarmament, 20, 93-7

Coleg Brenhinol y Seiciatryddion, Llundain, 41-2; 1960: David Enoch yn ennill Medal Gaskell a Medal Efydd y Coleg, 157; David Enoch yn Gymrawd o'r Coleg ac yn cyflawni nifer o swyddi allweddol, 197

Cristnogaeth a meddygaeth (y cwlwm annatod), 102-06

Cristnogion yn Erbyn Poenydio : Christians Against Torture, 20, 27-9

Cronfa Eleri a Chwmni Amgen Cyf., Ceredigion (fferm wynt), 57

Curo'r Bwci (gwasanaeth ar gyfer gamblwyr eithafol), 61

Cyngor Cymru ar Alcohol a Chyffuriau Eraill, 61

Cyngor Llyfrau Cymru, 46-8

Cyhoeddiadau'r Gair, 4, 23, 104

Cyhoeddiadau Modern Cymreig, 49

Cymdeithas Genhadol De America, 192

Cymdeithas y Cymod: Fellowship of Reconciliation, 20, 25, 97

Cymorth Cyntaf a dosbarthiadau'r Dr Ifor H Davies a'r Dr Edward Davies, Cerrigydrudion, 32

Cymorth i Ferched Cymru, 43

Cynefin, Grŵp, 43

Cynllun Llyfrau Iechyd Da Cyngor Llyfrau Cymru, 45

Cynnal ('Cyngor i Glerigwyr'), 61

'Dameg y Brenin' (Mathew 25: 32-46), 103-24

'Darllen yn Well : Reading Well': Llyfrau ar Bresgripsiwn i Blant (Cynllun Cyngor Llyfrau Cymru), 20, 45-6

Deddf Iechyd Meddwl, 1959, 41

deisidaimonia, 'ofn yr anwybod', 42-3 (Gw. hefyd 'ofnau')

Dementia, 48-9, 56, 92

Deml Heddwch, Y, Caerdydd, 14

Digartrefedd yng Nghaerdydd a 'The Prynhawn Sul' yng Nghapel y Tabernacl, 77-8

Dinasyddion Cymru: Citizens Cymru, 88

Diolch i bawb a fu'n cynorthwyo i baratoi'r gyfrol, 18-23

Diolch i feddygon a seiciatryddion, holl gymwynaswyr y Gwasanaeth Iechyd, ac i bawb arall sy'n rhannu eu gofal a'u cariad, 13-14, 16-17, 22, 27-39, 41-63, 64-74, 88-97, 98-118, 201-06

Diwrnod Iechyd Meddwl y Byd: World Mental Health Day, 20, 44

Diwrnod Rhyngwladol dros Heddwch, 27 Mai 2020, a Chymdeithas y Cymod yn galw ar lywodraethau'r byd i weithredu cyfiawnder a heddwch, 97

Enceffalopi Trawmatig Cronig (CTE) [effaith penio pêl], 56

enfys, breichled o liwiau'r enfys, 70-2

Enfys Gobaith : Rainbow of Hope (elusen), 20

Ethnoleg (diwylliant gwerin), 25

Feirws Corona, Covid-19, 9, 64-6

Ffynnon y Meddygon, Myddfai, 56

Gardd Hafal yn Amgueddfa Werin Cymru, gw. Hafal

Gofal am y digartref a'r anghenus yng Nghaerdydd a Chymru: mudiadau ac elusennau, 88-92

Gofal Dydd Capel Waengoleugoed, ger Llanelwy, 6, 19, 23, 49-51

gofid meddwl, gw. iechyd meddwl

gorgynhesu, 25

Gorwel, 43

Gwaharddiad Niwclear Byd-eang, 20, 93-5

Gwaith Glo yr Emlyn, Pen-y-groes, 130

Gwasanaeth Iechyd Gwladol, Y, 13, 16-17, 24, 57, 93, 112-3, 173-4

Gymdeithas Feddygol, Y, 20, 35, 55

Gymdeithas Seiciatregol Gymreig, Y, (The Welsh Psychiatric Society), 20, 100

Hafal, a Gardd Hafal ar dir Ysgubor Fawr, Sain Ffagan, Amgueddfa Werin Cymru, 20, 43, 106-10

Heddwch Mala: Peace Mala, 20, 69-74

Huggard, 20, 90

ICAN: Ymgyrch Ryngwladol i Ddileu Arfau Niwclear (The International Campaign to Abolish Nuclear Weapons), 93-4

iechyd meddwl, 14, 16-17, 20, 38-49, 63-9, 81-2, 98-110 (Gw. hefyd Deddf Iechyd Meddwl 1959: 41)

iselder, gw. iechyd meddwl

Llamau, 20, 43, 44, 89

Llywodraeth Prydain (gyda chefnogaeth Llywodraeth Cymru) yn gwario arian ar arfau rhyfel a niwclear ac yn rhoi blaenoriaeth i filitariaeth, ar draul hyrwyddo iechyd a lles cymdeithasol, 14, 17, 24, 67, 92-7

Marchog Urdd Sant Ioan, 32-3

meddwl.org ('Meddyliau ar Iechyd Meddwl'), 20, 43-4

meddygaeth a Christnogaeth (y cwlwm annatod), 102-06

meddygaeth ym Mhrifysgol Bangor (Ysgol Gwyddorau Meddygol), 34-5

'Meddyg gorau, meddyg enaid', 99-103

Meddygon Myddfai, Cymdeithas, 20, 55-6

Meddyliau'r Ifanc: Young Minds, 21, 68

Mind Cymru, 21, 43

newyn a thlodi, 25

Nobel, Gwobr Heddwch, ICAN (2017), 93-4

ofnau (oedolion a phlant), 42-3, 63-6

Park Hall, Gwersyll Milwrol, Croesoswallt, 140

Peace Mala, gw. Heddwch Mala

pleroma ('tawelwch meddwl', 'tangnefedd'), 42-3

Sain Ffagan, Amgueddfa Werin Cymru, 60, 106-09

sakura, coeden geirios Siapan: delwedd o brydferthwch, 92-3

salaam, 14

Samariaid, 43

Sefydliad Meddygol, Y, yn Llundain, 29-30

shalom, 14

Shelter Cymru, 21, 89

Stafell Fyw, Caerdydd, 6, 21, 23, 60-3

Stop the War Coalition, 67

Syria, teulu o, 88

Tabernacl, Eglwys y Bedyddwyr, Yr Ais, Caerdydd, 13, 19, 74-8, 87-8, 91-2

tangnefedd a heddwch, 14, 69-74 (71, 74: geiriau'r Iesu; 73: sylw y Dalai Lama);
     105-06 ('Dyfroedd Tawel', erthyglau David Enoch); 106-10 (Gardd Hafal yn
     Amgueddfa Werin Cymru)

tlodi a newyn, 25

'Toronto Blessing', 189-91

Touch Graphics, Caerdydd, 19

Trident, 93-5

Tŷ Olwen, Ysbyty Treforys, 36-7

Waengoleugoed, Capel/Eglwys (Y Waen, ger Llanelwy) a Gofal Dydd, 6, 19, 23, 49-51

Wallich, 21, 90

Wellcome, Ymddiriedolaeth, 20, 112-13

Wythnos Iechyd Meddwl y Byd, 44

Ysbyty'r Brifysgol, Y Mynydd Bychan, Caerdydd, 57, 112-13

Ysbyty Cyffredinol Llanelli, 153

Ysbyty Dewi Sant ac Ysbyty Glangwili, Caerfyrddin, 53, 54, 154-6

Ysbyty Hensol, Bro Morgannwg, 58

Ysbyty Llandochau Fach, Bro Morgannwg, 56

Ysbyty Meddwl Dinbych, 52

Ysbyty Meddwl yr Eglwys Newydd, Caerdydd, 56

Ysbyty Prifysgol Llundain, 156-9

Ysbyty Runwell, Llundain, 159-60

Ysbyty Seiciatrig Cefn Coed, Abertawe, 35-6, 55

Ysbyty Shelton, Amwythig, 161, 165, 170

Ysbyty Treforys, 36-7

Ysbyty a ward seiciatrig yn Nhre-lai, Caerdydd, 76

Ysgol y Cyngor, Pen-y-groes, Sir Gaerfyrddin, 123-4

Ysgol Ramadeg Rhydaman, 'Aman Valley County School', 132-4, 137-9

Cyfeillion a Noddwyr

Gyda diolch o waelod calon am bob cymorth, boed mewn arian neu air o gefnogaeth

Bwydydd Castell Howell (Brian Jones, Llanarthne, Caerfyrddin)

Ceir Cymru, Bethel, Caernarfon (Gari Wyn)

Dr David Enoch, Caerdydd

Eleri a Robin Gwyndaf, Caerdydd

Yr Athro Syr Deian Hopkin, Beckenham, Llundain

Y Fonesig Ann a Syr Roger Jones, Y Batel, Aberhonddu

Anne a John Jones, 'John Clocs', Llandysul

Sheila a Dr John Elfed Jones, Coety, Pen-y-bont ar Ogwr

Stephanie a Dr R Brinley Jones, Porth-y-rhyd, Llanwrda

Dr Lilian Parry-Jones, Aberaeron

Margaret a Glan Williams, Y Barri, er cof annwyl am William Owen Jones (1936-2017), gynt o Nefyn. Buom yn gydweithwyr yn Sain Ffagan, Amgueddfa Werin Cymru, am dros 30 mlynedd. (RG)

* * *

Manon a Rhys ab Owen, Caerdydd

Dr Dyfrig ap Alun, Talwrn, Ynys Môn, a'r teulu. Er cof annwyl am Dr Dafydd Alun Jones (1930-2020). Seiciatrydd

Mari a Pedr ap Llwyd, Comins-coch, Aberystwyth

Nicola, Nigel, Rhiannon, a Ffion Baker, Caerdydd

Catrin Bell, Caerdydd

Wenna Bevan-Jones, Pren-gwyn, Llandysul; Dr Rhys Bevan-Jones, Caerdydd; Anna-Bevan Silk, Caerdydd; Morfudd Bevan, Aberystwyth: 'Er cof annwyl am briod a thad hoff: Dr Huw Bevan-Jones (1934-2014), seiciatrydd.'

Nerys Haf Biddulph, Prestatyn

Delun Callow, Caerdydd

Dr Gwyneth Carey, Bontuchel, Rhuthun

Gina a Dr Huw Charles, Caerdydd

Ann Clwyd, Caerdydd

Coleg y Bedyddwyr, Caerdydd (drwy gyfrwng Dr Rosa Hunt, y cyd-Bennaeth)

Lynn a'r Parchg Peter Cutts, Porthaethwy

Dr Eirian Dafydd a Gwilym Dafydd, Caerdydd. 'Er cof annwyl am Y Parchg Ddr Dafydd G Davies (1922-2017), cyn-Brifathro Coleg y Bedyddwyr, Caerdydd.'

Dr R Iestyn Daniel, Waunfawr, Aberystwyth

Ann a Dewi Davies, Fron-goch, Y Bala

Eirlys T J Davies, Radur, De Morgannwg

Glyn Davies, Roy Davies, a Ceri Davies. Er cof am eu rhieni annwyl: Sybil (1924-2010) a Dr Edward Davies (1926-2018), Cerrigydrudion

John Davies, Llanwrtyd, Powys

Mair Davies, Caerdydd

Marie a Gwynfor Davies, Pencader, Caerfyrddin

Meirick Lloyd Davies, Cefn Meiriadog, Abergele

Dr Rosina Davies, Caerdydd. 'Er cof annwyl am Tom' (Dr Thomas Gruffydd Davies (1931-2019), seiciatrydd a hanesydd meddygaeth.)

Ruth a Bill Davies, Caerdydd

Sian Arwel ac Eurfryn Davies, Llandegfan, Ynys Môn

Y Tad Deiniol, Blaenau Ffestiniog

Dr Huw Edwards, Caerdydd. Seiciatrydd

Huw Edwards, Llundain

Margaret a'r Parchg Gareth Edwards, Deganwy

Nesta Parry Edwards, Llanfarian, Ceredigion. 'Er cof annwyl am Alun R Edwards (1919-1986), fy mhriod hoff.'

Aled Lewis Evans, Pentrefelin, Wrecsam

Dafydd Evans, Abergele

Y Parchg Emyr Gwyn Evans, Y Tymbl, Sir Gaerfyrddin

Margaret Evans, Caerdydd. 'Er cof annwyl am yr Athro Emeritws W Howard Evans (1940-2019), Sefydliad Ymchwil y Galon Syr Geraint Evans, Cymru, Prifysgol Caerdydd.'

Mary Elizabeth Evans, Porth Tywyn, Sir Gaerfyrddin. 'Er cof annwyl am fy nhad, Dafydd Evans (1914-1998), o Gwm Gwendraeth.'

Pamela Evans, Heddwch Mala: Peace Mala, Treforys

Pat Evans, Caerdydd

Pat Evans a'r Prifardd Dr Donald Evans, Talgarreg, Ceredigion

Dr R Alun Evans, Caerdydd

Rhian Evans, Caerfyrddin (Gwasanaeth i'r Deillion)

Maureen ac Eirwyn George, Maenclochog, Sir Benfro

Margaret Glenys Goddard, Cerrigydrudion, Uwchaled. (Chwaer RG, ac un o wirfoddolwyr Gofal Dydd, Capel Waengoleugoed, ger Llanelwy.)

Jill Gough a Jon Plumpton, Glynarthen, Ceredigion

Rhiannon a Heledd Gregory, Caerdydd

Beti Griffiths, Llanilar, Ceredigion

Derek G Griffiths, Dinas Powys, Bro Morgannwg

Rhiannon a Lloyd Griffiths, Llanfynydd, Caerfyrddin

Dr Rhidian Griffiths, Aberystwyth

Dilys ac Ifan Gruffydd, Tregaron

Eirlys Gruffydd-Evans, Yr Wyddgrug. Er cof annwyl am Ken Lloyd Gruffydd (1939-2015)

Mari Gwilym, Caernarfon. 'Er cof annwyl am fy nhad, Gwilym O Roberts (1909-1987).' Seiciatrydd

Carol Hardy, Pentre'r Eglwys, ger Pontypridd (Stafell Fyw, Caerdydd)

Yvonne a Robert Heynes, Caerdydd

Annette a Dewi Myrddin Hughes, Clydach, Abertawe

Lynwen Hughes, Tregaron. Er cof annwyl am ei mam, Elizabeth Hughes (1923-2017). (Ysgrifenyddes ffyddlon Capel Soar y Mynydd, a ffrind hoff i bawb.)

Marian Beech Hughes, Bow Street, Ceredigion

Vaughan Hughes, Benllech, Ynys Môn

Hilda Hunter, Amwythig. (Saesnes a anwyd yng Nghanolbarth Lloegr, yn 1919, ac awdur *Psychology of Music* (1974), a *Dyfal Donc* (2006), ei hunangofiant.) Er cof annwyl am ei chwaer, Mary Hunter (1927-1997), a fu'n dioddef o sgitsoffrenia gydol ei hoes

Rhian Huws, Caerffili. 'Er cof annwyl am Dafydd.' (Dr Dafydd Huws, 1935-2011. Seiciatrydd)

Robart Idris, Llanffinan, Pentraeth, Ynys Môn

Y Parchg Beti-Wyn James, Caerfyrddin

Yr Athrawon Christine ac E Wyn James, Caerdydd

Emyr Jenkins, Treganna, Caerdydd

Y Athro Dafydd Johnston, Llanbedr Pont Steffan, ar ran y teulu, er cof annwyl am Dr Ernest John Eurfyl Jones (1924-1995). Seiciatrydd

Aeryn Owen Jones, Dinmael, Uwchaled. (Brawd RG. Bu'n adrodd fwy nag unwaith yng ngwasanaethau'r Nadolig, Capel Waengoleugoed, ger Llanelwy, a gwerthfawrogai'r fraint yn fawr.)

Berwyn Swift Jones, Cricieth

Dr Bethan Jones, Caerdydd

Edward Morus Jones, Llangristiolus, Ynys Môn

Einir a'r Parchg John Talfryn Jones, Rhydaman

Y Parchg Gareth Morgan Jones, Pontardawe

Dr Hefin Jones, Caerdydd

Helen a Rhys Jones, Caerdydd

Huw Elfryn Jones, Penrhyndeudraeth, a'r teulu. 'Er cof annwyl am Gwladys Annwen Jones (1943-2019), fy mhriod hoff':

> Dy wên a'th hwyl a'th gariad di
> Fydd fyw am byth yn ein calonnau ni. (RG)

Lenna Pritchard Jones, Caerdydd, a Guto Harri. Er cof annwyl am Dr Harri Pritchard Jones (1933-2015)

Lois a'r Parchg Richard Glyn Jones, Llanrwst. 'Er cof annwyl am ein mab, Bryn (1973-2013), bu farw drwy hunanladdiad.'

Lona Jones, Waunfawr, Aberystwyth. 'Er cof annwyl am fy mhriod hoff, Glyn T Jones (1942-2016).'

Magdalen a Dewi Jones, Benllech, Ynys Môn

Mair Dyfri Jones, Caerdydd

Tecwyn Vaughan Jones, Bae Colwyn (gynt o Lan Ffestiniog)

Y Parchg Philip Huw Lewis, Caerdydd

Y Parchg Dyfrig Lloyd, Caerdydd

Illtyd R Lloyd, Caerdydd

Yr Athro Mari Lloyd-Williams, Y Waen (Waengoleugoed), ger
    Llanelwy (Prifysgol Lerpwl, maes Gofal Lliniarol.)

Megan Mandizha, Caerdydd

Dr Gethin Matthews, Caerdydd. 'Er cof annwyl am y Parchg Ddr
    D Hugh Matthews (1936-2020).'

Y Gwir Barchedig Ddr Barry Morgan, cyn-Archesgob Cymru

Y Parchg Ddr D Densil Morgan, Llanbedr Pont Steffan

Julia a'r Dr Wyn Morgan, Llangefni

Y Parchg Judith A Morris, Penrhyn-coch

Rhian E Morse, Caerdydd. 'Er cof annwyl am Veenie Morse (1924-
    1994), fy mam.'

Dr Carys Moseley, Caerdydd

Gwyn Neale, Nefyn. (Fy athro Saesneg hoff yn Ysgol Ramadeg
    Llanrwst. RG)

Ann Owen, Cyffordd Llandudno

Gareth Owen, Cartref Gofal Coedmor, Abergele, gynt o Eglwys Bach.
    (Fy nghyfaill ffyddlon ers dyddiau ysgol yn Llanrwst. RG)

Norma a Roderick Owen, Lerpwl

Wynford Ellis Owen, Creigiau, a Stafell Fyw, Caerdydd. 'Er cof am yr
    oll a gollwyd i bob math o ymlyniadau dros y blynyddoedd.'

Y Parchg Robert Parry, Coed-llai, Sir Y Fflint

Mair Paton ('Mair Mansel'), Penarth

Y Parchg John Pritchard, Llanberis

Elisabeth Rees, Deganwy

Marian Rees, Tal-y-llyn, Tywyn

Meinwen a'r Parchg Ddr D Ben Rees, Lerpwl

Non a Gwenallt Rees, Caerdydd

Sue ac Alun Reynolds, Caerdydd

Eirlys a'r Parchg Gwyndaf Richards, Llwydiarth, Y Trallwng

Eurwen Richards, Coety, Pen-y-bont ar Ogwr

Y Parchedigion Gwenda ac Elwyn Richards, Caernarfon

Heulwen Richards, Cartref Gofal Glan Rhos, Brynsiencyn (gynt o
Drearddur, Ynys Môn)

> Bob dydd o'th ystafell gwasgaru wnei di
> Belydrau yr haul i'n bywydau ni. (RG)

Nelian Richards, Y Drenewydd

Y Parchg Peter Dewi Richards, Caerdydd

Anne Roberts a Huw Thelwal Davies, Rhuthun. 'Er cof annwyl am ein
rhieni: Claudia Davies (1900-1967), a'r Dr Ifor H Davies (1901-
1985), Cerrigydrudion.'

Dennis Roberts, Y Felinheli. 'Er cof annwyl am Grace Roberts (1938-
2010), fy mhriod hoff.')

Enid Roberts, Bangor, a'r teulu. 'Er cof annwyl am Dr David Powys
Wynn Roberts (1929-2020).'

Hafwen a Gwyndaf Roberts, Pontypridd

Dr Iwan Roberts, Sheffield (ŵyr Dr Ifor H Davies, Cerrigydrudion)

Dr Llinos Roberts, Caerfyrddin

Eluned ac Owen Rook, Caerdydd

Y Parchg John Rowlands, Llanfachreth, Ynys Môn

Nia Rhosier, Llangollen (gynt o Hen Gapel John Hughes, Pontrobert,
Maldwyn.)

Gwen Thomas, Caerdydd

Joan Thomas, Llangynnwr, Caerfyrddin

Mary a Graham Thomas, Caerdydd

Meryl a'r Parchg Peter M Thomas, Aberystwyth

Stephen Thomas, Caerdydd

Delwyn Tibbott, Caerdydd. 'Er cof am Meurig Williams (1937-1991)
ac Elfyn Williams (1947-2004), dau frawd a ddioddefodd
flynyddoedd o salwch meddwl. Er cof annwyl hefyd am eu

chwaer, Minwel (1936-1998), fy mhriod, oedd yn fawr ei phryder amdanynt.'

Beryl Vaughan, Llanerfyl, Maldwyn

Wynn Vittle, Llangynnwr, Caerfyrddin

Brenda a'r Parchg Vincent Watkins (Carmel, Pont-lliw), Treforys

Dr Llion Wigley, Caerdydd

Alwena Williams, Cefnddwysarn, Meirionnydd

Alwena M Williams, Dinbych. 'Er cof annwyl am fy nhad, T Elwyn Griffiths, a fu farw yn gant oed yn 2018.'

Audrey Williams, Pontypridd

Beryl a Dr John Williams, Lerpwl

Beryl a Selwyn Williams. 'Er cof annwyl am John Stanley Evans (1936-2017), gynt o fferm Perth y Gwenyn, Capel Iwan, Caerfyrddin.' (Bu'r ddau ohonom yn gydweithwyr yn Amgueddfa Werin Cymru. RG.)

> Er colli cwmni'r cymwynaswr clên,
> Mor hyfryd yw'r cof am ei garedig wên. (RG)

Buddug Haf Williams, Brynaman

Dr Catrin Elis Williams, Bangor

Dr Donald Williams, Abertawe. Seiciatrydd

Eirwen Williams, Clydach, Y Fenni

Enid Williams, Llangernyw

Jean ac R H Wyn Williams, Aber-soch

Magwen Mai Williams, Brynsiencyn, Ynys Môn

Mair a Hywel Williams, Caerdydd

Nesta Williams, Penrhiw-llan, Llandysul

Nonn Williams, Llansadwrn, Ynys Môn. 'Er cof annwyl am fy mam', Ifanwy Williams (1922-2020)

> Trist yw'r gân heb Ifanwy;
> A mawr yw yr hiraeth mwy. (RG)

Bethan Wyn a Dr Iwan Edgar, Aber-erch, Pwllheli